延世韩国语3

活用练习

[韩] 延世大学韩国语学堂 编著

世界图书出版公司
北京·广州·上海·西安

图书在版编目（CIP）数据

延世韩国语3 活用练习 / 延世大学韩国语学堂编著 . —北京：世界图书出版公司北京公司，2014.6
（2023.1 重印）
ISBN 978-7-5100-7816-3

Ⅰ. ①延… Ⅱ. ①延… Ⅲ. ①朝鲜语－习题集 Ⅳ. ① H55-44

中国版本图书馆 CIP 数据核字 (2014) 第 070653 号

书　　名　延世韩国语 3 活用练习
　　　　　YANSHI HANGUOYU 3 HUOYONG LIANXI

编 著 者　[韩] 延世大学韩国语学堂
执 笔 者　[韩] 韩相美　[韩] 文　静　[韩] 刘连熙　[韩] 朴惠兰
责任编辑　乔　伟

出版发行　世界图书出版有限公司北京分公司
地　　址　北京市东城区朝内大街 137 号
邮　　编　100010
电　　话　010-64038355（发行）　64037380（客服）　64033507（总编室）
网　　址　http://www.wpcbj.com.cn
邮　　箱　wpcbjst@vip.163.com
销　　售　新华书店
印　　刷　三河市国英印务有限公司
开　　本　787 mm × 1092 mm　1/16
印　　张　18.5
字　　数　390 千字
版　　次　2014 年 6 月第 1 版
印　　次　2023 年 1 月第 11 次印刷
版权登记　01-2014-0209
国际书号　ISBN 978-7-5100-7816-3
定　　价　49.00 元（含 MP3 一张）

- '연세 한국어 3 활용연습'은 중급용 한국어 교재인 '연세 한국어 3'을 보다 효율적으로 학습해 나갈 수 있도록 하기 위해 개발되었다.

- '연세 한국어 3 활용연습'은 총 10과로 이루어져 있으며, 각 과는 5개의 항으로 구성되어 있다.

- 각 과의 1항부터 4항까지는 어휘, 문법 연습으로 구성되어 교재에 나온 어휘와 문법을 연습하도록 되어 있다. 5항은 한 과의 전체 내용을 총 정리하고 복습하는 내용으로 되어 있으며, 어휘와 문법 복습과 듣기 연습, 읽기 연습, 말하기 · 쓰기 연습 등으로 구성되어 있다.

- 학생들의 흥미를 끌고자 단어 찾기 게임, 단어 만들기 게임, 삼행시 짓기, 퍼즐 게임, 한국 관련 퀴즈 등 다양하고 흥미로운 내용으로 5개의 쉼터를 넣었다.

- 5과가 끝날 때마다 복습 문제와 십자말풀이를 넣어 배운 내용에 대한 정리를 할 수 있도록 하였다.

- 학생들의 이해를 돕고자 각 연습 문제의 1번에는 답을 써 주어 보기와 같은 역할을 할 수 있도록 하였다.

- 책의 뒷부분에는 교재에 실린 듣기 연습 부분의 지문과 모범 답안을 실어 학생들이 스스로 답안을 확인하고 공부하는 데 도움이 되도록 하였다.

凡例

- 《延世韩国语3 活用练习》是为了更高效地学习中级韩国语教材《延世韩国语3》而编写的。

- 《延世韩国语3 活用练习》共10课，每课由5个小节构成。

- 每课的第1~4小节是词汇、语法练习题，用来练习教材中出现的词汇和语法。第5小节从整体上对该课的内容进行整理、复习，有词汇·语法练习题、听力练习题、阅读练习题、会话·写作练习题等。

- 为了提高学生们的学习兴趣，本书编写了5道趣味题，分别是找单词题、造单词题、作三行诗题、字谜题、与韩国相关的知识竞猜题。

- 每5课结束后编有复习题和纵横字谜题，用来整理学过的内容。

- 为了帮助学生们理解，每道练习题的第1题给出了答案，起到了例子的作用。

- 本书的后面附有听力原文和练习题答案，用来帮助学生自己核对答案和学习。

（本书所有地图均使用国家测绘地理信息局标准地图的示意图）

차례

제 1과 취미생활

1과 1항

어휘

1. 다음 빈칸에 들어갈 말로 맞지 **않는** 것을 고르십시오. (**请选出不能填到横线上的单词。**)

❶ 저는 시간이 있으면 ______________ 을/를 해요.

운동	여행	~~춤~~	독서

❷ 제 취미는 ______________ 감상이에요.

연극	영화	그림	악기

❸ 제 취미는 ______________ 을/를 두는 것이에요.

우표	장기	바둑	체스

❹ ______________ 을/를 치면 시간이 정말 빨리 가요.

낚시	골프	테니스	탁구

❺ 주말에는 친구들과 같이 ______________ 을/를 해요.

등산	축구	요리	자전거

❻ 여러 나라를 여행하면서 ______________ 을/를 모으는 것을 좋아해요.

엽서	음악	동전	열쇠고리

2. 다음 [보기]에서 알맞은 말을 골라 빈칸에 쓰십시오. (**请从[보기]中选择合适的单词或词组填到括号中。**)

[보기]	세계	거의	가능하다
	마음을 먹다	모으다	시간을 내다

❶ 교실에 걸려 있는 (세계) 지도에서 우리 나라를 찾아봤어요.

❷ 잠깐만 기다려. 일이 (   ) 다 끝났어.

❸ 오토바이를 사려고 돈을 (   )고 있어요.

❹ (   )으면/면 오늘 저녁까지 그 일을 끝내 주세요.

❺ 내년에 유학을 가기로 (   )었어요/았어요/였어요.

❻ 이번 주말에는 (   )어서/아서/여서 할머니를 찾아뵐 거예요.

문법

–던데요

3. 다음은 유카의 일기입니다. '–던데요'를 사용해 대화를 완성하십시오. (**下面是由香的日记。请使用"–던데요"完成对话。**)

> **5월 11일 토요일 맑음**
>
> 한국 친구와 같이 경복궁에 다녀왔다. 신촌에서 가깝고 ❶입장료도 아주 쌌다. 주말이어서 그런지 ❷구경 온 사람들이 많았다. 나와 같은 외국인들도 많았다.
> 경복궁은 옛날에 왕이 살던 곳으로 ❸ 오래된 건물과 연못이 있어서 아주 멋있었다. ❹사람들은 여기저기에서 사진을 찍었다. 우리도 천천히 구경을 하면서 사진을 찍었다. 한참 가다가 보니까 ❺민속 박물관이 있었다. ❻거기에서는 옛날 사람들의 생활 모습을 알 수 있어서 좋았다. 오늘 경복궁과 민속 박물관을 보고 한국의 역사와 문화를 많이 알게 되었다. 다음에 한가할 때 다시 가서 천천히 구경하고 싶다.

유카 : 어제 경복궁에 갔다가 왔어요.

수지 : 그래요? 저도 한번 가 보고 싶었는데……. 여기에서 가까워요?

유카 : 네, 가까워요. 그리고 ❶입장료도 아주 싸던데요.

수지 : 주말이어서 사람들이 많았지요?

유카 : 네, ❷ ______________________ 던데요.

수지 : 경복궁은 어떤 곳이에요?

유카 : 옛날에 왕이 살았던 곳이에요.
❸ ______________________________ 던데요.
그래서 그런지 사람들이 여기저기에서 ❹ ______________________.

수지 : 그래요? 그런데 경복궁만 구경하고 왔어요?

유카 : 아니요, 한참 걸어가니까 그 옆에 ❺ ______________________.
그래서 거기도 들어가서 구경했어요.

수지 : 민속 박물관은 어땠어요?

유카 : ❻ ______________________________________.
한국의 역사와 문화에 대해서 많이 배웠어요.

수지 : 좋았겠어요. 저도 다음에 꼭 가 봐야겠어요.

4. 다음 그림을 보고 '-던데요'를 사용해 대화를 완성하십시오. (**请看下图，然后使用"-던데요"完成对话。**)

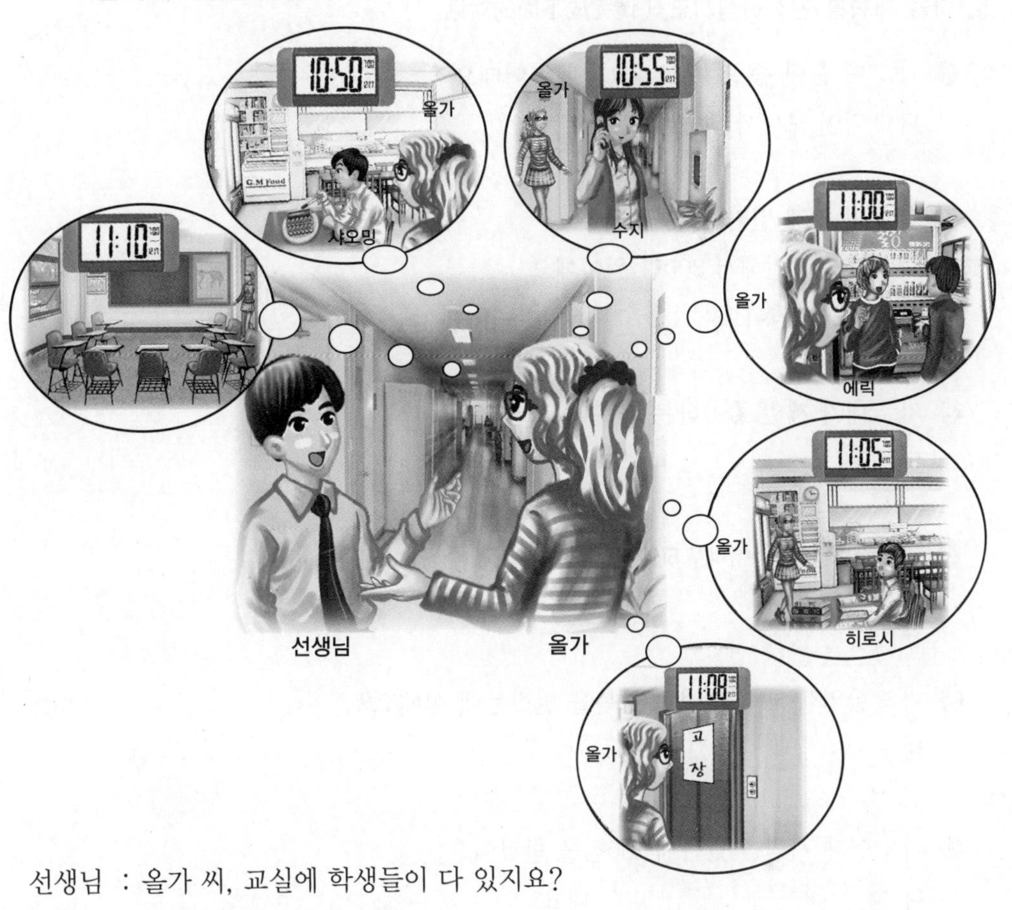

선생님 : 올가 씨, 교실에 학생들이 다 있지요?

올가 : 아니요. ❶ 아무도 없던데요.

선생님 : 그래요? 샤오밍 씨도 없어요?

올가 : 네, 아까 샤오밍 씨를 봤는데 ❷ ______________________.

선생님 : 그럼, 수지 씨는요?

올가 : ❸ ______________________.

선생님 : 에릭 씨도 봤어요?

올가 : 네, ❹ ______________________.

선생님 : 히로시 씨는요?

올가 : ❺ ______________________.

선생님 : 그래요? 곧 수업을 시작할 테니까 올가 씨가 친구들 좀 불러 줄래요?

올가 : 네, 그럴게요.

선생님 : 엘리베이터를 타고 내려가세요.

올가 : 아까 보니까 ❻ ______________________.
빨리 뛰어갔다 올게요.

-네요

5. 다음 대화를 완성하십시오. (**请完成下面的对话。**)

❶ 가 : 이 순대 좀 드셔 보세요. 맛이 어때요?
　 나 : 먹어 보니까 맛있네요.

❷ 가 : 이 시계 얼마예요?
　 나 : 30% 할인해서 300만 원이에요.
　 가 : 300만 원이요? ____________________네요.

❸ 가 : 내가 제일 좋아하는 가수야. 노래 잘 하지?
　 나 : 응, ____________________네. 춤도 잘 추고.

❹ 가 : 이 찜질방 어때? 500명이나 들어갈 수 있어.
　 나 : 우와, 정말 ____________________네요.

❺ 가 : 졸업식 때 입으려고 한복을 빌렸는데 어때요?
　 나 : ____________________네요.

❻ 가 : 어제 시험을 봤는데 100점을 받았어요.
　 나 : ____________________네요.

6. 다음 그림을 보고 대화를 완성하십시오. (请看下图完成对话。)

히로시 : 밍밍 씨, 여기 음식 정말 맛있지요?

밍밍 : 네, 그래서 이렇게 사람이 많군요. 어, 저기 승연 씨가 ❶있네요.

히로시 : 어머니와 같이 온 것 같아요. 정말 두 사람이 ❷ .... 네요.

밍밍 : 네, 누가 봐도 한 가족인 걸 알겠어요. 그런데 어머니가 아주 ❸ .... 네요.

히로시 : 승연 씨 언니 같지요? 그런데 식탁 위에 있는 저 그릇들 좀 보세요.

밍밍 : 저게 다 두 사람이 먹은 거예요? 정말 ❹ .... 네요.

히로시 : 어, 어떤 남자가 승연 씨 옆으로 ❺ .... 네요.

밍밍 : 아, 승연 씨 아버지 같아요. 승연 씨와 엄마는 아주 날씬한데 아버지는 ❻ .... 네요. 저기 있는 그릇들은 아버지가 잡수신 것 같군요.

1과 2항

어휘

1. 다음 [보기]에서 알맞은 말을 골라 빈칸에 쓰십시오. (请从[보기]中选择合适的单词填到括号中。)

[보기] 발표회	상영	연주회	전시회

❶ 이번 주부터 졸업생들의 작품 (　발표회　)이/가 시작돼서 구경 온 사람들이 많았다.

❷ 오늘 친구가 피아노 (　　　　)을/를 해서 꽃을 사 가지고 갔다.

❸ 다음 주부터 연세대학교 박물관에서 새로운 (　　　　)을/를 시작합니다.

❹ 올해 영화제에서 상을 받은 영화가 다음 주부터 극장에서 (　　　　)이/가 된대요.

2. 다음 [보기]에서 알맞은 말을 골라 빈칸에 쓰십시오. (请从[보기]中选择合适的单词填到括号中。)

[보기] 인물화	풍경화	학원	주로	등록하다	완성하다

❶ 유카 씨는 한국어 수업이 끝나면 (　학원　)에 가서 일본어를 가르쳐요.

❷ 그 소설을 (　　　　)는/은/ㄴ 데 10년이 걸렸다고 한다.

❸ 친구들이 모두 회사에 다녀서 (　　　　) 저녁에 만나요.

❹ 한국 요리를 배우고 싶어서 요리 학원에 (　　　　)었어요/았어요/였어요.

❺ 저는 사람들의 모습을 그린 (　　　　)보다 산이나 바다 같은 자연을 그린 (　　　　)이/가 더 좋아요.

문법

-는 편이다

3. 다음 문장을 완성하십시오. (**请完成下面的句子。**)

❶ 태우 씨는 회사일 때문에 자주 늦게 옵니다.
태우 씨는 다른 사람보다 회사일이 많은 ~~는/은/ㄴ~~ 편입니다.

❷ 수지 씨 집에서 학교까지 40분 걸립니다.
수지 씨 집은 학교에서 ______________ 는/은/ㄴ 편입니다.

❸ 유카 씨는 약속 시간에 늦는 일이 별로 없습니다.
유카 씨는 약속을 잘 ______________ 는/은/ㄴ 편입니다.

❹ 샤오밍 씨는 매운 음식을 좋아해서 자주 먹습니다.
샤오밍 씨는 매운 음식을 잘 ______________ 는/은/ㄴ 편입니다.

❺ 안드레이 씨는 이번 시험에서 모두 90점을 받았습니다.
안드레이 씨는 시험을 잘 ______________ 는/은/ㄴ 편입니다.

❻ 승연 씨는 21살에 결혼을 했습니다.
승연 씨는 결혼을 일찍 ______________ 는/은/ㄴ 편입니다.

4. 다음 표를 보고 '-는 편이다'를 사용해 문장을 완성하십시오. (**请看下表，然后使用"-는 편이다"完成句子。**)

	한국 대학생	에릭
❶ 하루 수면 시간	6~7시간	8시간
❷ 수업 후 공부하는 시간	2~3시간/1일	1시간/1일
❸ 술을 마시는 횟수	1~2회/일주일	3~4회/일주일
❹ 아르바이트 시간	2~3시간/일주일	6~8시간/일주일
❺ 한 달 용돈	25~30만 원	35만 원
❻ 한 달 휴대전화 요금	4만 원	2만 8천 원

❶ 에릭 씨는 한국 대학생들에 비해서 잠을 많이 자는 편입니다.

❷ 에릭 씨는 한국 대학생들에 비해서 ______________.

❸ 에릭 씨는 한국 대학생들에 비해서 ______________.

❹ 에릭 씨는 ______________.

❺ 에릭 씨는 ______________.

❻ 에릭 씨는 ______________.

-고요

5. 다음 표를 보고 '-고요'를 사용해 대화를 완성하십시오. (**请看下表，然后使用"-고요"完成对话。**)

	히로시	유카
연세 커피숍	넓다, 분위기가 좋다	시끄럽다, 커피가 맛없다
신촌 헬스클럽	비싸다, 사람이 많다	깨끗하다, 시설이 좋다
학교 앞 서점	책이 많다, 값이 싸다	복잡하다, 친절하지 않다

수지 : 히로시 씨, 연세 커피숍에서 모임을 하려고 하는데 어때요?
히로시 : 좋아요. 거긴 아주 ❶ 넓어요 . 분위기도 좋고요 .
유카 : 그렇지만 거긴 좀 ❷ 시끄러워요 . ______ .

수지 : 유카 씨, 새로 생긴 신촌 헬스클럽이 좋아요?
유카 : 네, 아주 ❸ ______ . ______ .
히로시 : 하지만 너무 ❹ ______ . ______ .

수지 : 히로시 씨, 학교 앞 서점이 어때요?
히로시 : ❺ ______ . ______ .
유카 : ❻ 하지만 좀 ______ . ______ .

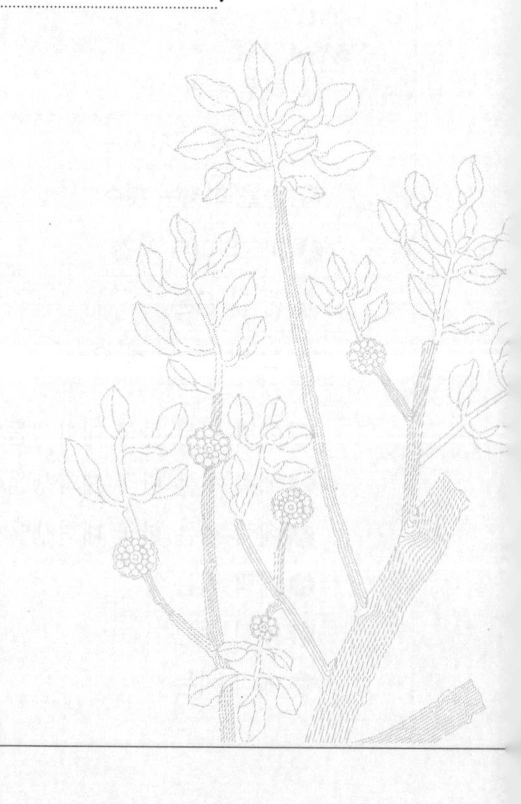

6. 다음 표를 보고 '-고요'를 사용해 대화를 완성하십시오. (请看下表，然后使用"-고요"完成对话。)

❶ 레스토랑 : 오늘의 메뉴 할인	스테이크(15,000원→7,000원), 후식도 줌
❷ 김치 담그기 대회	외국인만 가능, 해외 교포도 가능
❸ 백화점 세일	10% 할인, 10만 원 이상 사면 상품권도 줌
❹ 문화 체험	한국 무용 보기, 탈춤 배우기
❺ 주스 할인 판매	3,000원→2,000원, 두 개 사면 하나 더 (2+1)
❻ 한국어학당 노래 대회	2급 학생들만 참가, 오후반 2급 학생들도 가능

❶ 가 : 스테이크는 얼마예요?

나 : 오늘만 스테이크가 7,000원이에요. 후식도 드리고요.

❷ 가 : 한국 사람도 김치 담그기 대회에 나갈 수 있어요?

나 : 아니요, ________________. ________________고요.

❸ 가 : 내일부터 백화점 세일인데 얼마나 할인되는지 아세요?

나 : 네, ________________. ________________고요.

❹ 가 : 이번 문화 체험은 뭘 한다고 해요?

나 : ________________. ________________.

❺ 가 : 주스를 왜 이렇게 많이 샀어요?

나 : ________________. ________________.

❻ 가 : 이번 노래 대회는 모든 학생들이 다 참가하는 거예요?

나 : 아니요, ________________. ________________.

1과 3항

어휘

1. 다음은 동아리를 소개하는 글입니다. 어느 동아리인지 쓰십시오. (下面是社团的介绍。请写出介绍的是哪个社团。)

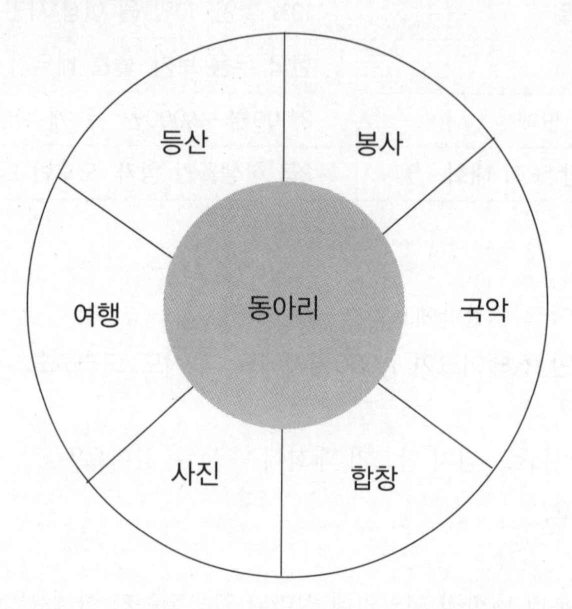

❶ 사진 동아리	❷	❸ ....
가방 안에 카메라 하나만 있으면 됩니다. 놓치고 싶지 않은 순간을 찍으세요. 찰칵! 소중한 추억이 될 거예요.	한국의 전통과 문화에 관심 있으신 분은 오십시오. 전통 음악도 듣고 직접 악기를 연주하는 법도 배울 수 있어요.	어디론가 떠나고 싶으세요? 망설이지 말고 오세요. 답답한 도시를 떠나 자연을 즐겨요. 친구도 사귀고요.
❹	❺	❻ ....
산을 좋아하는 사람은 누구나 환영이에요. 땀을 흘리면서 산에 오르면 모든 스트레스가 없어질 거예요.	여러 사람들이 모여 아름다운 소리를 만듭니다. 웃음과 노래 속에서 우리는 하나가 됩니다.	이 세상은 사랑 없이 살 수 없어요. 진실한 마음으로 사랑을 보여 주실 분을 찾습니다.

2. 다음 [보기]에서 알맞은 말을 골라 빈칸에 쓰십시오. (**请从[보기]中选择合适的单词填到括号中。**)

[보기]	고민	관심	동영상	홈페이지	괜히	들다

❶ 그 병원의 위치를 알고 싶으면 인터넷 (홈페이지)에 들어가서 보세요.

❷ 취직을 할지 대학원에 갈지 (   )이에요/예요.

❸ 저는 한국 문화에 (   )이/가 있어서 한국에 왔어요.

❹ 컴퓨터 동아리에 (   )으려면/려면 어떻게 해야 해요?

❺ 숙제 때문에 친구 집에 갔는데 친구가 없었어요. 시간도 없는데 (   ) 갔어요.

❻ 요즘은 학원에 가지 않아도 집에서 (   )을/를 보면서 요리를 배울 수 있어서 좋아요.

문법

-는데도

3. 관계있는 문장을 연결해서 한 문장으로 만드십시오. (**请把相关内容正确连线，然后写成一个句子。**)

오늘은 평일입니다. •	• 친구가 오지 않아요.
그 물건이 비쌉니다. •	• 대답을 못 했어요.
그것에 대해서 잘 압니다. •	• 백화점에 사람이 많아요.
뉴스를 날마다 듣습니다. •	• 듣기 성적이 좋아지지 않아요.
밥을 안 먹었습니다. •	• 사는 사람이 많아요.
약속 시간이 지났습니다. •	• 배가 고프지 않아요.

❶ 오늘은 평일인데도 ~~는데도/은데도/ㄴ데도~~ 백화점에 사람이 많아요.

❷ .... 는데도/은데도/ㄴ데도 ....

❸ .... 는데도/은데도/ㄴ데도 ....

❹ ....

❺ ....

❻ ....

4. 남자 세 명과 여자 세 명에게 질문을 했습니다. '-는데도'를 사용해 문장을 만드십시오. (向3名男生和3名女生进行了提问。请使用"-는데도"造句。)

여자들에게 화가 날 때	남자들에게 화가 날 때
❶ 외출 준비하는 시간이 너무 길다.	❶ 잘못을 했을 때 사과하지 않는다.
❷ 늘 입을 옷이 없다고 말한다.	❷ 할 일이 없어도 항상 바쁘다고 한다.
❸ 이미 끝난 일에 대해서 자꾸 말한다.	❸ 여자 친구가 있어도 다른 여자들한테 관심이 많다.

남자 1 : 여자들은 시간이 없는데도 ~~는데도/은데도/ㄴ데도~~ 외출 준비하는 시간이 너무 길어요.

남자 2 : 여자들은 .... 는데도/은데도/ㄴ데도 늘 옷이 없다고 해요.

남자 3 : 여자들은 .... 는데도/은데도/ㄴ데도 시간이 날 때마다 그 이야기를 해요.

여자 1 : 남자들은 .... 는데도/은데도/ㄴ데도 사과하지 않아요.

여자 2 : 남자들은 ....

여자 3 : 남자들은 ....

-기만 하다

5. 다음 문장을 완성하십시오. (请完成下面的句子。)

❶ 아기가 아픈가 봐요. 우유도 먹지 않고 계속 울기만 해요.

❷ 책을 .... 기만 하고 왜 안 읽어요?

❸ 회사에 와서 일은 안하고 .... 기만 하는 사람은 필요 없어요.

❹ 그 사람한테 질문하면 언제나 대답은 하지 않고 .... 기만 해요.

❺ 안드레이 씨는 월급을 받으면 저금은 하지 않고 .... 기만 해요.

❻ 아이들이 식당에서 밥은 안 먹고 .... 기만 해요. 시끄러워서 식사를 할 수가 없어요.

6. 다음 그림을 보고 대화를 완성하십시오. (**请看下图完成对话。**)

기자　: 요즘 주말을 어떻게 보내고 있는지 지나가는 분들께 물어보겠습니다.
실례지만 주말에 가족들이 무엇을 합니까?

여자　: 제 남편은 ❶하루 종일 자기만 해요.
큰 아들은 컴퓨터 앞에서 ❷ .... 만 해요.
딸은 친구들과 ❸ .... 만 하고요.
막내 아들은 쉬지 않고 ❹ .... 기만 해요.

기자　: 그럼 부인께서는 뭘 하세요?

여자　: 저는 하루 종일 ❺ .... 만 해요. 청소하고 빨래하고 식사 준비 하고…….

아이들 : 아니에요. 우리 엄마는 하루 종일 ❻ .... 만/기만 해요.

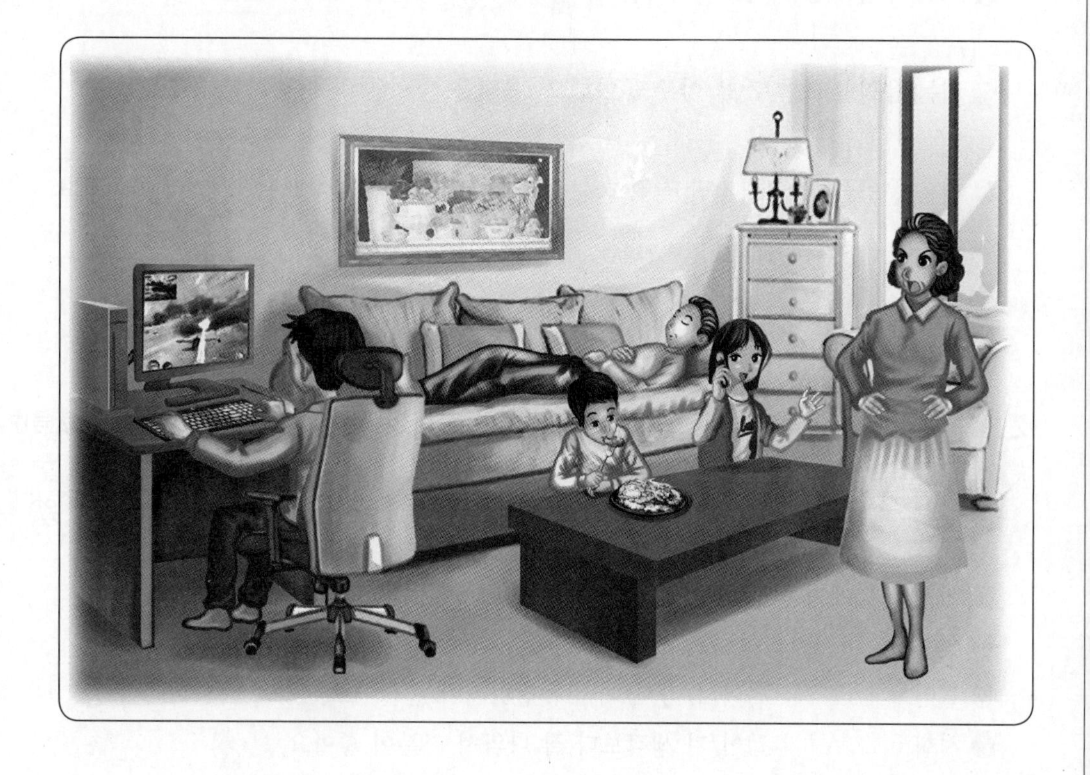

1과 4항

어휘

1. 다음 사람들은 어떤 여가 생활을 즐길까요? 관계있는 두 단어를 [보기]에서 골라 쓰십시오. (下面的人们喜欢什么休闲活动呢? 请从[보기]中选择相关的两个单词填到下面括号中。)

[보기]	봉사	비디오	스포츠	음악	컴퓨터
	감상	게임	관람	촬영	활동

❶ 저는 재미있는 게임을 좋아해서 밤 늦게까지 게임을 할 때가 많아요. (컴퓨터 게임)

❷ 저는 시간이 나면 고아원에 가서 아이들을 돌봐 줘요. (　　　　)

❸ 저는 주말마다 비디오카메라를 가지고 산이나 강가에 가서 사진을 찍어요. (　　　　)

❹ 저는 음악을 듣는 것을 아주 좋아해요. 음악을 들으면 마음이 편안해져요. (　　　　)

❺ 저는 운동을 좋아하지만 직접 하는 것보다 경기장에 가서 보는 것을 더 좋아해요. (　　　　)

2. 다음 [보기]에서 알맞은 말을 골라 빈칸에 쓰십시오. (请从[보기]中选择合适的单词填到括号中。)

[보기]	결과	관광	조사	별로	따르다	험하다

❶ 어제 고향에서 온 친구와 같이 서울 시내 (관광)을/를 했어요.

❷ 인구 (　　　　)은/는 4년마다 합니다.

❸ 길이 (　　　　)어서/아서/여서 운전하기가 힘들어요.

❹ 시험 (　　　　)이/가 생각보다 잘 나와서 기분이 좋아요.

❺ 일기예보에 (　　　　)으면/면 내일부터 다시 추워진다고 합니다.

❻ 술을 마시는 것은 (　　　　) 좋아하지 않지만 친구들과 이야기하는 것은 좋아해요.

문법

–자마자

3. 다음 그림을 보고 '–자마자'를 사용해 문장을 완성하십시오. (请看下图，然后使用 “–자마자” 完成句子。)

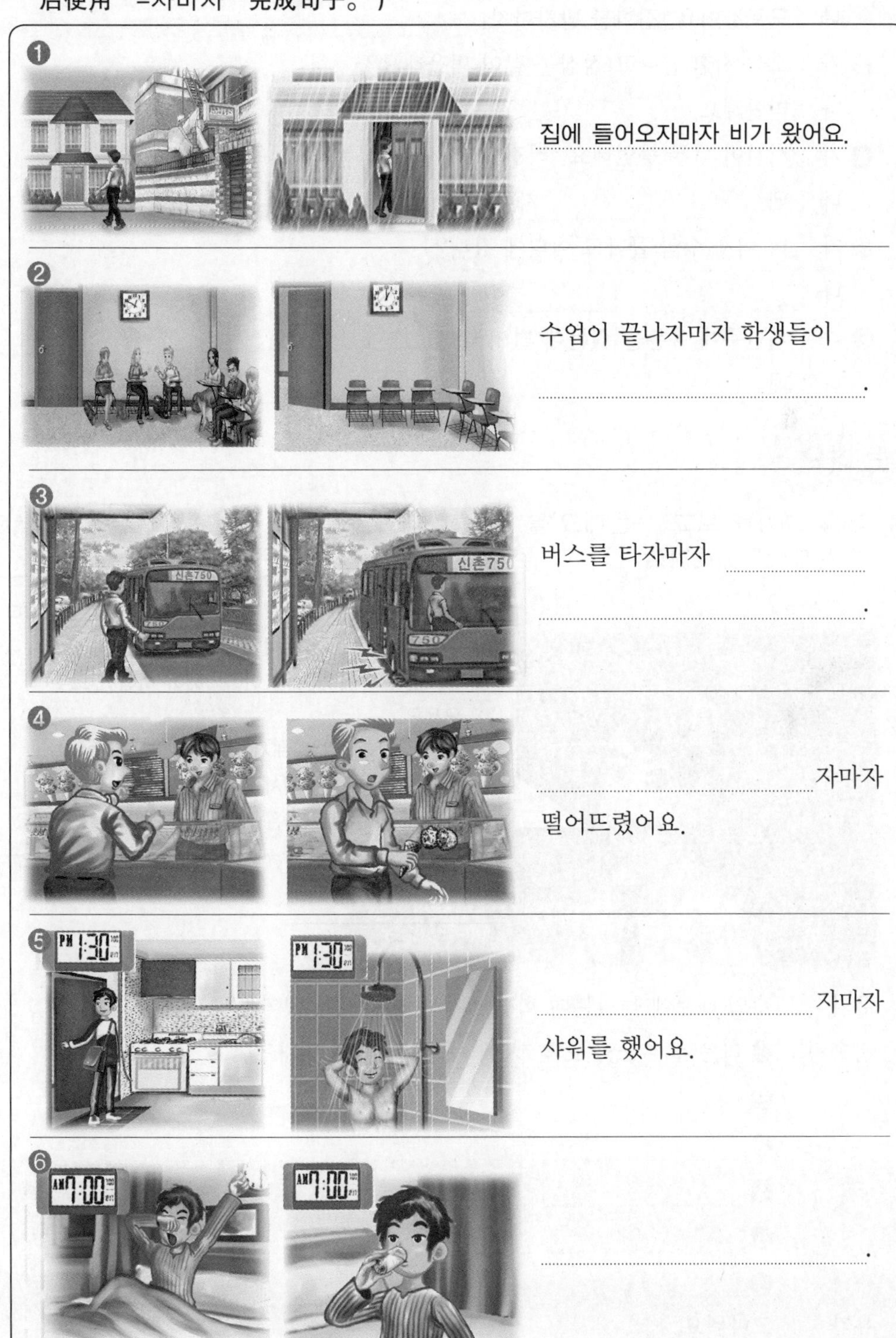

① 집에 들어오자마자 비가 왔어요.

② 수업이 끝나자마자 학생들이 ______________.

③ 버스를 타자마자 ______________.

④ ______________ 자마자 떨어뜨렸어요.

⑤ ______________ 자마자 샤워를 했어요.

⑥ ______________.

4. '-자마자'를 사용해 대화를 완성하십시오. (**请使用"-자마자"完成对话。**)

❶ 가 : 어제 집에 가서 뭘 했어요?
나 : 너무 피곤해서 집에 가자마자 그냥 잤어요.

❷ 가 : 누군데 그렇게 전화를 빨리 끊어요?
나 : 모르겠어요. 전화를 받자마자 ____________________.

❸ 가 : 오늘 시험 끝나고 점심을 같이 먹을래요?
나 : 미안해요. ____________ 자마자 ____________.

❹ 가 : 시간이 너무 늦었네요. 걱정되니까 도착하는 대로 꼭 연락 주세요.
나 : 네, ____________ 자마자 ____________.

❺ 가 : 너 어제 수업 끝나고 어디에 갔니?
나 : ____________________.

❻ 가 : 지난주에 용돈을 줬는데 벌써 다 썼어?
나 : 네, ____________________.

-는대요

5. 다음 그림을 보고 '-는대요'를 사용해 대화를 완성하십시오. (**请看下图，然后使用"-는대요"完成对话。**)

❶ 다음 주 수요일 오후 7시에 동아리 모임이 있습니다.
❷ 모임 장소는 동아리 방입니다.
❸ 중요한 문제에 대해서 이야기해야 하니까 모두 다 꼭 오세요.
❹ 다른 사람들을 생각해서 늦지 마세요.
❺ 모임이 끝난 후에 식사를 같이 합시다.
❻ 그날 못 오는 사람들은 미리 저한테 연락해 주세요.

유카 : 수업 때문에 늦었는데 회장이 무슨 이야기를 했어요?
샤오밍 : ❶ 다음 주 수요일 오후 7시에 동아리 모임이 있대요.
❷ ____________________.
❸ ____________________.
❹ ____________________.
❺ ____________________.
❻ ____________________.
유카 : 고마워요.

6. 다음은 샤오밍 씨가 밍밍 씨한테 보낸 이메일입니다. 읽고 '-는대요'를 사용해 대화를 완성하십시오. (**下面是小明写给明明的邮件。请阅读这封邮件，然后使用"-는대요"完成对话。**)

밍밍 씨에게

방학 동안에 여행을 가고 싶다고 했지요? 어디가 좋냐고요?

물론 ❶ 설악산이 제일 좋지요. ❷ 한국 사람들이 가장 즐겨 찾는 산이 설악산이에요. 설악산은 단풍이 든 가을에도 아름답지만 눈 쌓인 ❸겨울에 더 아름다워요. 등산과 겨울 바다 그리고 온천까지 즐길 수 있어서 ❹겨울에도 사람들이 많이 찾아요. 또 설악산은 서울에서 고속버스로 ❺3시간 정도면 갈 수 있어서 사계절 내내 인기가 많아요. 더 자세한 것을 알고 싶으면 ❻전화하세요. 제가 아는대로 가르쳐 줄게요.

샤오밍

올가 : 밍밍 씨, 여행갈 곳은 정했어요?

밍밍 : 네, 샤오밍 씨한테 물어보니까 ❶설악산이 제일 좋대요.

❷ ....

그래서 설악산으로 가기로 했어요.

설악산은 가을에도 아름답지만 ❸ ....

올가 : 겨울이어서 관광객들이 그리 많지 않겠군요.

밍밍 : 아니요, 바다도 가깝고 온천까지 즐길 수 있어서 ❹ ....

....

올가 : 그렇군요. 그런데 설악산은 멀지 않아요?

밍밍 : 아니요. 서울에서 고속버스로 ❺ ....

올가 : 설악산에 대해서 잘 아시네요.

밍밍 : 아니에요. 샤오밍 씨가 가르쳐 줬어요.

더 알고 싶으면 ❻ ....

1과 5항

어휘와 문법

1. 다음은 단어 게임입니다. □에 맞는 단어를 [보기]에서 골라 쓰십시오. (**下面是单词游戏。请从[보기]中选择合适的单词填到□中。**)

[보기]	감상	관람	봉사	상영	수집
	여행	연주	오락	전시	촬영

어려움 ――――――→ 쉬움

10점	7점	5점	3점	정답
논문 ??	기사 ??	?? 준비	발표회	[보기] 발표 (3점)
□□문	미술품 □□	영화 □□	음악 □□	1) (점)
□□ 불가	□□객	□□ 시간	경기 □□	2) (점)
□□ 기사	야외 □□	영화 □□	사진 □□	3) (점)
□□관	□□ 기간	□□ 시간	영화 □□	4) (점)
□□자	국악 □□	□□회	피아노 □□	5) (점)
자원 □□	□□자	무료 □□	□□ 활동	6) (점)
수학□□	배낭□□	신혼□□	□□사	7) (점)
전자□□	□□ 시설	□□ 프로	□□ 영화	8) (점)
도서 □□	조각 □□	그림 □□	사진 □□	9) (점)
골동품 □□	□□가	□□품	우표 □□	10) (점)

맞힌 단어 수 (　　　　)개　　　　점수 (　　　　)점

70점 이상 : 아주 좋습니다. ☺☺
50점 이상 : 좋습니다. ☺
30점 이상 : 보통입니다. 😐
29점 이하 : 조금 더 노력하십시오. ☹

※ 단어 게임입니다. 10점부터 문제를 푸십시오. 잘 모르면 7점(→5점→3점)으로 가서 문제를 푸십시오. 답을 알면 알맞은 단어를 [보기]에서 골라 쓰고 점수에 표시를 하십시오. 10문제를 모두 풀고 점수를 계산해 보십시오.

2. 다음 [보기]에서 알맞은 말을 골라 빈칸에 쓰십시오. (请从[보기]中选择合适的单词填到横线上。)

[보기]	고민	관심	동아리	동영상	학원
	홈페이지	괜히	등록하다	마음먹다	촬영하다

첫 중간시험이 끝났다. 무엇을 할까 ❶ ________ 을/를 하다가 그동안 미루고 하지 않았던 일들을 하기로 ❷ ________ 었다/았다/였다. 그래서 먼저 중국어를 배우려고 ❸ ________ 에 가서 ❹ ________ 었다/았다/였다. 그 다음에 학교에 가서 중국어 ❺ ________ 에도 가입했다. 일주일에 한 번씩 모여서 중국어로 이야기도 하고 방학 때는 중국으로 여행도 간다고 한다. 이 동아리에서는 중국 문화에 ❻ ________ 이/가 있는 학생들을 위해서 한 달에 두 번 중국 영화도 상영하고 회원들이 여행을 하면서 찍어 온 ❼ ________ 도 보여 준다고 한다. 회원들이 직접 ❽ ________ 어서/아서/여서 어색한 것도 있었지만 재미있는 것도 많았다. 인터넷 ❾ ________ 에 들어가면 더 많은 정보를 알 수 있다고 한다. ❿ ________ 그동안 아무 것도 안 하고 시간만 보낸 것 같다. 오늘부터 열심히 해야겠다.

3. 다음 대화를 완성하십시오. (**请完成下面的对话。**)

❶ 가 : 남산에 가 보니까 어땠어요?

나 : ________________ 던데요.

❷ 가 : 이거 제가 그린 그림인데 어때요?

나 : ________________ 네요.

❸ 가 : 학생 식당에 자주 가세요?

나 : ________________ 는/은/ㄴ 편이에요.

❹ 가 : 배가 좀 고픈데 저기 포장마차에 가서 뭘 좀 먹을까?

나 : 네, 떡볶이를 먹어요. ________________ 고요.

❺ 가 : 이 문제를 모두 틀렸네요. 수업 시간에 안 배웠어요?

나 : 아니요, ________________ 는데도/은데도/ㄴ데도 ________________.

❻ 가 : 그렇게 하루 종일 ________________ 기만 하면 어떻게 해요?

나 : 미안해요. 너무 피곤해서 움직일 수가 없어요.

❼ 가 : 사무실에서 전화가 오면 바로 연락해 줄 수 있어요?

나 : 네, ________________ 자마자 ________________.

❽ 가 : 승연 씨가 여행을 갔다가 왔을까요?

나 : 조금 전에 승연 씨 집에 전화했는데 ________________ 는대요/대요/으래요/재요/이래요.

❾ 가 : 부모님과 전화했지? 부모님이 뭐라고 하셔?

나 : ________________ 는대요/대요/으래요/재요/이래요.

❿ 가 : 오늘 오후에 뭐 할 거예요?

나 : 명동에 갈 거예요. 친구가 ________________ 는대요/대요/으래요/재요/이래요.

4. 다음 중 맞는 문장에 ○표 하십시오. (请在正确的句子后面标记○。)

❶ 어제 본 영화가 재미있던데요. (　　)
어제 본 영화가 재미있었던데요. (　　)

❷ 아까 태우 씨가 도서관에 가던데요. (　　)
아까 태우 씨가 도서관에 갔던데요. (　　)

❸ 요리하는 것을 좋아한 편이지만 시간이 없어서 자주 못 해요. (　　)
요리하는 것을 좋아하는 편이지만 시간이 없어서 자주 못 해요. (　　)

❹ 안드레이 씨는 똑똑한데도 성격이 좋지 않아요. (　　)
안드레이 씨는 똑똑하지만 성격이 좋지 않아요. (　　)

❺ 퇴근하는 대로 친구를 만나러 갔어요. (　　)
퇴근하자마자 친구를 만나러 갔어요. (　　)

5. 다음은 올가 씨 동생이 올가 씨에게 보낸 이메일입니다. 대화를 완성하십시오. (下面是奥尔加的妹妹写给奥尔加的邮件。请完成下面的对话。)

보고 싶은 언니에게

언니, 그동안 잘 있었어? 여기는 요즘 비가 많이 오는데 서울은 어때?
언니한테 전해 줄 좋은 소식이 있어. ❶큰오빠가 다음 달 16일에 결혼해. ❷오빠의 회사일 때문에 좀 빨리 하게 되었어. ❸그때는 방학이니까 올 수 있지? ❹내 메일을 보는 대로 비행기 표부터 예약해. ❺언니가 오면 오빠 결혼 선물을 사러 같이 가자.
참, 내가 좋아하는 가수 김빈의 새 노래가 나왔어. ❻집에 올 때 이번에 새로 나온 시디(CD) 좀 사 가지고 와. 부탁해.
오늘은 바빠서 이만 쓰고 나중에 더 자세하게 쓸게.
그럼 잘 있어.

동생 마리나가

에릭 : 올가 씨, 뭘 그렇게 열심히 보고 있어요?
올가 : 고향에 있는 동생한테서 이메일이 왔어요.
에릭 : 그래요? 무슨 좋은 소식이 있어요?
올가 : 네. ❶ .... 는대요/대요/냬요/으래요/재요.
❷ 오빠의 일 때문에 .... 는대요/대요/냬요/으래요/재요.
❸ .... 는대요/대요/냬요/으래요/재요.
❹ 메일을 보는 대로 .... 는대요/대요/냬요/으래요/재요.
❺ 고향에 오면 같이 .... 는대요/대요/냬요/으래요/재요.
에릭 : 정말 좋은 소식이네요. 다른 이야기는 없어요?
올가 : 집에 올 때 ❻ .... 는대요/대요/냬요/으래요/재요.

듣기 연습

MP3: 01~ 03

1. 뉴스를 듣고 질문에 대답하십시오. (**请听新闻回答问题。**)

1) 다음 표를 완성하십시오.

	가장 즐겨 하는 취미	취미 활동을 하는 시간	취미 활동을 하는 이유
1위		/ 1주일	
2위		/ 1주일	재미가 있어서
3위	텔레비전 시청	3시간 정도 / 1주일	

2. 이야기를 듣고 질문에 대답하십시오. (**请听下面的内容回答问题。**)

1) '이사모'란 무슨 뜻입니까? 쓰십시오.

....

2) '이사모'는 어떤 활동을 하고 있습니까? 쓰십시오.

....

3) 이 이야기를 한 목적은 무엇입니까? (   )

❶ 새 동아리 회장을 알리기 위해 ❷ 새 동아리 회원을 모으려고
❸ 동아리 활동의 어려움을 알리려고 ❹ 동아리에서 한 활동을 알리려고

3. 대화를 듣고 질문에 대답하십시오. (请听对话回答问题。)

1) 두 사람은 무엇에 대해서 이야기하고 있습니까? (　　　　)

❶ 신입생 환영회　　❷ 신입생들의 고민　　❸ 신입생의 동아리 가입

2) 여자가 든 동아리는 무슨 동아리입니까? (　　　　)

❶ 댄스 동아리　　❷ 사진 동아리　　❸ 연극 동아리

3) 동아리에 가입하려는 학생 수가 줄고 있는 이유는 무엇인지 쓰십시오.

읽기 연습

1. 다음 글을 읽고 질문에 대답하십시오. (请阅读下面的文章回答问题。)

주부들의 취미생활

아줌마들이 변하고 있다. 예전에는 여자들의 취미로 꽃꽂이나 요리와 같은 것이 대부분이었으나 이제 그런 것은 옛날이야기가 된 지 오래다. 요즘은 복싱 같은 스포츠에서 고전 무용까지 다양한 취미를 가진 아줌마들이 늘고 있다. 이제 여성들에게 취미는 더 이상 단순한 여가 활동이 아니라 자신의 꿈을 이룰 수 있는 길이기도 하다. 디자이너이면서 인라인 스케이트 마니아인 주부 박은경 씨는 인라인을 타기 시작한 지 4년 만에 국가 대표 선수가 됐다. 박은경 씨는 "인라인을 좀 더 타기 위해 아기도 내년쯤이나 가질 계획"이라고 말했다. 또 다른 사람은 국내 프로 복싱 여자 심판인 김정선 씨이다. 여자 심판은 김 씨가 처음이다. 취미로 복싱 에어로빅을 즐기던 김 씨는 처음으로 복싱 경기를 보고 심판이 되기로 마음먹었다. 취미로 즐기던 일이 직업이 된 것이다. 54세 이순명 씨는 아마추어 발레리나이다. 20년 전 '백조의 호수' 공연을 보고 발레를 배우고 싶다는 생각을 했다. 하지만, 나이도 많고 아무나 할 수 없다는 생각 때문에 포기했다가 4년 전 발레 학원에 등록해서 발레를 배우기 시작했다. 20년 동안 가지고 있던 소원을 이룬 이 씨는 요즘 매우 행복하다고 한다.

아줌마의 힘이 점점 커져 가고 있는 지금, 아줌마가 건강해야 가족이 건강하고 가족이 건강해야 나라도 강해진다. 이렇게 아줌마들의 정신과 몸의 건강을 지켜 주는 다양한 취미생활은 우리 사회를 아름답게 만드는 또 하나의 열쇠다.

1) 글의 내용과 같으면 O표, 다르면 X표 하십시오.

❶ 예전에 주부들이 많이 하던 취미 활동으로는 요리, 꽃꽂이 등이 있다. ( )

❷ 요즘은 취미 활동이 직업으로 바뀌는 일도 있다. ( )

❸ 박은경 씨는 인라인 스케이트 선수를 하다가 디자이너가 됐다. ( )

❹ 김정선 씨는 복싱 심판이 되기 위해 복싱 에어로빅을 배웠다. ( )

❺ 이순명 씨는 지금 발레 학원에서 학생들을 가르치고 있다. ( )

2) 박은경 씨가 내년에 아이를 갖기로 한 이유는 무엇입니까? 쓰십시오.

....

3) 이순명 씨가 그동안 발레를 배우겠다는 생각을 하지 못한 이유를 두 가지 쓰십시오.

❶ ....

❷ ....

말하기 · 쓰기 연습

1. 배운 문법을 사용해 친구에게 질문하고 대답하십시오. (请使用学过的语法跟朋友一起做问答练习。)

질문	친구 1	친구 2
❶ .... 씨는 취미가 뭐예요? 그것을 자주 하는 편이에요? 왜 그것을 자주 해요? (–는 편이다, –고요)		
❷ 취미생활을 해 보니까 어때요? (–던데요)		
❸ 내가 좋아하는데도 가족이나 친구들이 내 취미를 싫어하면 어떻게 하겠어요? (–는데도)		
❹ 아무 취미 없이 공부만 하거나 일만 하는 사람을 보면 어떤 생각이 들어요? (만/–기만 하다)		

2. 다음 글을 읽고 남편의 취미를 바꿀 수 있는 좋은 방법을 써 보십시오. 그리고 친구와 같이 이야기해 보십시오. (**请阅读下面的文章，写一下可以改变丈夫兴趣爱好的有效方法。然后跟朋友一起说一下。**)

제 남편의 취미는 오디오 수집이에요. 결혼하기 전에는 아주 멋진 취미를 가졌다고 생각했어요. 하지만 지금은 아니에요. 제발 제 남편이 다른 취미를 가졌으면 좋겠어요. 가장 큰 이유는 돈이에요. 사실 오디오는 중고 제품도 매우 비싸요. 값이 싼 것은 눈에 보이지도 않고요. 처음에는 그렇게 비싼 것을 사지 않았는데 점점 눈이 높아지면서 자꾸 비싼 것을 사는 거예요. 좋은 물건이 있다고 하면 어디든지 달려가고요. 물론 오디오는 다시 팔아도 어느 정도 값을 받을 수 있어서 지금까지 참았는데 1년 동안 쓴 돈을 모두 계산하니까 자동차 한 대를 살 수 있을 정도예요. 남편도 돈이 많이 드니까 술도 끊고 담배도 끊었어요. 하지만 앞으로 아이들이 크면 돈이 많이 들 테니까 지금부터 저축을 해야 하는데 큰일이에요. 어떻게 하면 그것을 그만두게 할 수 있을까요? 좋은 방법이 있으면 제발 가르쳐 주세요.

제 2 과 일상생활

어휘

1. 다음 [보기]에서 알맞은 말을 골라 빈칸에 쓰십시오. (**请从[보기]中选择合适的词组填到横线上。**)

[보기] 인사를 가다 인사를 나누다 인사를 드리다 인사를 받다 인사를 시키다

지난 주에 큰아버지 댁에 ❶ 인사를 갔어요~~었어요/았어요/였어요~~. 큰아버지 댁에 도착해서 먼저 할아버지께 ❷ ____________ 었어요/았어요/였어요. ❸ ____________ 으신/신 할아버지께서는 왜 이제 왔냐고 하시면서 아주 기뻐하셨어요. 그리고 할아버지께서는 저를 친척들에게 ❹ ____________ 으셨어요/셨어요. 아주 어렸을 때 봤기 때문에 누가 누군지 잘 몰랐어요. 친척들과 ❺ ____________ 는/은/ㄴ 다음 다 같이 식사를 했어요. 식사를 하면서 친척들과 이런저런 이야기를 하니까 금방 친해졌어요. 한국에 있는 동안 할아버지를 자주 찾아뵈어야겠어요.

2. 다음 [보기]에서 알맞은 말을 골라 빈칸에 쓰십시오. (**请从[보기]中选择合适的单词或词组填到括号中。**)

[보기] 이사 떡 그렇지 않아도 궁금하다 맛을 보다 부탁하다

❶ 한국에서는 이사를 하면 (이사 떡)을/~~를~~ 돌리는 풍습이 있다.

❷ 제가 케이크를 만들었는데 한번 ( )으세요/세요.

❸ 혹시 ( )는/은/ㄴ 것이 있으면 저한테 물어보세요.

❹ 저는 아는 사람이 ( )으면/면 거절을 못하는 편이에요.

❺ 전화해 주셔서 고마워요. ( ) 전화하려던 참이었어요.

문법

–으려던 참이다

3. '–으려던 참이다'를 사용해 대화를 완성하십시오. (**请使用"–으려던 참이다"完成对话。**)

❶ 가 : 지금 서점에 갈 건데 같이 안 갈래요?
나 : 좋아요. 그렇지 않아도 필요한 책이 있어서 저도 가려던 참이었어요.

❷ 가 : 에어컨 좀 꺼도 돼요?
나 : 네. 저도 ______________________________.
너무 오래 켜니까 머리가 아프네요.

❸ 가 : 늦어서 미안해. 음식 주문은 했어?
나 : 아니, ______________________________. 넌 뭐 먹을래?

❹ 가 : 자장면이 아직도 안 오는데 다시 전화해 봤니?
나 : 지금 ______________________________. 그런데 중국집 전화번호가 몇 번이었지?

❺ 가 : 미선 씨, 지금 집 앞에 도착했는데 빨리 나오세요.
나 : 네, 저도 지금 ______________________________. 조금만 기다려 주세요.

❻ 가 : 앉아서 공부만 하니까 졸리네요. 커피 마시러 안 갈래요?
나 : 좋아요. 그렇지 않아도 ______________________________.

4. '-으려던 참이다'를 사용해 대화를 완성하십시오. (请使用"-으려던 참이다"完成对话。)

엄마 : 아침은 먹었니?

아들 : ❶ 지금 막 먹으려던 참이었어요.

엄마 : 10시인데 아직도 안 먹었어? 그럼, 네 방 청소는 다 했지?

아들 : 아직이요, ❷ ______________________.

엄마 : 지금까지 아무것도 안 했다고? 혹시 너 컴퓨터 게임하는 거 아니야? 빨리 꺼!

아들 : 알겠어요. 저도 지금 ❸ ______________________.

부인 : 언제 퇴근할 거예요?

남편 : 지금 막 ❹ ______________________ 으려던/려던 참이야.

부인 : 빨리 오세요. 참, 여행사에 전화해서 비행기 표를 예약했지요?

남편 : 아직. 지금 ❺ ______________________.

아침에는 시간이 없어서 못 했어.

부인 : 그런데 노래 소리가 들리네요. 지금 어디에 있어요? 사실대로 말해요.

남편 : 응, 사실은 노래방이야.

하지만 지금 ❻ ______________________. 금방 갈게.

-을 텐데

5. 관계있는 문장을 연결해서 한 문장으로 만드십시오. (**请把相关内容正确连线，然后写成一个句子。**)

거기는 춥습니다. •	• 미리 준비하세요.
백화점은 비쌉니다. •	• 안으로 들어갑시다.
가족들이 걱정합니다. •	• 오늘 밤에 출발합시다.
곧 영화가 시작됩니다. •	• 시장에 가는 게 어때요?
내일 아침은 교통이 복잡합니다. •	• 두꺼운 옷을 가져가세요.
취직할 때 성적 증명서가 필요합니다. •	• 빨리 집에 전화하세요.

❶ 거기는 추울 텐데 두꺼운 옷을 가져가세요.

❷ ______________________________.

❸ ______________________________.

❹ ______________________________.

❺ ______________________________.

❻ ______________________________.

6. 히로시 씨가 한국에 출장을 왔습니다. 마중 나온 사람과 공항에서 이야기를 합니다. 다음 대화를 완성하십시오. (**弘志来韩国出差，在机场跟来接机的人一起说话。请完成下面的对话。**)

김준호 : 비행기를 오래 타고 오셔서 힘드시죠?

히로시 : 괜찮습니다. ❶바쁘실 텐데 ~~을/ㄹ 텐데~~ 이렇게 마중을 나와 주셔서 고맙습니다.

김준호 : 뭘요. ❷ __________ 을/ㄹ 텐데 가방을 저한테 주세요. 제가 들어 드릴게요.

히로시 : 아닙니다. 괜찮습니다.

김준호 : ❸ __________ 을/ㄹ 텐데 식사부터 할까요?

히로시 : 네, 좋습니다.

(식사 후)

김준호 : 잘 드셨습니까?

히로시 : 네, 맛있게 먹었습니다. 참, 지난번에 말씀 드린 서류 내일까지 부탁 드리겠습니다.

❹ __________ 을/ㄹ 텐데 ______________________________.

김준호 : 아닙니다. 저희가 해야 할 일인데요.

그럼 호텔로 갈까요? 오늘은 ❺ __________ 을/ㄹ 텐데 푹 쉬세요.

2과 2항

어휘

1. 다음 [보기]에서 알맞은 말을 골라 빈칸에 쓰십시오. (**请从[보기]中选择合适的单词或词组填到横线上。**)

[보기]	굽을 갈다	다듬다	다림질을 하다
	드라이클리닝하다	염색하다	파마를 하다

❶ 미장원에 가서 파마를 하니까 ~~으니까/니까~~ 다른 사람처럼 보여요.

❷ 다리미가 고장 나서 ________ 을/ㄹ 수 없었어요.

❸ 머리를 기르려고 하니까 많이 자르지 말고 ________ 기만 해 주세요.

❹ 흰머리가 너무 많아서 어제 미용실에서 ________ 었어요/았어요/였어요.

❺ 이런 옷은 물빨래를 하면 안 돼요. 세탁소에서 ________ 어야/아야/여야 해요.

❻ 구두를 너무 오래 신어서 ________ 어야/아야/여야 하는데 수선하는 곳이 어디예요?

2. 다음 [보기]에서 알맞은 말을 골라 빈칸에 쓰십시오. (**请从[보기]中选择合适的单词填到括号中。**)

[보기]	갈색	앞머리	자르다	짙다	찌르다	유행

❶ 여름에는 하얀 피부보다 (갈색) 피부가 더 건강해 보여요.

❷ ( )이/가 너무 길어서 답답해 보여요.

❸ 속눈썹이 자꾸 눈을 ( )어서/아서/여서 아파요.

❹ 요즘은 긴 치마보다 짧은 치마가 ( )이에요/예요.

❺ 이것 좀 ( )으려고/려고 하는데 가위 좀 빌려 주세요.

❻ 밝은 색 옷은 쉽게 더러워지니까 좀 ( )은/ㄴ 색이 좋을 것 같아요.

문법

-거든요

3. 어떻게 말해야 할까요? '-거든요'를 사용해 상황에 맞게 문장을 만드십시오. (**在下面这些情况下应该怎么说呢？请使用"-거든요"完成句子。**)

❶ 수선집	바지를 좀 줄여 주세요. ❶ 너무 길거든요.
❷ 구두 가게	좀 더 큰 걸로 보여 주세요. ❷ 이건 좀 ________________ 거든요.
❸ 음식점	너무 맵지 않게 해 주세요. ❸ ________________ 거든요.
❹ 세탁소	이 옷 내일까지 드라이클리닝해 주세요. ❹ ________________.
❺ 약국	두통약 좀 주세요. ❺ ________________.
❻ 학교 사무실	학생증을 다시 만들 수 있어요? ❻ ________________.

4. 연극 대회의 역할을 정하려고 합니다. '-거든요'를 사용해 문장을 완성하십시오. (**打算定一下话剧的工作人员。请使用"-거든요"完成句子。**)

역할	이런 사람이면 좋겠어요.
❶ 감독	연극에 대해서 잘 아는 사람
❷ 대본 쓰기	글을 재미있게 쓸 수 있는 사람
❸ 분장	역할에 맞게 화장을 잘 할 수 있는 사람
❹ 음악	여러 종류의 음악에 대해서 잘 아는 사람
❺ 소품 준비	연극에 필요한 물건들을 가지고 있는 사람
❻ 무대	무대를 꾸며 본 경험이 있는 사람

❶ 에릭 : 제가 감독을 할게요. 연극 동아리에서 연극을 많이 해 봤거든요.
❷ 수지 : 저는 대본을 쓸게요. ________________.
❸ 유카 : 제가 분장을 맡을게요. ________________.
❹ 샤오밍 : 저는 음악을 준비할게요. ________________.
❺ 히로시 : 그럼 제가 소품을 준비할게요. ________________.
❻ 안드레이 : 무대는 제가 멋있게 꾸밀게요. ________________.

-고말고요

5. '-고말고요'를 사용해 대화를 완성하십시오. (**请使用"-고말고요"完成对话。**)

❶ 가 : 영화 표가 두 장 생겼는데 같이 갈래?
   나 : 그럼, 가고말고. 고마워. 저녁은 내가 살게.

❷ 가 : 지우개 좀 써도 돼?
   나 : 그럼, ______________________. 필요할 땐 언제든지 가져가서 써.

❸ 가 : 혹시 밍밍 씨를 아세요?
   나 : ______________________. 2급 때 같은 반 친구였어요.

❹ 가 : 결혼하니까 어때요? 남편이 잘 해 줘요?
   나 : 그럼요. ______________________. 요즘 정말 행복해요.

❺ 가 : 엄마, 책을 사야 하는데 돈 좀 주실 수 있어요?
   나 : 그럼, ______________________. 그 책으로 열심히 공부해서 시험 잘 봐야 한다.

❻ 가 : 내가 바빠서 아르바이트를 그만둬야 하는데 혹시 네가 할 생각이 있니?
   나 : ______________________. 그렇지 않아도 아르바이트를 찾고 있었어.

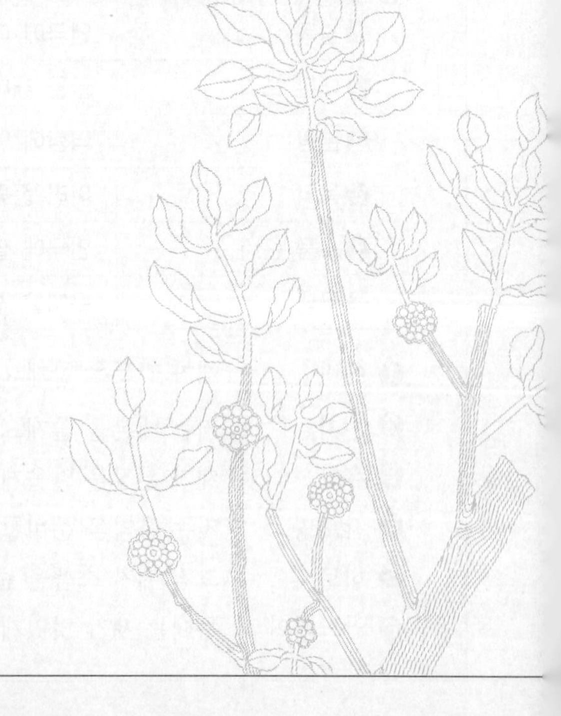

6. '-고말고요'를 사용해 대화를 완성하십시오. (**请使用"-고말고요"完成对话。**)

오케이 이삿짐센터

1. 이사 시간 : 오전 5시~오후 8시까지
2. 에어컨, 정수기 설치 무료
3. 못 박기, 그림 걸어 주기
4. 이사 전후 청소 서비스
5. 1주일 전까지 취소하면 100% 환불 가능

올가 : 여보세요? 오케이 이삿짐센터지요? 다음 달에 이사를 할 예정인데 궁금한 게 있어서요. 몇 가지 좀 물어봐도 돼요?

직원 : 네, ❶ 되고말고요. 뭐든지 물어보세요.

올가 : 아침 일찍 이사를 하고 싶은데 가능할까요?

직원 : 그럼요, ❷ ________________ 고말고요. 오전 5시부터 가능합니다.

올가 : 에어컨이 있는데 이사한 집에 다시 설치해 주시나요?

직원 : 그럼요, ❸ ________________ 고말고요.

올가 : 벽에 걸 그림이 좀 많은데 못도 박아 주세요?

직원 : ❹ ________________. 못을 박을 곳만 정해 주세요.

올가 : 광고지를 보니까 이사가 끝나면 청소를 해 주신다고 했는데 정말이에요?

직원 : ❺ ________________.

올가 : 좋아요. 그럼 예약하겠어요. 그런데 혹시 취소하면 돈을 다시 받을 수 있나요?

직원 : ❻ ________________. 하지만 일주일 전에는 연락을 주셔야 해요.

2과 3항

어휘

1. 다음 [보기]에서 알맞은 말을 골라 빈칸에 쓰십시오. (请从[보기]中选择合适的单词填到横线上。)

[보기] 경력자 보수 시간제 이력서 자기소개서 초보자

주인 : 어서 오세요? 무슨 일로 오셨나요?

학생 : 저 아르바이트할 학생을 구한다는 광고를 보고 왔는데요.
사실 이런 일을 한 번도 해 본 적이 없는데……. ❶ 초보자도 가능한가요?

주인 : 네. 물론 이런 일을 해 본 ❷ ________ 이/가 좋기는 하지만 괜찮아요.
열심히 하면 금방 배울 수 있어요.

학생 : 일은 몇 시부터 하나요?

주인 : 우리 가게는 ❸ ________ 이에요/예요. 원하는 시간을 정해서 그때만 하면 돼요.
❹ ________ 은/는 일한 만큼 주고요.

학생 : 그럼 내일부터 할까요?

주인 : 좋아요. 그럼 내일 올 때 자신을 간단히 소개하는 ❺ ________ 와/과 그동안의
경력을 알 수 있는 ❻ ________ 을/를 써 가지고 오세요.

학생 : 알겠습니다. 열심히 일하겠습니다.

2. 다음 [보기]에서 알맞은 말을 골라 빈칸에 쓰십시오. (请从[보기]中选择合适的单词填到括号中。)

[보기] 경험 근무 시간 아르바이트 다들 구하다 힘들어하다

❶ 방학이 되면 (아르바이트)을/를 찾는 학생들이 많아요.

❷ 작가가 되려면 여러 가지 (   )을/를 많이 쌓아야 해요.

❸ 승연 씨는 일을 잘 하는 데다가 친절해서 (   ) 좋아해요.

❹ 일이 많아서 그런지 태우 씨가 아주 (   )어요/아요/여요.

❺ 우리 회사는 월급은 많은 편인데 (   )이/가 길어서 늘 늦게 끝나요.

❻ 요즘 어렵고 힘든 일은 다 하기 싫어하기 때문에 사람을 (   )기가 아주 어려워요.

문법

-었었다

3. 다음 글을 읽고 밑줄 친 곳을 바꾸십시오. (**请阅读下面的文章，然后改写一下画线部分。**)

내가 한국에 처음 온 것은 ❶**10년 전이었다.** 이번에는 인천 공항에 내렸지만 그때는 ❷**김포 공항에 내렸다.** 김포 공항에서 나왔을 때 ❸**눈이 왔다.** 눈이 와서 차가 많이 밀렸던 생각이 난다.

그때 여기는 ❹**아주 조용한 동네였다.** ❺**작고 예쁜 집들이 많았는데…….** 지금은 아파트밖에 없다. 또, 근처에 산이 있어서 ❻**공기도 아주 좋았다.** 지금은 큰길과 높은 건물이 많아져서 교통도 복잡하고 공기도 안 좋은 것 같다.

❶ 내가 한국에 처음 온 것은 10년 전이었었다.

❷ 이번에는 인천 공항에 내렸지만 그때는 ....

❸ 김포 공항에서 나왔을 때 ....

❹ 그때 여기는 ....

❺ ....

❻ 또, 근처에 산이 있어서 ....

4. 아빠의 어린 시절에 대해서 물었습니다. '-었었다'를 사용해 대답을 완성하십시오. (**询问一下爸爸小时候的事情。请使用"-었었다"进行回答。**)

아빠	할아버지	할머니	아빠 친구 1	아빠 친구 2	작은 아버지
어렸을 때는 책을 아주 좋아해서 늘 책만 읽었다.	날마다 친구들하고 늦게까지 놀아서 자주 야단을 맞았다.	숙제를 안 해서 수업이 끝난 후에 벌로 청소를 한 적이 많았다.	어렸을 때 아주 말랐다. 별명이 갈비였다.	친구들한테 맛있는 것을 잘 사 줘서 인기가 좋았다.	어렸을 때는 동생인 나를 잘 때렸다.

아이 : 아빠는 어렸을 때 어땠어요?

아빠 : ❶ 어렸을 때는 책을 좋아해서 늘 책만 읽었었어. 요즘은 읽을 시간이 없지만.

할아버지 : ❷ ....

할머니 : ❸ ....

친구1 : ❹ ....

친구2 : ❺ ....

작은 아버지 : ❻ ....

-던데

5. 다음 표를 보고 '-던데'를 사용해 대화를 만드십시오. (**请看下面的表格，然后使用“-던데”编写对话。**)

서울에서 구경하기 좋은 곳	국립 중앙 박물관, 인사동, 롯데월드
전망이 좋은 곳	63빌딩, N서울타워, 워커힐 호텔
당일로 여행하기 좋은 곳	강화도, 남이섬, 인천, 판문점
외국인이 먹기에 좋은 음식	갈비, 불고기, 비빔밥, 삼겹살, 잡채
생일 선물로 많이 주는 것	귀걸이, 꽃, 옷, 와인, 책, 케이크
쇼핑하기 좋은 곳	남대문 시장, 동대문 시장, 백화점, 면세점

❶ 가 : 내일 친구가 서울에 오는데 어디에 가면 좋을까요?
나 : 국립 중앙 박물관에 볼 것이 많던데 거기에 가 보세요.

❷ 가 : 전망이 좋은 곳에서 데이트를 하고 싶은데 어디가 좋은지 아세요?
나 : ______________________________.

❸ 가 : 당일로 여행을 가려고 하는데 어디가 좋을까요?
나 : ______________________________.

❹ 가 : 외국에서 손님이 오시는데 무슨 음식을 준비하는 게 좋을까요?
나 : ______________________________.

❺ 가 : 모레가 여자 친구 생일인데 무슨 선물을 사야 할지 모르겠어요.
나 : ______________________________.

❻ 가 : 친구가 같이 쇼핑을 하자고 하는데 어디로 갈까요?
나 : ______________________________.

6. 두 사람이 데이트를 합니다. 다음 대화를 완성하십시오. (两个人在约会。请完成下面的对话。)

남자 : 어디로 갈까요? ❶ 요즘 재미있는 영화가 많던데 극장에 갈까요?

여자 : 오늘은 날씨도 좋은데 답답한 극장보다 롯데월드가 어때요?
❷ ______________________ 던데 거기에 가요.

남자 : 거기는 입장료가 ❸ ______________ 던데 연세 공원이 어때요? 돈도 안 들고 산책하기도 좋으니까 거기로 가요.

(산책 후)

남자 : 좀 걸으니까 배가 고픈데요. 저기 보이는 저 중국집 어때요?
❹ ______________________ 던데 저 집으로 갑시다.

여자 : 그 옆에 있는 음식점이 보이시죠?
지난번에 가 보니까 ❺ ______________________ 던데 거기로 가요.
분위기도 좋고요.

(식사 후)

남자 : 오늘 데이트 아주 즐거웠습니다. 다음 주말에도 시간이 있어요?

여자 : 네, 시간이 있어요. 그런데 저, 부탁이 있어요.
지난번에 같이 만났던 친구가 ❻ ______________________ 던데 다음에 같이 나올 수 있나요?

남자 : 뭐, 뭐라고요?

YONSEI KOREAN3 WORKBOOK

2과 4항

어휘

1. 다음 [보기]에서 알맞은 말을 골라 빈칸에 쓰십시오. (请从[보기]中选择合适的词组填到横线上。)

[보기]	고장 나다	사용 설명서를 읽다
	서비스 센터에 맡기다	서비스 센터에서 찾다
	수리를 받다	전화로 문의하다

가 : 제 카메라가 ❶ 고장 난 ~~은/ㄴ~~ 것 같아요.
나 : 그럼 ❷먼저 ______ 어/아/여 보세요. 다 읽어 본 후에 고장인 것 같으면 서비스 센터에 ❸ ______ 어/아/여 보세요. 전화하면 자세히 가르쳐 줄 거예요.
가 : 진짜 고장이면 제가 직접 ❹ ______ 어야/아여/여야 하나요?
나 : 카메라처럼 작은 건 직접 가지고 가야 해요.
가 : 그렇군요. 그런데 한국에서 산 것이 아닌데 ❺ ______ 을/ㄹ 수 있을까요?
나 : 아마 받을 수 있을 거예요.
가 : 수리가 끝나면 찾으러 가야겠지요?
나 : 직접 ❻ ______ 을/ㄹ 수도 있지만 돈을 내면 택배로도 받을 수 있을 거예요.
가 : 그래요? 그러면 그렇게 해야 되겠네요.

2. 다음 [보기]에서 알맞은 말을 골라 빈칸에 쓰십시오. (从[보기]中选择合适的单词填到括号中。)

[보기]	무료	비용	걸리다	구입하다	맡기다	수리하다

❶ 전화가 (걸리)기는 하지만 상대방의 목소리가 잘 안 들려요.
❷ 우리 집 목욕탕을 ( )고 싶은데 돈이 너무 많이 들어요.
❸ 평일에 결혼을 하면 결혼식 ( )을/를 줄일 수가 있대요.
❹ 오만 원 이상 물건을 사시면 ( )으로/로 배달해 드립니다.
❺ 컴퓨터를 새로 ( )으려고/려고 하는데 어느 회사 제품이 좋아요?
❻ 짐이 무거워서 들고 다니기가 힘이 드는데 혹시 짐을 ( )는/은/ㄴ 곳이 있어요?

문법

피동사

3. 다음 중 맞는 것에 ○표 하십시오. (**请在正确答案上面标记○。**)

❶ 바다가 (보는, (보이는)) 방으로 주세요.

❷ 고양이가 개한테 (쫓고, 쫓기고) 있어요.

❸ 벌레한테 (물렸을, 물었을) 때 이 약을 바르세요.

❹ 밸런타인데이에는 초콜릿이 많이 (팔려요, 팔아요).

❺ 선물을 사러 백화점에 갔는데 문이 (닫아, 닫혀) 있었어요.

❻ 오래간만에 운동을 하니까 스트레스가 (풀렸어요, 풀었어요).

4. 다음 글을 읽고 주어진 동사를 알맞은 형태로 바꿔 쓰십시오. (**请阅读下面的文章，然后使用所给动词的正确形式填空。**)

등산을 하다가 산 속에서 길을 잃었다. 한참 헤매다 보니까 밤 12시가 다 되었다.

그런데 저쪽에 집이 하나 ❶ 보였다 ~~었다/았다/였다~~. 좀 기분이 이상했지만 벨을 (보다)

눌렀다. 어떤 사람이 나오는 소리가 ❷ .... 었다/았다/였다. 그리고 문이 (듣다)

❸ .... 었다/았다/였다. (열다)

"으악"

YONSEI KOREAN 3 WORKBOOK

하얀 한복을 입고 머리가 긴 여자가 나왔다. 그 여자 품에는 까만 고양이가 ❹..........................
(안다)
..........어/아/여 있었다.

"저, 실례지만 여기서 하룻밤만 잘 수 있을까요?"

"피곤하실 텐데 들어오세요."

그 여자가 안내한 방으로 갔다. 벽에는 이상한 여자의 그림이 ❺..........................어/아/여
(걸다)
있었고 방에는 먼지가 가득 ❻..........................어/아/여 있었다. 잠을 자려고 누웠지만 잠이
(쌓다)
오지 않았다.

겨우 잠이 들었는데 새벽 2~3시쯤 이상한 소리가 들려서 깼다. 문을 조금 열어 보니까 사람들이 빨간 물을 마시는데 꼭 피 같았다. 나는 너무 놀라서 창문으로 나갔다. 한참 뛰어가는데 그 집의 주인이 쫓아왔다. 결국 나는 그 주인에게 ❼..........................었다/았다/
(잡다)
였다.

주인은 나한테 "손님, 방값은 내고 가세요."라고 말하면서 종이 한 장을 주었다. 거기에는 이렇게 ❽..........................어/아/여 있었다.
(쓰다)

(저희 귀신 펜션을 이용해 주셔서 감사합니다. 저희 펜션에서는 무섭지 않으면 돈을 받지 않습니다.)

"으악"

더 놀라운 것은 하룻밤 방값이었다. 하루에 30만 원이었다.

-어 놓다

5. 다음 표를 보고 '-어 놓다'를 사용해 대화를 완성하십시오. (请看下面的表格，然后使用“-어 놓다”完成对话。)

〈신데렐라 도와주기〉

파티에 가기 전에 해야 할 일	파티에 가기 위해 한 일
시장에 가서 장보기 → 쥐 청소기 돌리기 → 고양이 다림질하기 → 개	파티에 입고 갈 드레스 만들기 → 쥐 유리 구두 사기 → 고양이 타고 갈 자동차 빌리기 → 개

신데렐라는 오늘 파티에 가고 싶지만 할 일이 너무 많습니다.
그런데 착한 동물 친구들이 도와주겠다고 합니다.

쥐 : 신데렐라야, 어서 파티에 갈 준비를 해.
신데렐라 : 아직 집안일을 하나도 못 했는데 어떻게 파티에 갈 수 있겠니?
쥐 : 걱정하지 마. ❶ 내가 시장에 가서 장을 봐 놓을게.
고양이 : ❷ ______________________.
개 : ❸ ______________________.
신데렐라 : 고마워. 그런데 파티에 가려면 드레스를 만들어야 하는데…….
쥐 : 그래서 내가 ❹ ______________ 어/아/여 놓았어.
고양이 : ❺ ______________________.
개 : ❻ ______________________.
하지만 자동차는 12시까지 돌려줘야 하니까 12시 전에 꼭 돌아와야 해.

6. 오늘이 어머니 생신이어서 태우와 태준 씨는 생신 파티 준비를 했습니다. 두 사람이 한 일은 무엇입니까? '-어 놓다'를 사용해 문장을 만드십시오. (今天是妈妈的生日，太友和太俊准备了生日聚会。这两个人都做了些什么呢？请使用"-어 놓다"造句。)

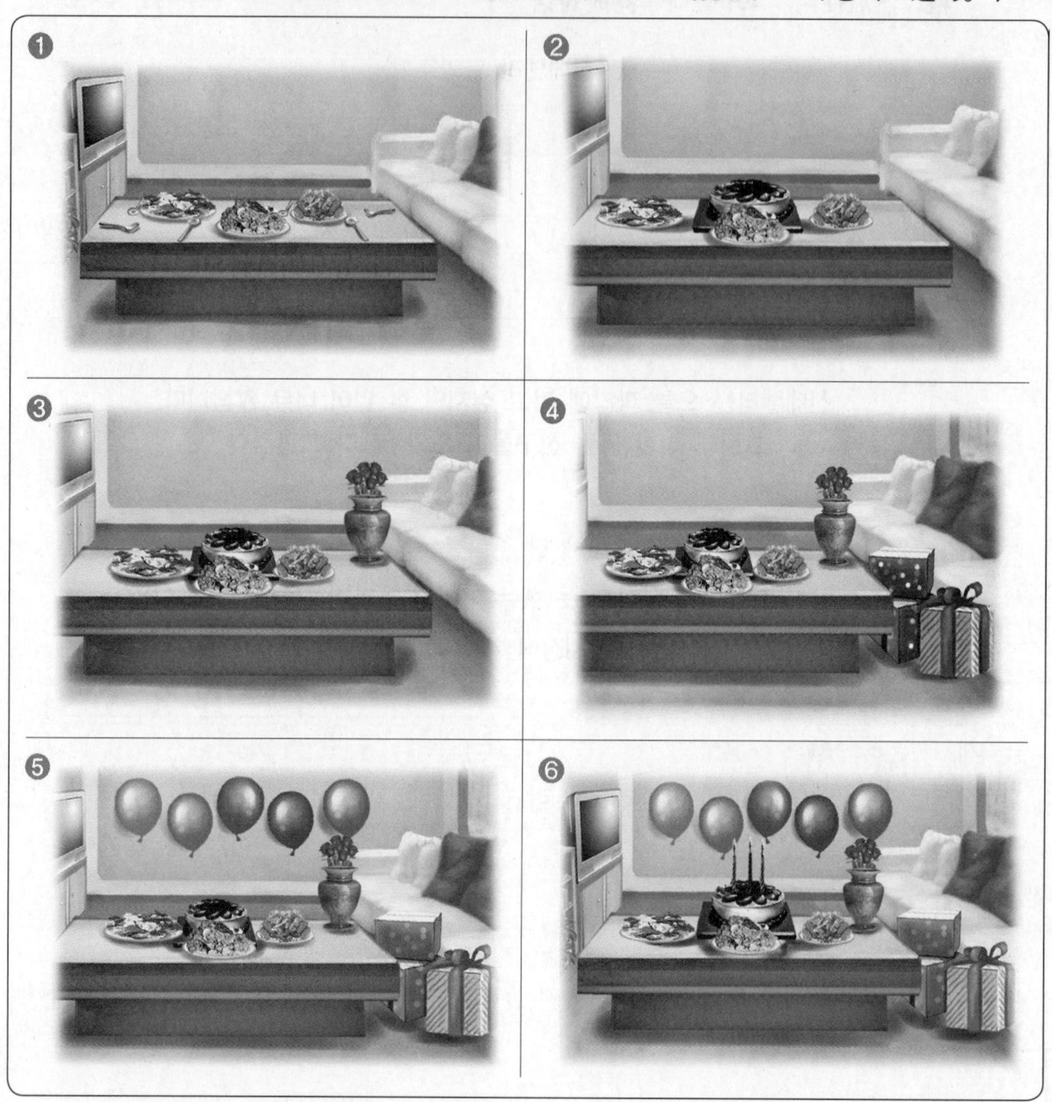

두 사람은 생신 파티를 하려고

❶ 상을 차려 놓았습니다.

❷ ______________________.

❸ ______________________.

❹ ______________________.

❺ ______________________.

❻ ______________________.

2과 5항

어휘와 문법

1. 관계있는 말을 [보기]에서 골라 쓰십시오. (请从[보기]中选择相关的单词或词组填到横线上。)

[보기] 고장 나다 구두를 닦다 굽을 갈다 다림질하다 드라이클리닝하다 머리를 다듬다 수리하다 염색하다 짐을 싸다 짐을 옮기다

❶ 세탁소 ....
❷ 이삿짐 센터 ....
❸ 미장원 ....
❹ 구둣방 ....
❺ 서비스 센터 ....

2. 관계있는 말을 [보기]에서 골라 쓰십시오. (请从[보기]中选择相关的单词填到横线上。)

[보기] 경험 인사 구입하다 구하다 궁금하다 맡기다 수리하다 짙다

시험 결과가 .... 고향 소식이 .... ❶	색이 .... 화장이 .... ❷	새 차를 .... 집을 .... ❸	.... 이/가 많다 .... 을/를 쌓다 ❹ ....
일자리를 .... 하숙집을 .... ❺	일을 .... 물건을 .... ❻	컴퓨터를 .... 화장실을 .... ❼	.... 을/를 받다 .... 을/를 하다 ❽ ....

YONSEI KOREAN 3 WORKBOOK

3. 다음 대화를 완성하십시오. (**请完成下面的对话。**)

❶ 가 : 벌써 9시가 다 되어 가는데 학교에 안 가니?
나 : 지금 막 .... 으려던/려던 참이었어요.

❷ 가 : .... 을/ㄹ 텐데 이렇게 초대해 주셔서 감사합니다.
나 : 뭘요, ... 을/ㄹ 텐데 이렇게 와 주셔서 제가 더 감사해요.

❸ 가 : 휴일인데 왜 도서관에 가세요?
나 : .... 거든요.

❹ 가 : 이번 주말에 내 생일 파티를 하려고 하는데 올 수 있지?
나 : 그럼, ... 고맙고. 그런데 무슨 선물을 받고 싶니?

❺ 가 : 김 선생님을 만나야 하는데, 어디에 계시는지 아세요?
나 : .... 던데 거기로 가 보세요.

❻ 가 : 새로 생긴 공원이 아주 좋네요. 그런데 공원이 생기기 전에는 뭐였어요?
나 : 여기가 전에는 .... 이었었어요/였었어요.

❼ 가 : 안경을 쓰셨네요.
나 : 네, 칠판 글씨가 잘 안 .... 어서요/아서요/여서요.

❽ 가 : 요즘 텔레비전 광고에 나오는 휴대전화기를 사고 싶은데요.
나 : 죄송해요, 손님. 그건 나오자마자 다 .... 었어요/았어요/였어요.

❾ 가 : 방에서 담배 냄새가 많이 나네요.
나 : 그래서 .... 어/아/여 놓았어요.

❿ 가 : 제가 없는 동안 전화 온 거 없었어요?
나 : 회사에서 전화가 와서 .... 어/아/여 놓았어요.

4. 다음 중 맞는 문장에 ○표 하십시오. (**请在正确的句子后面标记○。**)

❶ 아기가 엄마한테 자꾸 안으려고 해요. (   )
아기가 엄마한테 자꾸 안기려고 해요. (   )

❷ 경찰이 도둑을 잡으려고 쫓아갑니다. (   )
경찰이 도둑을 잡히려고 쫓아갑니다. (   )

❸ 잠을 많이 잤는데도 피로가 풀지 않아요. (   )
잠을 많이 잤는데도 피로가 풀리지 않아요. (   )

❹ 모기한테 물면 가려워서 잘 수가 없어요. (   )
모기한테 물리면 가려워서 잘 수가 없어요. (   )

❺ 창문을 열고 밖을 보니까 놀고 있는 아이들이 봅니다. (   )
창문을 열고 밖을 보니까 놀고 있는 아이들이 보입니다. (   )

❻ 손님이 오시면 바쁘니까 미리 음식을 그릇에 담아 놓으세요. (   )
손님이 오시면 바쁘니까 미리 음식을 그릇에 담겨 놓으세요. (   )

듣기 연습

MP3: 04~06

1. 이야기를 듣고 질문에 대답하십시오. (**请听下面的内容回答问题。**)

1) 다음 표를 완성하십시오.

	아르바이트를 하려는 이유	아르바이트를 해서 받은 돈으로 하고 싶은 것
1위		부모님 선물 구입
2위	학비를 벌기 위해서	
3위		

2. 이야기를 듣고 질문에 대답하십시오. (**请听下面的内容回答问题。**)

1) 다음 중에서 맞는 것을 고르십시오. (   )

❶ 비가 왔지만 등산을 가기로 해서 갔다.
❷ 등산을 할 때 휴대전화기가 떨어져서 물에 빠졌다.
❸ 휴대전화는 1시간 만에 수리가 됐다.
❹ 휴대전화를 수리하려면 돈이 많이 든다.

2) 왜 '배보다 배꼽이 크다'라고 했습니까? 쓰십시오.

3. 이야기를 듣고 질문에 대답하십시오. (**请听下面的内容回答问题。**)

1) 이사 떡을 모두에게 돌린 이유는 무엇입니까? 두 가지를 쓰십시오.

❶ ……………………………………………………………………

❷ ……………………………………………………………………

2) 이사 떡을 받은 사람들의 반응은 어땠습니까? <u>아닌</u> 것을 고르십시오. (　　　)

❶ 반가워하는 사람들이 많았다.
❷ 자기 집으로 초대한 사람도 있다.
❸ 누구냐고 하면서 문을 열어 주지 않는 사람도 있었다.
❹ 다른 것을 갖다 주면서 잘 지내자고 하는 사람도 있었다.

읽기 연습

1. 다음 글을 읽고 질문에 대답하십시오. (**请阅读下面的文章回答问题。**)

집에 노는 휴대전화기 없으세요?
"쓰던 휴대전화기를 모아 환경 오염을 줄입시다."

이동 통신 회사들은 다음 달 1일부터 중고 휴대전화기를 모으는 캠페인을 시작하기로 하고 전국의 휴대전화 대리점과 대형 마트, 그리고 초 · 중 · 고등학교를 통해서 중고 휴대전화기를 모으기로 했다. 이동 통신 회사들은 이 캠페인에 참여하는 사람들에게 문자 메시지 100건 무료 이용권을 주고 자동차와 노트북 컴퓨터를 받을 수 있는 기회도 주기로 했다. 이것은 집안에서 돌아다니는 중고 휴대전화기를 모아 재활용도 하고 환경 오염도 막자는 것이라고 설명했다. 그동안 이동 통신 회사들은 쓰던 전화기를 가져오면 1만 원~3만 원을 줬다. 하지만 이렇게 모아지는 것이 얼마 되지 않아 휴대 전화기가 자원을 낭비하고 환경 오염을 일으킨다는 말을 들을 수밖에 없었다.

1) 중고 휴대전화기를 모으는 곳이 **아닌** 곳은 어디입니까? (   )

❶ 이동 통신 회사 ❷ 대학교 ❸ 휴대 전화 대리점 ❹ 대형 마트

2) 이동 통신 회사들은 중고 휴대전화기를 가져오는 사람에게 어떻게 하기로 했습니까? 맞는 것을 고르십시오. (   )

❶ 휴대전화를 무료로 수리해 준다.
❷ 자동차를 받을 수 있는 기회를 준다.
❸ 쓰던 노트북 컴퓨터를 새 컴퓨터로 교환해 준다.
❹ 문자 메시지를 무료로 얼마든지 이용할 수 있게 해 준다.

3) 이렇게 중고 휴대전화기를 수거하는 목적은 무엇입니까? 두 가지를 쓰십시오.

❶ ....

❷ ....

말하기 · 쓰기 연습

1. 배운 문법을 사용해 친구에게 질문하고 대답하십시오. (**请使用学过的语法跟朋友一起做问答练习。**)

질문	친구 1	친구 2
❶ 이사를 하기 전에 해 놓아야 할 일이 뭐예요? (–어 놓다) 새집에 필요한 물건을 사야 하는데 어디가 좋아요? (–던데) 이사가 끝나면 집들이를 할 테니까 꼭 오세요. (–을 텐데)		
❷ 지금 머리 모양이 마음에 들어요? 그 전에는 어떤 모양이었었어요? (–었었다)		
❸ 지금 아르바이트를 하세요? 어떻게 그걸 하게 되었어요? 하고 싶은 아르바이트가 있어요? (–거든요)		
❹ 서비스 센터에 가 본 적이 있어요? 무슨 일로 갔어요? (–고말고요, –거든요)		

2. 다음 글을 읽고 어떻게 하면 좋을지 써 보십시오. 그리고 친구와 같이 이야기해 보십시오. (**请阅读下面的文章，写一下应该怎么做。然后跟朋友一起说一下。**)

한국에 와서 기숙사에서 살다가 얼마 전에 원룸으로 이사했어요. 기숙사가 좋은 점도 있지만 불편한 점도 많았어요. 특히 두 사람이 같이 방을 쓰는 것이 좀 불편했어요. 그래서 부모님이 보내 주신 돈과 아르바이트를 해서 모은 돈으로 작지만 깨끗한 방을 구했어요. 얼마나 기뻤는지 몰라요. 그런데 그 기분도 잠깐, 그날 밤부터 달라졌어요. 위층에 사는 사람이 너무 시끄러워서 잠을 잘 수가 없었어요. 밤 늦게 들어와서 샤워하는 소리, 음악 소리, 걸어다니는 소리 등등. 다음날 위층에 올라가서 이야기했어요. 그 사람은 아르바이드 때문에 늦게 돌아와서 그랬다고 했어요. 앞으로 조용히 하겠다고도 했고요. 하지만 그날 이후에도 달라지지 않았어요. 매일 12시쯤 되면 시끄러운 소리가 나요. 어떻게 해야 할까요?

쉼터 1- 단어 게임

다음 표에서 단어를 찾으십시오. 많이 찾은 사람이 이깁니다. (请从下面的表格中找一下单词。找到单词最多的人获胜。)

가	나	다	라	마	바	사	아	자	차
게	재	비	시	디	지	하	파	타	카
거	위	치	즈	스	오	리	트	루	본
겨	뒤	과	약	운	반	안	탄	간	단
고	래	난	만	동	구	부	무	장	상
교	과	솨	공	화	두	참	우	주	자
경	건	자	책	원	쇠	외	되	최	셔
규	주	먹	적	척	턱	독	복	부	츠
그	갈	울	보	소	금	수	숭	미	산
기	분	비	빔	방	년	리	아	어	늘

1. 동물 이름을 찾아 보십시오. (请找一下动物的名称。)

2. 물건 이름을 찾아 보십시오. (请找一下东西的名称。)

3. 음식 이름을 찾아 보십시오. (请找一下食物的名称。)

4. 지역 이름을 찾아 보십시오. (请找一下地区的名称。)

5. 그 밖의 알고 있는 단어를 찾아 보십시오. (请找一下自己知道的其他单词。)

제 3 과 건강

3과 1항

어휘

1. 다음 [보기]에서 알맞은 말을 골라 빈칸에 쓰십시오. (**请从[보기]中选择合适的单词填到括号中。**)

[보기] 고혈압　불면증　비만　스트레스　운동 부족　흡연

❶ 가 : 회사일 때문에 신경을 많이 쓰니까 머리도 아프고 식욕도 없어요.
　나 : (스트레스) 때문입니다. 마음을 편하게 하시고 좀 쉬세요.

❷ 가 : 요즘 통 잠을 잘 수가 없어요.
　나 : (　　　)인 것 같습니다. 이 약을 드시면 잘 주무실 수 있을 겁니다.

❸ 가 : 의사 선생님, 제 아이가 어떻습니까?
　나 : 키에 비해서 몸무게가 너무 많이 나갑니다.
　이렇게 계속 살이 찌면 (　　　) 아동이 될 수 있습니다.

❹ 가 : 제 혈압이 다른 사람보다 높지요?
　나 : 네, 아주 높습니다. (　　　)이니까/니까 조심하셔야 합니다.

❺ 가 : 선생님, 제가 담배를 꼭 끊어야 하나요?
　나 : 물론이지요. (　　　)처럼 건강에 나쁜 것은 없어요.

❻ 가 : 요즘 몸무게가 자꾸 늘어서 고민이에요. 혹시 무슨 병이 있는 게 아닐까요?
　나 : 운동을 안 하지요? 특별한 병은 아니고 (　　　)인 것 같군요.
　내일부터 운동을 시작하십시오.

2. 다음 [보기]에서 알맞은 말을 골라 빈칸에 쓰십시오. (**请从[보기]中选择合适的单词或词组填到横线上。**)

[보기] 과로 안색 뭐니 뭐니 해도 몸살이 나다 무리하다 잃다

❶ 직장인들 중에는 과로~~으로~~/로 쓰러지는 사람들이 많다.

❷ 진수 씨의 ________________이/가 안 좋네요. 아픈가 봐요.

❸ 한국의 대표적인 음식은 ________________ 김치예요.

❹ 아무리 돈이 많아도 건강을 ________________으면/면 소용이 없다.

❺ 아직은 병이 다 나은 것이 아니니까 너무 ________________지 마십시오.

❻ 어제 하루 종일 추운 곳에서 떨어서 그런지 ________________었다/았다/였다.

문법

-어야

3. 다음 문장을 '-어야'를 사용해 바꾸십시오. (请使用"-어야"改写下面的句子。)

❶ 한국말을 잘 하려면 연습을 많이 해야 해요.
→ 연습을 많이 해야 한국말을 잘 할 수 있어요.

❷ 비행기를 타려면 여권이 있어야 해요.
→ .... 어야/아야/여야 ....

❸ 좋은 자리에 앉으려면 일찍 가야 합니다.
→ .... 어야/아야/여야 ....

❹ 회의를 시작하려면 사장님이 오셔야 합니다.
→ ....

❺ 수업을 들으려면 오늘까지 등록해야 합니다.
→ ....

❻ 운전면허 시험을 보려면 18세 이상이 되어야 합니다.
→ ....

4. 다음 그림을 보고 '-어야'를 사용해 문장을 만드십시오. (请看下图，然后使用 "-어야" 造句。)

〈최고의 상을 받은 방법이 뭐예요?〉

❶ 과학자 : 하루도 쉬지 않고 연구해야 좋은 결과를 얻을 수 있어요.

❷ 요리사 : ______________________________.

❸ 금메달을 딴 선수 : ______________________________.

❹ 슈퍼 모델 대회에서 1등한 여자 : ______________________________.

❺ 자동차를 제일 많이 판 사람 : ______________________________.

❻ 좋은 영화를 많이 만든 영화감독 : ______________________________.

–는다면

5. 여러분이 다음과 같은 상황이라면 어떻게 하겠습니까? 알맞은 대답을 쓰십시오. (**各位在下面这些情况下会怎么做呢？请写出正确答案。**)

상황	하고 싶은 일	대답
❶ 돈과 시간이 많다.	☑ 세계 여행을 한다. ☐ 갖고 싶었던 것을 산다.	돈과 시간이 많다면 세계 여행을 하고 싶어요.
❷ 고등학교 때로 다시 돌아간다.	☐ 재미있게 논다. ☐ 공부를 열심히 한다.	
❸ 앞으로 1년밖에 살 수 없다.	☐ 남은 시간을 가족과 같이 보낸다. ☐ 하지 못했던 일을 한다.	
❹ 내가 부모이다.	☐ 공부하라고 하지 않는다. ☐ 야단치지 않는다.	
❺ 아무도 없는 섬에 혼자 간다.	☐ 컴퓨터를 가지고 간다. ☐ 강아지를 데리고 간다.	
❻ 옛날 사람을 만날 수 있다.	☐ 세종대왕을 만나고 싶다. ☐ 돌아가신 할아버지를 만나고 싶다.	

6. '–는다면'을 사용해 대화를 완성하십시오. (**请使用"–는다면"完成对话。**)

❶ 가 : 네가 선생님이면 어떻게 할 거야?

나 : 내가 선생님이라면 시험을 보지 않겠어.

❷ 가 : 복권에 당첨되면 무엇을 하고 싶어요?

나 : ....는다면/ㄴ다면 ....

❸ 가 : 이 세상에서 전쟁이 없어지면 어떨까요?

나 : ....

❹ 가 : 한국말을 한국 사람처럼 잘 하면 뭘 하고 싶어요?

나 : ....

❺ 가 : 옛날로 돌아갈 수 있으면 언제로 돌아가고 싶어요?

나 : ....

❻ 가 : 남자/여자로 다시 태어나면 가장 하고 싶은 것이 뭐예요?

나 : ....

3과 2항

어휘

1. 다음 [보기]에서 알맞은 말을 골라 빈칸에 쓰십시오. (**请从[보기]中选择合适的单词填到横线上。**)

[보기] 생기다 쌓이다 소모하다 줄다 풀리다

회사 일 때문에 늘 피로가 ❶ 쌓여 ~~이/아/여~~ 있는 직장인 여러분!
살이 찐다고 걱정만 하지 말고 운동을 시작해 보세요.
언제, 어디서나 간단히 할 수 있는 운동 기구가 나왔습니다.
이것으로 하루 30분, 2주일만 운동을 하시면 2kg 이상 체중이 ❷ ________ 고 한 달 후에는 팔뚝에 멋진 근육이 ❸ ________ 을/ㄹ 겁니다.
하루 30분 운동으로 달리기를 1시간 하는 만큼의 열량을 ❹ ________ 을/ㄹ 수 있습니다. 멋진 내 몸을 보면 그동안에 쌓였던 모든 스트레스가 ❺ ________ 을/ㄹ 겁니다.
지금 당장 전화 주세요.

2. 다음 [보기]에서 알맞은 말을 골라 빈칸에 쓰십시오. (**请从[보기]中选择合适的单词填到括号中。**)

[보기] 노력 식욕 깨우다 상쾌하다 생기다 유지하다

❶ 친구들이 많이 (생겨서) ~~어서/아서/여서~~ 학교생활이 재미있어요.
❷ 요즘 (   )이/가 없어서 통 먹을 수가 없어요.
❸ 열심히 (   )을/를 하면 좋은 결과가 올 거예요.
❹ 좋은 성적을 계속 (   )으려면/려면 열심히 공부해야 해요.
❺ 땀을 흘려 운동을 한 후에 샤워를 하면 기분이 (   )어요/아요/여요.
❻ 엄마가 저를 (   )었지만/았지만/였지만 제가 일어나지 않아서 지각했어요.

문법

-어야지요

3. '-어야지요'를 사용해 대화를 완성하십시오. (**请使用"-어야지요"完成对话。**)

❶ 가 : 내일이 시험인데 아직 시작도 못 했어요. 어떻게 하지요?
나 : 미리미리 준비를 해야지요 ~~어야지요/아야지요/여야지요~~.

❷ 가 : 피곤해서 그냥 자고 싶어요.
나 : 그래도 하던 일은 끝내고 .... 어야지요/아야지요/여야지요.

❸ 가 : 중요한 약속이 있었는데 잊어버렸어요.
나 : 그런 중요한 약속은 .... 어야지요/아야지요/여야지요.

❹ 가 : 부모님께 전화한 지 벌써 한 달이 넘었어요.
나 : ....

❺ 가 : 용돈을 받은 지 일주일밖에 안 됐는데 벌써 다 썼어요.
나 : ....

❻ 가 : 책을 빌린 지 한 달이 지났는데도 아직까지 반납을 못했어요.
나 : ....

4. 다음 그림을 보고 '-어야지요'를 사용해 대화를 완성하십시오. (请看下图, 然后使用 "-어야지요" 完成对话。)

❶ 가 : 대학교에 꼭 입학하고 싶어요.

　 나 : 그럼 공부를 열심히 해야지요.

❷ 가 : 날씬해지고 싶어요.

　 나 : ....

❸ 가 : 빨리 승진하고 싶어요.

　 나 : ....

❹ 가 : 저는 통역사가 되는 것이 꿈이에요.

　 나 : ....

❺ 가 : 담배만 피우면 목이 아프고 기침이 나요.

　 나 : ....

❻ 가 : 자동차로 우리 나라 여기저기를 여행하고 싶어요.

　 나 : ....

사동사

5. 다음 그림을 보고 문장을 완성하십시오. (**请看下图完成句子。**)

❶ 동생이 음식을 ....남겼어요............ ~~었어요/았어요/였어요~~.

❷ 영수가 모기를 .... 었어요/았어요/였어요.

❸ 아빠가 아기를 .... 었어요/았어요/였어요.

❹ 수지가 택시를 .... 었어요/았어요/였어요.

❺ 올가 씨가 할머니를 차에 .... 었어요/았어요/였어요.

❻ 내가 친구한테 가방을 .... 었어요/았어요/였어요.

6. 다음 문장을 완성하십시오. (**请完成下面的句子。**)

❶ 다른 사람의 시험지를 보면 안 돼요. 물론 다른 사람한테 시험지를 ....보여.... ~~어/아/여~~ 주는 것도 안 되고요.

❷ 아이들은 혼자서 옷을 못 벗으니까 어머니들께서는 아이의 옷을 .... 어/아/여 주세요.

❸ 아이들이 밥을 잘 안 먹을 때 엄마들이 따라다니면서 아이들한테 밥을 .... 어/아/여 주는데 그것은 좋지 않습니다.

❹ 할머니가 그 사실을 알면 놀라실 테니까 할머니께는 .... 지 마세요.

❺ 고기를 삶으려면 먼저 물을 .... 으세요/세요. 물이 끓으면 고기를 넣으세요.

❻ 아이들은 늦게 자면 키가 안 큰대요. 일찍 .... 으세요/세요.

3과 3항

어휘

1. 다음 식품은 어디에 속하는지 쓰십시오. (**请写出下面这些食品属于哪一类。**)

[보기] 곡류 생선류 육류 발효 식품 인스턴트 식품

종류	식품	열량
❶ 곡류	밥 1공기	149kcal
❷	김치 100g	67kcal
❸	생선 1마리	250kcal
❹	햄버거 1개	458kcal
❺	소고기 100g	250kcal

2. 다음 [보기]에서 알맞은 말을 골라 빈칸에 쓰십시오. (**请从[보기]中选择合适的单词或词组填到括号中。**)

[보기] 건강식 김장 귀찮다 대표적이다 번거롭다 손이 많이 가다

❶ 날마다 일기를 쓰는 것은 좀 (귀찮)지만 한국어 공부에 큰 도움이 돼요.

❷ 바쁘실 텐데 ( )게 해 드려서 죄송합니다.

❸ 동대문은 조선시대의 ( )는/은/ㄴ 건축물이에요.

❹ 영양제를 먹는 것보다 ( )을/를 먹는 게 더 좋아요.

❺ 예전에는 겨울이 오기 전에 ( )을/를 하는 것이 주부들의 가장 큰 일이었어요.

❻ 약과는 ( )는/은/ㄴ 음식이지만 맛도 좋고 영양도 풍부해서 많은 사람들이 좋아한다.

문법

이라든가

3. 다음 표를 보고 '이라든가'를 사용해 질문에 대답하십시오. (请看下面的表格，然后使用"이라든가"回答问题。)

학용품	장난감	책	액세서리	생활용품	건강식품
공책	공	소설	반지	커피 메이커	인삼
연필	자동차	잡지	목걸이	커피 잔	꿀
필통	북	만화책	귀걸이	액자	녹차

❶ 가 : 초등학교에 입학하는 조카가 있는데 무슨 선물이 좋을까요?
나 : 연필이라든가 필통 같은 학용품을 사 주는 게 좋을 것 같아요.

❷ 가 : 세 살짜리 아이한테 무슨 선물을 하면 좋을까요?
나 : .... 이라든가/라든가 .... 같은 ....

❸ 가 : 병원에 입원해 있는 친구한테 가려고 하는데 뭘 가지고 가는 게 좋을까요?
나 : .... 이라든가/라든가 .... 같은 ....

❹ 가 : 곧 여자 친구의 생일인데 무슨 선물을 받으면 기뻐할까요?
나 : .... 이라든가/라든가 .... 같은 ....

❺ 가 : 다음 달에 친구가 결혼을 하는데 무슨 선물이 좋을까요?
나 : ....

❻ 가 : 다음 주 토요일이 할머니 생신인데 무슨 선물을 사는 게 좋을까요?
나 : ....

4. '이라든가'를 사용해 질문에 대답하십시오. (请使用 "이라든가" 回答问题。)

❶ 가 : 한국 사람들은 어디에서 결혼식을 많이 해요?

나 : 예식장이라든가 교회 같은 곳에서 많이 해요.

❷ 가 : 시간이 나면 뭘 해요?

나 : ______________________________.

❸ 가 : 무슨 운동을 좋아해요?

나 : ______________________________.

❹ 가 : 어떤 음료수를 준비할까요?

나 : ______________________________.

❺ 가 : 신혼여행은 어디로 많이 가요?

나 : ______________________________.

❻ 가 : 시험을 보는 친구에게 어떤 선물을 해요?

나 : ______________________________.

YONSEI KOREAN 6 WORKBOOK

-는다고 하던데

5. 다음을 보고 대화를 완성하십시오. (**请看下图完成对话。**)

❶

한국 사람들이 가장 좋아하는 중국음식 1위는 자장면

가 : 한국 사람들이 가장 좋아하는 중국 음식은 자장면이라고 ~~는다고/다고/으라고/자고/냐고~~ 하던데 한번 먹어 볼까요?

나 : 좋아요. 저도 한번 먹어 보고 싶었어요.

❷

김민우 씨 결혼식 9월 30일 토요일, 동문회관 1시
많이 참석해 주세요.

가 : 민우 씨가 ______________ 는다고/다고/으라고/자고/냐고 하던데 갈 거예요?

나 : 그럼요. 가서 축하해 줘야지요.

❸

문자메시지
시험 보는 날이 언제지? 알면 가르쳐 줘.
-승연-

가 : ______________ 는다고/다고/으라고/자고/냐고 하던데 아세요?

나 : 이번 주 수요일 아니에요?

❹

안내 게시판
4월 12일 수요일 오전 9시부터 오후 6시까지 물이 안 나옵니다.

가 : ______________ 는다고/다고/으라고/자고/냐고 하던데 ______________?

나 : 네. 저도 어제 안내문을 보고 알았어요.

❺

도쿄행 비행기를 타실 분은 45번 문 쪽으로 와 주십시오

가 : ______________ 는다고/다고/으라고/자고/냐고 하던데 ______________?

나 : 저쪽으로 똑바로 가세요.

❻

태우야, 내일 미영이 생일 파티가 있어. 같이 가자. 수지에게도 연락해 줄래?
윤기

태우 : ______________ 는다고/다고/으라고/자고/냐고 하던데 ______________?

수지 : 미안해. 나는 약속이 있어서 못 가.

6. '-는다고 하던데'를 사용해 대화를 완성하십시오. (请使用"-는다고 하던데"完成对话。)

제주도

- 유명한 곳 : 한라산, 우도(바다가 아름다운 섬), 귤 농장
- 맛있는 음식 : 돼지고기, 생선회, 전복죽, 해물 뚝배기
- 숙박지 : 신라 호텔, 롯데 호텔, 바다 펜션, 제주 민박
- 선물 : 귤, 파인애플, 돌하르방(돌로 만든 인형)

에릭 : 우리 제주도에 가서 뭘 할까?

샤오밍 : ❶ 한라산이 아주 멋있다고 하던데 하루는 등산을 하면 어때?

에릭 : 좋아. 그럼 등산을 한 다음엔 바다에 가자.

❷ ______________________________.

샤오밍 : 그래, 그러자. 그런데 제주도에 가서 뭘 먹지?

에릭 : ❸ ______________________________.

그런데 잠은 어디에서 잘까?

샤오밍 : ❹ ______________________________?

에릭 : 호텔은 너무 비싸지 않아?

❺ ______________________________.

샤오밍 : 그래. 그럼 네가 예약해.

제주도엔 유명한 물건이 많다고 하던데 선물로 뭘 사 오는 게 좋을까?

에릭 : ❻ ______________________________.

샤오밍 : 좋아, 그러자. 친구들한테 주면 좋아할 거야.

3과 4항

어휘

1. 다음 [보기]에서 알맞은 말을 골라 빈칸에 쓰십시오. (请从[보기]中选择合适的单词填到括号中。)

[보기] 과식 소식 육식 채식 편식 식습관

❶ 너무 많이 먹는 것 (과식)
❷ 조금 먹는 것 ( )
❸ 채소만 먹는 것 ( )
❹ 음식을 먹는 개인의 습관 ( )
❺ 자기가 좋아하는 것만 먹는 것 ( )
❻ 소고기나 돼지고기 등 고기를 먹는 것 ( )

2. 다음 [보기]에서 알맞은 말을 골라 빈칸에 쓰십시오. (请从[보기]中选择合适的单词填到括号中。)

[보기] 비결 식사량 장수 삶다 정하다 중요하다

❶ 기름에 볶거나 튀기는 것보다 (삶아)~~아/어/여~~ 먹는 게 건강에 더 좋대요.
❷ 학교에서 인기가 많던데 그 ( ) 좀 가르쳐 주세요.
❸ 여행갈 곳을 ( )으시면/시면 저희 여행사로 연락해 주세요.
❹ ( ) 마을에 가면 100세 이상 되는 노인들을 많이 볼 수 있어요.
❺ 저는 뭐니 뭐니 해도 건강이 제일 ( )는다고/ㄴ다고/다고 봐요.
❻ 다이어트를 한다고 너무 굶지 마시고 ( )을/를 잘 조절해 보세요.

문법

-는다고 보다

3. 다음은 유카 씨와 태우 씨가 한 이야기입니다. '-는다고 보다'를 사용해 대화를 완성하십시오. (**下面是由香和太友之间的对话。请使用"-는다고 보다"完成对话。**)

	유카	태우
사형 제도	사형 제도가 필요하다.	사형 제도는 필요하지 않다.
성형 수술	수술 후 자신감을 얻을 수 있으면 해도 된다.	수술 후 부작용이 많으니까 안 하는 것이 낫다.
한국 경제의 미래	곧 좋아질 것이다.	몇 년 동안은 어려울 것이다.

사회자 : 사형 제도에 대해서 어떻게 생각하세요?

유카 : ❶ 저는 사형 제도가 필요하다고 봐요.

태우 : ❷ ________________.

사회자 : 성형 수술에 대해서 어떻게 생각하세요?

유카 : ❸ ________________.

태우 : ❹ ________________.

사회자 : 앞으로 한국 경제는 어떻게 될까요?

유카 : ❺ ________________.

태우 : ❻ ________________.

4. 다음을 보고 '-는다고 보다'를 사용해 질문에 대답하십시오. (**请看下图，然后使用"-는다고 보다"回答问题。**)

대도시의 문제

- 교통이 복잡하다
- 주택이 부족하다
- ....

서울 같은 대도시의 문제는 뭐라고 생각하십니까?

❶ 교통이 복잡한 것이 문제라고 봐요.

❷ ....

❸ ....

이런 문제를 해결하려면 어떻게 해야 할까요?

❹ 교통 문제를 해결하려면 ....

....

❺ 주택 문제를 해결하려면 ....

....

❻ ....

....

-는답니다

5. 다음 그림을 보고 문장을 만드십시오. (**请看下图造句。**)

내 동생 공부, 운동 모두 잘 함. 고등학교 때 축구 선수였음.	**우리 집 강아지** 귀여움. 사람들 말을 잘 알아들음.	**기타** 중학교 때 샀음. 소리가 맑고 깨끗함.

❶ 제 동생인데 공부도 잘 하고 운동도 잘 한답니다 ~~는답니다/답니다/이랍니다~~.

❷ 제 동생은 .... 는답니다/답니다/이랍니다.

❸ 우리 집 강아지인데 .... 는답니다/답니다/이랍니다.

❹ 제 강아지는 .... 는답니다/답니다/이랍니다.

❺ 제 기타인데 .... 는답니다/답니다/이랍니다.

❻ 제 기타는 .... 는답니다/답니다/이랍니다.

6. 다음 그림을 보고 '-는답니다'를 사용해 대화를 완성하십시오. (请看下图，然后使用 "-는답니다" 完成对话。)

❶ 가 : 서울에서는 어디가 유명해요?

나 : 경복궁이 유명하답니다.

❷ 가 : 인천에는 뭐가 있어요?

나 : ....

❸ 가 : 이천은 뭐가 유명해요?

나 : ....

❹ 가 : 불국사라는 절은 어디에 있어요?

나 : ....

❺ 가 : 전주에 유명한 음식이 있어요?

나 : ....

❻ 가 : 부산에 가면 꼭 가 봐야 할 곳이 어디예요?

나 : ....

3과 5항

어휘와 문법

1. 다음 설명을 보고 관계있는 말을 [보기]에서 골라 쓰십시오. (**请看下面的说明，然后从[보기]中选出相关的单词填到表格中。**)

[보기]	고혈압	과식	불면증	비만	운동 부족
	육식	채식	편식	피로	흡연

❶ 고기만 먹는다.	
❷ 담배를 피운다.	
❸ 채소를 주로 먹는다.	
❹ 잠이 안 온다. 깊은 잠을 못 잔다.	
❺ 일이 많아서 늘 피곤하다. 쉬어도 피곤이 풀리지 않는다.	
❻ 좋아하는 것만 먹는다. 음식을 골고루 먹지 않는다.	
❼ 몸무게가 키에 비해 많이 나간다.	
❽ 운동을 거의 하지 않는다. 몸이 무겁고 몸을 움직이기가 귀찮다.	
❾ 음식을 너무 많이 먹어서 속이 좋지 않다.	
❿ 최고가 150~160mmHg, 최저가 90~95mmHg 이상이다. 잘못하면 쓰러질 수 있다.	

2. 다음 [보기]에서 알맞은 말을 골라 빈칸에 쓰십시오. (**请从[보기]中选择合适的单词填到横线上。**)

[보기]	건강식	과로	비결	식사량	식욕
	안색	뭐니 뭐니 해도	규칙적이다	무리하다	유지하다

밍밍 : 어디 아파요? ❶ ________ 이/가 안 좋은데요.

수지 : 요즘 회사에 일이 많아서 며칠 동안 ❷ ________ 을/를 했어요. 잠도 못 자고요. 그러니까 계속 피곤하기만 하고 ❸ ________ 도 없어서 밥을 못 먹겠어요.

밍밍 : 그렇게 쉬지 않고❹ ________ 으면/면 안 돼요.
이럴 땐 ❺ ________ 잘 먹는 게 제일이에요.

수지 : 저도 알지만 시간이 없으니까 대충 먹게 돼요.

밍밍 : 그러지 말고 몸에 좋은 ❻ ________ 을/를 드셔 보세요.

수지 : 그런데 밍밍 씨는 늘 날씬한 몸을 ❼ ________ 는데/은데/ㄴ데
그 ❽ ________ 이/가 뭐예요? 좀 가르쳐 주세요.

밍밍 : 날마다 정해진 시간에 일어나서 식사하고 일하는 ❾ ________ 는/은/ㄴ 생활을 하는 거예요. 또 과식하지 않고 늘 정해진 ❿ ________ 을/를 지키는 것도 중요하고요.

3. 다음 대화를 완성하십시오. (**请完成下面的对话。**)

❶ 가 : 고향에 계신 부모님께 선물을 보내려고 하는데 언제까지 보내면 크리스마스 전에 도착할까요?
나 : ________ 어야/아야/여야 ________.

❷ 가 : 원하는 곳에 갈 수 있으면 지금 어디에 가고 싶어요?
나 : ________ 는다면/다면/이라면 ________.

❸ 가 : 비가 이렇게 많이 오니까 수지 씨 집에 안 가도 되겠지요?
나 : 약속을 했으면 ________ 어야지요/아야지요/여야지요.

❹ 가 : 시험 날짜가 바뀌었대요. 우리 반 친구들도 알고 있을까요?
나 : 아니요, 모를 거예요. 우리가 가서 ________ 어/아/여 줍시다.

❺ 가 : 내일 7시까지 회사에 가야 해요. 혹시 제가 안 일어나면 ________ 어/아/여 주세요.
나 : 알겠어요. 걱정하지 마세요.

❻ : 고향에 돌아갈 때 무슨 선물을 사 가지고 가면 좋을까요?

나 : ....이라든가/라든가 .... 같은 것을 사 가지고 가세요.

❼ 가 : 친구가 아파서 밥을 못 먹어요. 아플 땐 무슨 음식이 좋아요?

나 : ....는다고/다고/이라고 하던데 ....

❽ 가 : 언제쯤 한국이 통일이 될까요?

나 : ....는다고/다고/이라고 봐요.

❾ 가 : 아이들에게 외국어를 가르치는 것에 대해서 어떻게 생각해요?

나 : ....는다고/다고/이라고 봐요.

❿ 가 : 따님이 아주 예쁘시던데 지금 무슨 일을 하세요?

나 : ....는답니다/답니다/이랍니다.

4. 다음 글을 읽고 주어진 동사를 알맞은 형태로 바꿔 쓰십시오. (**请阅读下面的文章，然后使用所给动词的正确形式填空。**)

어제는 친구와 같이 봉사 활동을 하러 갔다. 거기엔 어린 아기들하고 몸이 불편한 아이들이 많이 있었다. 7시쯤 도착하니까 아이들은 ❶............ (자다) 고 있었다. 먼저 아이들을 ❷............ (깨다) 었다/았다/였다. 그런 다음 목욕탕으로 데려가서 아이들을 의자에 ❸............ (앉다) 고 몸을 ❹............ (씻다) 어/아/여 주었다. 수건으로 닦은 다음 옷을 ❺............ (입다) 어/아/여 주었다. 아이들은 기분이 좋은 것 같았다. 다음은 식사 시간이었다. 우리는 혼자 밥을 ❻............ (먹다) 지 못하는 아이들한테 밥을 ❼............ (먹다) 어/아/여 주었다. 식사하는 동안 농담을 잘 하는 진석이가 재미있는 말로 아이들을 ❽............ (웃다) 었다/았다/였다. 식사 후 우리는 같이 책도 ❾............ (읽다) 고 재미있게 놀았다. 점심을 먹고 난 후 낮잠 시간이 되어 아이들을 ❿............ (자다) 고 집으로 돌아왔다. 앞으로도 자주 와서 아이들과 같이 시간을 보내야겠다.

듣기 연습

MP3: 07~ 09

1. 이야기를 듣고 질문에 대답하십시오. (**请听下面的内容回答问题。**)

1) 이것은 무엇입니까? 쓰십시오.

....

2. 뉴스를 듣고 질문에 대답하십시오. (**请听新闻回答问题。**)

1) 다음 중 맞는 것을 고르십시오. (   )

❶ 장수 노인들은 하루에 9시간 이상 잔다.
❷ 장수 노인들은 식물성 음식을 주로 먹고 동물성 음식은 거의 먹지 않았다.
❸ 장수 노인들 중에는 혼자서 식사를 하는 사람이 많았다.
❹ 술과 담배는 장수와는 별로 관계가 없는 것으로 나타났다.

2) 건강식품은 장수에 도움이 되나요? 쓰십시오.

....

3. 이야기를 듣고 질문에 대답하십시오. (**请听下面的内容回答问题。**)

1) 들은 내용과 같으면 O표, 다르면 ×표 하십시오.

❶ 조깅은 옆 사람과 이야기를 하면서 할 수 있는 운동이다. (   )
❷ 조깅할 때 준비 운동을 하지 않아도 된다. (   )
❸ 조깅할 때는 힘들어도 걷지 말고 뛰어야 한다. (   )
❹ 초보자는 가볍게 시작해서 달리는 거리를 점점 늘리는 것이 좋다. (   )

읽기 연습

1. 다음 글을 읽고 질문에 대답하십시오. (**请阅读下面的文章回答问题。**)

운동을 꾸준히 하기 위한 방법

우선 첫 번째로 ______(가)______ 입니다. 매일 운동을 위해 시간을 내기는 어려운 일입니다. 1시간씩 운동하기로 했다면 출퇴근 시간, 점심 식사 후 등, 틈틈이 운동을 해 1시간을 채우는 것도 좋은 방법입니다.

두 번째는 ______(나)______ 입니다. 운동할 때 다른 것을 같이 하면 그냥 운동만 할 때보다 지루하지 않아 더 오래 운동을 할 수 있습니다. 예를 들어 텔레비전을 보면서 실내 자전거, 덤벨, 스텝퍼 등의 운동을 한다면 운동도 하고 재미도 느낄 수 있는 일석이조의 효과를 얻을 수 있습니다.

세 번째는 ______(다)______ 입니다. 혼자 운동하면 지루하고 포기하기 쉽지만 함께 운동하는 사람이 있다면 재미있게 운동을 할 수 있습니다. 또 운동을 하면서 더 친해질 수 있어서 좋습니다.

1) (가), (나), (다)에 들어갈 말로 알맞게 연결된 것을 고르십시오. (   )

❶ (가) 함께 운동하기 (나) 틈틈이 운동하기 (다) 재미있게 운동하기
❷ (가) 틈틈이 운동하기 (나) 재미있게 운동하기 (다) 함께 운동하기
❸ (가) 틈틈이 운동하기 (나) 함께 운동하기 (다) 재미있게 운동하기
❹ (가) 재미있게 운동하기 (나) 함께 운동하기 (다) 틈틈이 운동하기

2) '일석이조의 효과'란 무엇입니까? 쓰십시오.

____

3) (다) 운동의 예가 아닌 것을 고르십시오. (   )

❶ 테니스 ❷ 축구 ❸ 탁구 ❹ 실내 자전거

2. 다음 글을 읽고 질문에 대답하십시오. (**请阅读下面的文章回答问题。**)

미국의 건강 전문지 '헬스'가 세계에서 가장 몸에 좋은 다섯 가지 음식 중의 하나로 '김치' 를 뽑았습니다. 발효 식품인 김치에는 비타민이 풍부하고 유산균과 섬유소가 많아 소화를 도와준다는 것입니다. 또 암에 걸리는 것을 막아 주고 다이어트에도 효과가 있다고 합니다. 이와 함께 '헬스'지는 한국인들은 사진을 찍을 때도 '김치' 라고 하고, 한 사람이 1년 동안 18kg이나 되는 김치를 먹는다며 한국인들의 김치 사랑에 대해서도 소개했습니다. 또 김치 볶음밥과 김치 스크램블을 만드는 방법도 자세히 소개해 미국인들이 김치 요리법을 쉽게 따라하도록 했습니다. 미국 내에서 김치를 쉽게 살 수 있는 곳과 가격까지 알려 주며 미국인들에게 실제로 김치를 먹을 것을 권하고 있습니다. 세계 5대 건강 음식에는 콩 요리와 요구르트가 김치와 함께 뽑혀 발효 식품이 건강식품이라는 것을 다시 한 번 확인 시켜 주었습니다.

1) 건강에 좋은 5대 식품에 들어가지 <u>않는</u> 것은 무엇입니까? (　　　)

❶ 두부　　❷ 요구르트　　❸ 소고기　　❹ 김치

2) '헬스' 지에 실린 내용이 <u>아닌</u> 것은 무엇입니까? (　　　)

❶ 김치 요리법을 소개했다.
❷ 미국 사람들의 김치 사랑에 대해 소개했다.
❸ 미국에서 김치를 살 수 있는 곳을 알려 줬다.
❹ 미국 사람들에게 김치가 건강에 좋다는 것을 알렸다.

3) 다음 중 김치에 대한 설명으로 맞으면 ○표, 틀리면 ×표 하십시오.

❶ 김치를 먹으면 소화가 잘 된다.　(　　)
❷ 김치에는 비타민이 많이 들어있다.　(　　)
❸ 김치를 먹으면 암을 치료할 수 있다.　(　　)
❹ 김치를 먹으면 다이어트에 도움이 된다.　(　　)

말하기 · 쓰기 연습

1. 배운 문법을 사용해 친구에게 질문하고 대답하십시오. (请使用学过的语法跟朋友一起做问答练习。)

질문	친구 1	친구 2
❶ 건강하게 오래 살려면 어떻게 해야 하나요? (-어야)		
❷ 건강에 나쁜 것에는 어떤 것이 있을까요? (이라든가)		
❸ 건강하지 않다면 어떨까요? (-는다면)		
❹ 어떻게 하면 건강해질 수 있을까요? (-는다고 하던데, -는다고 보다)		

2. 다음 글을 읽고 여러분은 어떻게 생각하는지 써 보십시오. 그리고 친구와 같이 이야기 해 보십시오. (**请阅读下面的文章，写一下各位的想法。然后跟朋友一起说一下。**)

일본의 한 노화 연구소에서는 도쿄에 사는 100세 이상 장수 노인 70명과 60세~84세 노인 1812명을 조사한 결과, 평소 성실한 사람, 외향적이고 적극적인 사람, 그리고 신경이 예민한 사람이 100세 이상 살 가능성이 많은 것으로 조사됐습니다. 그 이유가 뭘까요? 정말 성격과 오래 사는 것이 관계가 있을까요?

제 4 과 공연과 감상

4과 1항

어휘

1. 다음 이야기를 읽고 [보기]에서 알맞은 말을 골라 빈칸에 쓰십시오. (**请阅读下面的文章，然后从[보기]中选择合适的单词填到横线上。**)

[보기] 작품명 관람 연령 공연 장소 공연 일시 작품 해설

오늘 친구한테서 오페라 '심청'의 표를 선물 받았다. 이번 주 토요일(11월 7일) 저녁 7시, 오페라 극장에서 하는 공연이었다. 이 작품은 우리 나라의 옛날이야기인 '심청전'을 오페라로 만든 것이라고 한다. 신문에서 보니까 전통과 현대의 만남으로 우리만의 특색이 잘 나타난 공연이라고 쓰여 있었다. 그래서 7살짜리 딸과 같이 공연을 보려고 했는데 9살이 넘어야 볼 수 있다고 한다. 그래서 부모님께 표를 드렸다.

❶ 작품명 : 오페라 '심청'
❷ ________ : 11월 7일 7시
❸ ________ : 오페라 극장
❹ ________ : 9세 이상
❺ ________ : 전통과 현대의 만남
우리만의 특색있는 오페라

2. 다음 [보기]에서 알맞은 말을 골라 빈칸에 쓰십시오. (**请从[보기]中选择合适的单词或词组填到括号中。**)

[보기] 공연 무대 뮤지컬 의상 자막 말할 것도 없다

❶ 주말에는 오후 4시와 7시에 (공연)을/~~를~~ 합니다.
❷ 그 식당은 분위기가 아주 좋아요. 맛은 ( )고요.
❸ 연극이 끝나자 모든 배우들이 ( ) 위로 올라와서 인사를 했다.
❹ 그 여배우의 ( )에는 다이아몬드가 달려 있어 조명을 받을 때마다 반짝거렸다.
❺ 오늘 외국 영화를 봤는데 ( )이/가 너무 빨리 지나가서 다 읽을 수가 없었다.
❻ ( )은/는 배우들의 연기뿐만 아니라 노래와 춤까지 볼 수 있어서 같은 내용이어도 영화와는 그 느낌이 다른 것 같다.

문법

만 못하다

3. 다음 문장을 '만 못하다'를 사용해 바꾸십시오. (**请使用"만 못하다"改写下面的句子。**)

❶ 이 회사가 전에 일하던 회사보다 일하기가 좋아요.

→ 전에 일하던 회사가 이 회사만 못해요.

❷ 형이 동생보다 똑똑해요.

→ 동생이 .... 만 못해요.

❸ 말하기 성적이 쓰기 성적보다 좋아요.

→ 쓰기 성적이 .... 만 못해요.

❹ 이 사전이 전자 사전보다 더 편리해요.

→ .... 만 못해요.

❺ 어머니가 만든 음식이 비싼 식당 음식보다 맛있어요.

→ ....

❻ 자판기 커피가 고급 커피숍 커피보다 더 맛있어요.

→ ....

4. 다음 표를 보고 '만 못하다'를 사용해 대화를 완성하십시오. (**请看下面的表格，然后使用"만 못하다"完成对话。**)

	나 (태우)	히로시	안드레이
말하기 점수	89점	89점	84점
듣기 점수	80점	76점	80점
읽기 점수	83점	83점	90점
쓰기 점수	82점	88점	82점

태우 : 선생님, 저는 머리가 정말 나쁜가 봐요.

선생님 : 왜 그렇게 생각하는데요?

태우 : 전 이번 시험 준비를 정말 열심히 했어요. 그렇지만 쓰기 점수는 ❶ 히로시만 못 해요 ~~어요/아요/여요~~. 읽기 점수는 ❷ .... 고요.

선생님 : 정말 속상하겠네요. 하지만 말하기는 안드레이 씨가 ❸ .... 고 듣기는 ❹ .... 으니까/니까 힘내서 더 열심히 공부하세요.

	연세 노트북	한국 노트북
기능	적다	많다
디자인	예쁘다	예쁘지 않다

밍밍　: 노트북을 사려고 하는데 어떤 게 좋을까?

샤오밍 : 기능은 ❺ ______________________.

하지만 디자인은 ❻ ______________________.

노트북은 비싼 물건이니까 잘 생각해 보고 결정해.

-는 대신에

5. 다음 그림을 보고 대화를 완성하십시오. (**请看下图完成对话。**)

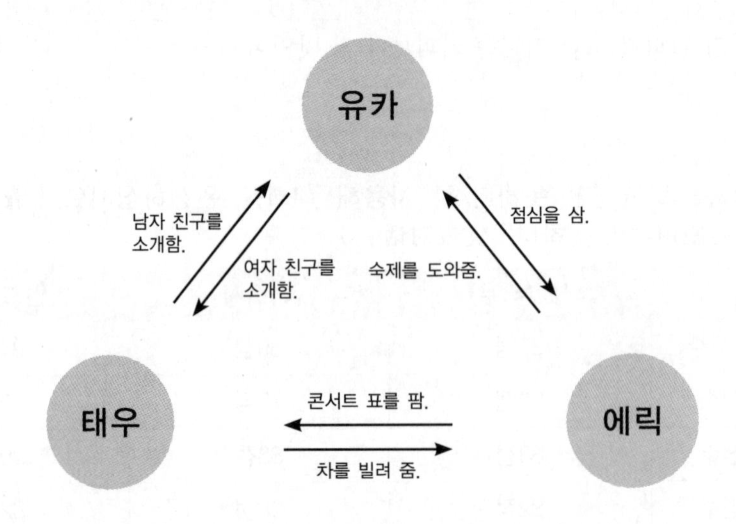

❶ 유카 : 오늘 숙제가 어렵던데 좀 도와줄 수 있어?

에릭 : 그럼 내가 숙제를 도와주는 대신에 오늘 점심 사야 해.

❷ 에릭 : 여자 친구랑 오늘 놀이 공원에 가기로 했는데 차 좀 빌려 줄 수 있니?

태우 : 그래. 그러면 내가 ______________________는 대신에 지난주에 네가 산 콘서트 표를 나한테 팔아라.

③ 태우 : 지난번에 봤던 네 친구가 정말 예쁘던데 좀 소개해 줘.
유카 : 그럼 내가 ______________________는 대신에 나한테도 멋진 남자 친구 소개해 주는 거지?

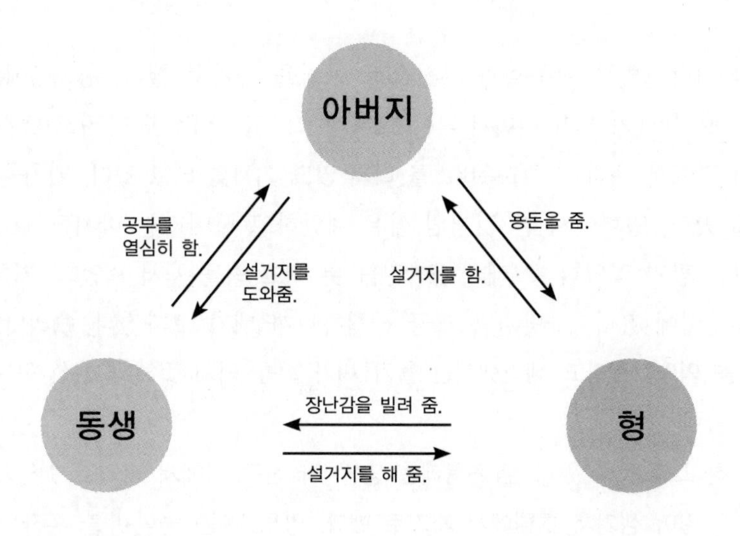

④ 아버지 : 오늘 어머니가 안 계시니까 네가 설거지 좀 해라.
형 : 그럼 ______________________는 대신에 용돈 좀 더 주세요.

⑤ 형 : 설거지 좀 해 줘.
동생 : 그럼 ______________________는 대신에 형 장난감 좀 빌려 줘.

⑥ 동생 : 아빠, 설거지 좀 도와주세요.
아버지 : 그럼 ______________________는 대신에 ______________________
__________. 그런데, 잠깐. 설거지는 네 형한테 부탁한 것 같은데…….

6. 다음 글을 읽고 '-는 대신에'를 사용해 질문에 대답하십시오. (**请阅读下面的文章，然后使用"-는 대신에"回答问题。**)

5월 3일 토요일 비

오늘부터 1박 2일로 친구들과 부산으로 여행을 가기로 했다. ❶처음에는 제주도에 가려고 했지만 비행기 표가 비싸서 부산으로 정했다. 고속버스를 타려고 했지만 벌써 표가 매진이 되어서 우리는 ❷고속버스를 타지 않고 기차를 타고 갔다. 기차를 탄 우리들은 배가 고팠다. 영화에서 본 것처럼 삶은 계란하고 사이다를 마시고 싶었지만 기차에서 계란은 팔지 않았다. 그래서 ❸계란을 못 먹고 빵을 사서 먹었다. 기차에서 내린 우리는 해운대에 갔다. 바닷가를 조금 산책하니까 배가 고파졌다. ❹바닷가에 왔으니까 생선회를 먹어야겠다고 생각했지만 올가 씨가 회를 먹지 못해서 생선 구이를 시켜 먹었다. 맛있었다.

식사를 하고 호텔로 왔다. ❺처음에는 밍밍 씨 친구 집에서 자기로 했었지만 그 친구한테 갑자기 일이 생겨서 호텔에서 자기로 했다. 밍밍 씨는 숙박비를 혼자 내겠다고 했다. 그래서 우리는 ❻숙박비를 내지 않고 밍밍 씨에게 맛있는 저녁을 사 줬다.

❶ 우리는 제주도에 가는 대신에 부산으로 여행을 가기로 정했다.

❷ 우리는 ______________는 대신에 기차를 탔다.

❸ 우리는 기차 안에서 ______________는 대신에 빵을 사 먹었다.

❹ 올가 씨가 회를 먹지 못해서 ______________는 대신에 생선 구이를 먹었다.

❺ ______________에서 자기로 했다.

❻ 밍밍 씨가 ______________.

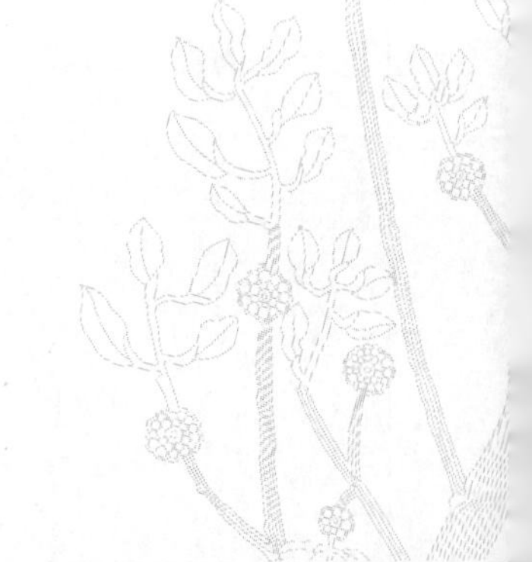

4과 2항

어휘

1. 다음 [보기]에서 알맞은 말을 골라 빈칸에 쓰십시오. (**请从[보기]中选择合适的单词填到横线上。**)

[보기]	변경하다	예매하다	예약하다	취소하다	확인하다	환불 받다

❶ 시험 결과를 확인하려고 ~~으려고/려고~~ 사무실에 전화했다.

❷ 휴가철이어서 호텔을 미리 ______________ 었다/았다/였다.

❸ 일이 많아서 오늘 약속을 ______________ 어야겠다/아야겠다/여야겠다.

❹ 지금 세운 계획을 다른 것으로 ______________ 으려면/려면 돈이 너무 많이 든다.

❺ 추석에 고향에 가려면 몇 달 전에 기차표를 ______________ 어야/아야/여야 합니다.

❻ 어제 산 옷을 교환하려고 갔는데 마음에 드는 옷이 없어서 그냥 ______________ 었다/았다/였다.

2. 다음 [보기]에서 알맞은 말을 골라 빈칸에 쓰십시오. (**请从[보기]中选择合适的单词填到括号中。**)

[보기]	인터넷 사이트	좌석	가입하다	간단하다	선택하다	알려 주다

❶ 이 곳의 약도는 (인터넷 사이트)에서 보실 수 있습니다.

❷ 시간이 없으니까 (   )게 말씀드릴게요.

❸ 출근 시간이어서 버스에 빈 (   )이/가 없었다.

❹ 미안한데 김 선생님 전화번호 좀 (   )을래?/ㄹ래?

❺ 전공을 (   )는/은/ㄴ 것은 중요한 일이니까 잘 생각해서 결정하세요.

❻ 사진을 배우고 싶어서 어제 사진 동호회에 (   )었어요/았어요/였어요.

문법

–는다고 해서

3. 다음 그림을 보고 대화를 완성하십시오. (**请看下图完成对话。**)

❶

가 : 왜 그렇게 옷을 얇게 입고 왔어요?

나 : 오늘 무척 덥다고 ~~는다고/다고/으라고/자고~~ 해서 옷을 얇게 입고 왔어요.

---

❷

가 : 오늘 뭐 할 거예요?

나 : '정'이라는 영화가 .... 는다고/다고/으라고/자고 해서 그 영화를 보러 가려고요.

---

❸

가 : 이렇게 밤 늦게 어디 가세요?

나 : 친구가 .... 는다고/다고/으라고/자고 해서 그 술집에 가는 길이에요.

---

❹

가 : 오늘 뭐 했어?

나 : 친구가 .... 는다고/다고/으라고/자고 해서 친구를 만나러 갔다가 왔어.

---

❺

가 : 아침 일찍 누구한테 전화를 하세요?

나 : 여자 친구가 .... 는다고/다고/으라고/자고 해서 여자 친구에게 전화를 거는 거예요.

---

❻

가 : 오늘 오후에 뭐 할 거예요?

나 : 여동생이 .... 는다고/다고/으라고/자고 해서 수영장에 다녀오려고요.

4. 다음 이야기를 읽고 '-는다고 해서'를 사용해 질문에 대답하십시오. (请阅读下面的文章，然后使用"-는다고 해서"回答问题。)

옛날에 떡을 파는 어머니와 남매가 살고 있었어요. 어느 날 어머니는 집으로 돌아오는 길에 호랑이를 만났어요. 호랑이는 "떡을 하나 주면 안 잡아먹겠다." 하고 말했어요. 그래서 어머니는 떡을 줬어요. 조금 후에 또 호랑이가 나타나서 "떡을 하나 주면 안 잡아먹겠다."라고 했지만 이번에는 떡이 없었어요. 호랑이는 어머니를 잡아먹고 아이들까지 잡아먹으러 집으로 갔어요. 그리고는 "얘들아, 엄마다. 빨리 문 열어라."라고 말했어요. 아이들은 엄마 목소리가 이상했지만 문을 열어 줬어요. 호랑이를 보자마자 아이들은 집 뒤에 있는 나무 위로 올라갔어요. 호랑이는 아이들에게 어떻게 나무 위로 올라갔냐고 물었어요. 오빠가 "손에 참기름을 바르고 올라왔어요."하고 말했어요. 호랑이는 참기름을 바르고 나무 위로 올라가려고 했지만 자꾸 미끄러졌어요. 그것을 본 착한 여동생이 "도끼를 쓰면 쉽게 올라올 수 있는데……."라고 말해 줬어요. 호랑이가 도끼를 써서 나무 위로 올라오기 시작하자 아이들은 기도를 했어요. "하느님, 우리를 불쌍하게 생각하면 줄을 내려 주세요." 하늘에서 튼튼한 줄이 내려왔고 아이들은 줄을 잡고 하늘로 올라갔어요. 이것을 본 호랑이도 자기에게도 줄을 내려 달라고 기도했어요. 하늘에서 줄이 내려오기는 했지만 오래된 줄이 내려와서 떨어져 죽었어요. 하느님은 오빠는 해가, 동생은 달이 되라고 말씀하셨어요. 하지만 여동생이 "밤은 어두워서 너무 무서워."하고 말하자 오빠가 달이 되겠다고 했어요. 그렇게 해서 오빠는 달이, 동생은 해가 되었어요.

❶ 어머니는 왜 호랑이에게 떡을 줬습니까?
떡을 주면 호랑이가 안 잡아먹겠다고 해서 호랑이에게 떡을 줬습니다.

❷ 아이들은 왜 문을 열어 줬습니까?
호랑이가 .... 아이들은 문을 열었습니다.

❸ 호랑이는 왜 참기름을 발랐습니까?
오빠가 .... 참기름을 발랐습니다.

❹ 호랑이는 어떻게 나무 위로 올라갔습니까?
동생이 .... 도끼를 써서 올라갔습니다.

❺ 하느님은 왜 아이들에게 줄을 내려 줬습니까?
.... 아이들에게 줄을 내려 줬습니다.

❻ 오빠는 왜 달이 되었습니까?
.... 오빠가 달이 되었습니다.

-고서

5. 다음 대화를 완성하십시오. (**请完成下面的对话。**)

❶ 가 : 지금 밍밍 씨 집에 있지요?
 나 : 아니요, 아까 전화를 받고서 나갔는데요.

❷ 가 : 대학 졸업 후에 뭘 하실 거예요?
 나 : ....고서 유학을 가려고 해요.

❸ 가 : 그 친구는 회사를 그만두고 요즘 뭘 해요?
 나 : ....고서 여행을 하고 있대요.

❹ 가 : 요즘 감기가 심하던데 올가 씨는 금방 나으셨네요.
 나 : 네, ...고서 금방 나았어요.

❺ 가 : 아까는 아무 일도 아닌데 아이한테 왜 그렇게 화를 냈어요?
 나 : 저도 ....고서 후회했어요.

❻ 가 : 왜 이렇게 일찍 돌아왔어요? 오늘 친구 안 만났어요?
 나 : 아니요. 만나기는 했는데 친구가 바쁘다고 해서 ....고서 금방 헤어졌어요.

6. 다음 글을 읽고 질문에 대답하십시오. (**请阅读下面的文章回答问题。**)

재료 : 닭 한 마리, 인삼, 찹쌀, 마늘, 파, 소금, 후추

(1) 닭은 흐르는 물에 여러 번 깨끗이 씻어 놓는다.
(2) 찹쌀은 한 시간 정도 불리고, 인삼은 깨끗이 씻고, 대추는 씨를 빼 놓는다.
(3) 찹쌀과 마늘, 인삼, 대추를 닭 뱃속에 넣고 찹쌀이 나오지 않도록 이쑤시개로 구멍을 막아 놓는다.
(4) 큰 냄비에 닭과 인삼, 대추를 넣고 닭이 물 속에 들어갈 정도로 물을 붓는다.
(5) 센 불에서 끓이다가 약한 불로 줄여 살이 익을 때까지 끓인다.
(6) 닭을 그릇에 담고 소금, 후추를 같이 낸다.

유카 : 승연아, 삼계탕 끓이는 방법 좀 알려 줄래?

승연 : 그래. 먼저 ❶닭을 깨끗이 씻어 놓고서 다른 재료들을 손질해.
그리고, 닭 뱃속에 찹쌀과 인삼, 마늘, 대추를 ❷........................고서 재료들이 밖으로 나오지 않도록 이쑤시개로 구멍을 막아.

유카 : 그런 다음에는?

승연 : 찹쌀을 넣은 닭을 냄비에 ❸........................고서 닭이 잠길 정도로 물을 부어.
센 불에서 끓으면 약한 불로 줄이고 살이 완전히 익을 때까지 끓여. 다 익은 닭을 그릇에 예쁘게 ❹........................고서 소금, 후추와 같이 상에 올리면 끝나.

유카 : 그래? 생각보다 어렵지 않네. 내가 ❺........................고서 연락할게. 꼭 먹으러 와.

4과 3항

어휘

1. 다음 [보기]에서 알맞은 말을 골라 빈칸에 쓰십시오. (**请从[보기]中选择合适的单词填到括号中。**)

[보기] 감동적이다 신나다 심각하다 우울하다 환상적이다

❶ 그 쇼는 (환상적인)~~는/은/ㄴ~~ 분위기로 사람들에게 인기가 높았다.

❷ 날씨가 흐려서 기분이 ( )어졌다/아졌다/여졌다.

❸ 주인을 위해서 죽은 개의 이야기는 아주 ( )었다/았다/였다.

❹ 기분이 나쁠 때 ( )는/은/ㄴ 음악을 들으면 기분이 좋아집니다.

❺ 의사 선생님 표정이 너무 ( )어서/아서/여서 동생이 큰 병에 걸린 줄 알았다.

2. 다음 [보기]에서 알맞은 말을 골라 빈칸에 쓰십시오. (**请从[보기]中选择合适的单词填到括号中。**)

[보기] 대사 마지막 목소리 연기 인상적이다 훌륭하다

❶ 그 배우는 (연기)~~을~~/를 너무 잘 해서 진짜 같아요.

❷ 오래간만이다. 우리가 ( )으로/로 만난 게 언제였지?

❸ 그 여자는 떨리는 ( )으로/로 경찰의 질문에 대답했다.

❹ 이번 연극은 ( )이/가 많아서 배우들이 많이 힘들어했어요.

❺ 물에 빠진 어린이를 구한 청년이 ( )은/ㄴ 시민상을 받았다고 한다.

❻ 그 영화의 마지막 장면이 아주 ( )어서/아서/여서 며칠이 지나도 잊혀지지 않아요.

문법

-을 뿐만 아니라

3. 다음을 보고 두 문장을 골라 문장을 만드십시오. (**请看下图，然后选出两个短句造句。**)

사전: 예문이 적다 / 예문이 많다 / 설명이 쉽다 / 설명이 어렵다

❶ 그 사전은 예문이 적을 ~~을/ㄹ~~ 뿐만 아니라 설명도 어렵다.

❷ 그 사전은 ………………………… 을/ㄹ 뿐만 아니라 ………………………….

우리 아이: 조금 먹다 / 많이 먹다 / 잘 안 먹다 / 자주 먹다

❸ 우리 아이는 밥을 ………………………… 을/ㄹ 뿐만 아니라 ………………………….

❹ 우리 아이는 밥을 ………………………… 을/ㄹ 뿐만 아니라 ………………………….

우리 학교: 캠퍼스가 넓다 / 캠퍼스가 아름답다 / 숙제가 많다 / 시험을 지주 보다

❺ 우리 학교는 ………………………… 을/ㄹ 뿐만 아니라 ………………………….

❻ 우리 학교는 ………………………… 을/ㄹ 뿐만 아니라 ………………………….

4. 다음 이야기를 읽고 '-을 뿐만 아니라'를 사용해 광고를 완성하십시오. (请阅读下面的文章，然后使用"-을 뿐만 아니라"完成广告。)

연세 리조트

저희 리조트는 공기 좋고 경치 좋은 강원도에 위치하고 있으며 교통이 편리합니다. 또, 깨끗하고 조용합니다.

리조트 근처에는 바다와 산이 있어서 수영도 할 수 있고 등산도 할 수 있습니다. 그리고, 골프장과 수영장이 있어서 어른들과 아이들 모두가 즐길 수 있습니다.

식사는 리조트 안의 식당에서 하실 수 있습니다. 또 주방이 있어 직접 만들어 드실 수도 있습니다.

저희 홈페이지에 들어오시면 자세한 정보를 얻을 수 있고 할인권도 받으실 수 있으니까 많이 이용해 주십시오.

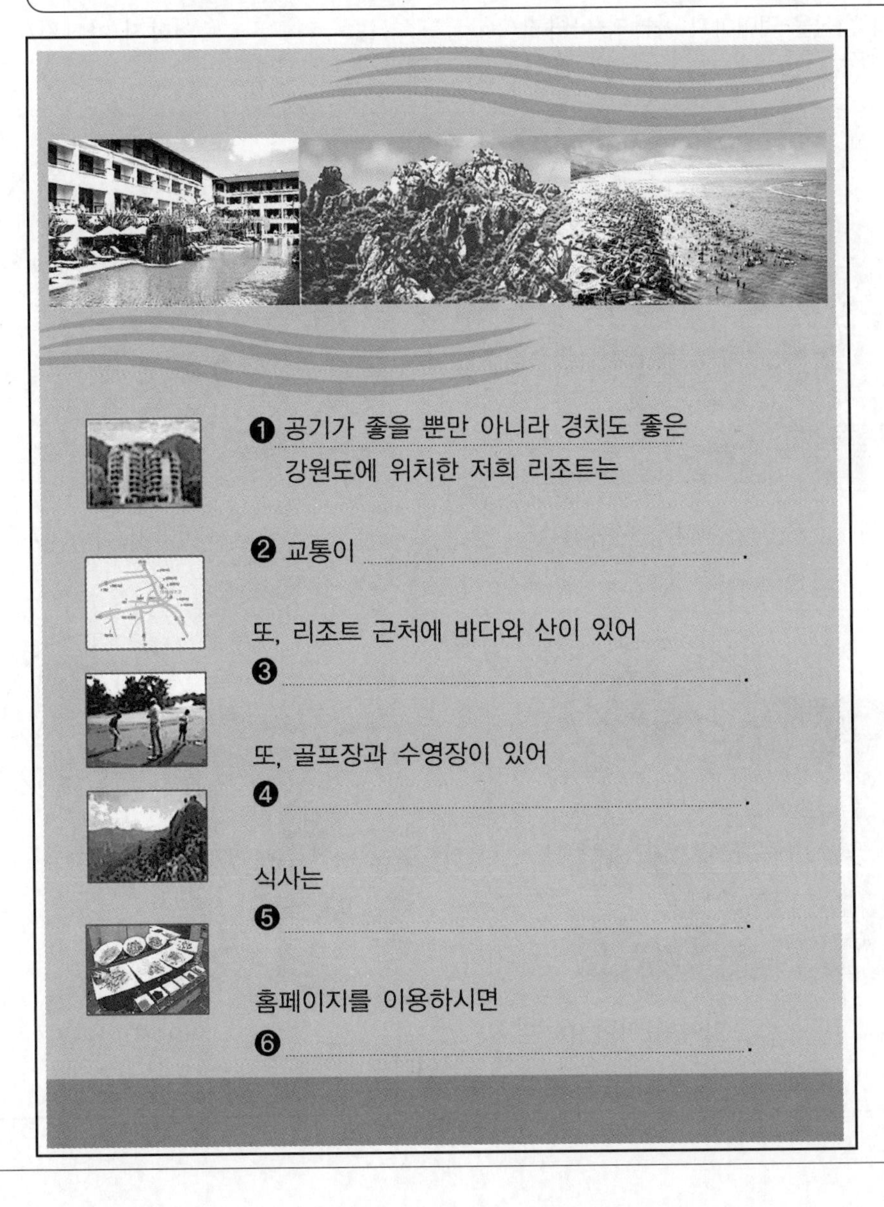

YONSEI KOREAN3 WORKBOOK

-어야지

5. 다음 그림을 보고 이 사람의 생각을 쓰십시오. (**请看下图，然后写一下这个人的想法。**)

6. 다음 그림을 보고 사람들의 생각을 쓰십시오. （请看下图，然后写一下人们的想法。）

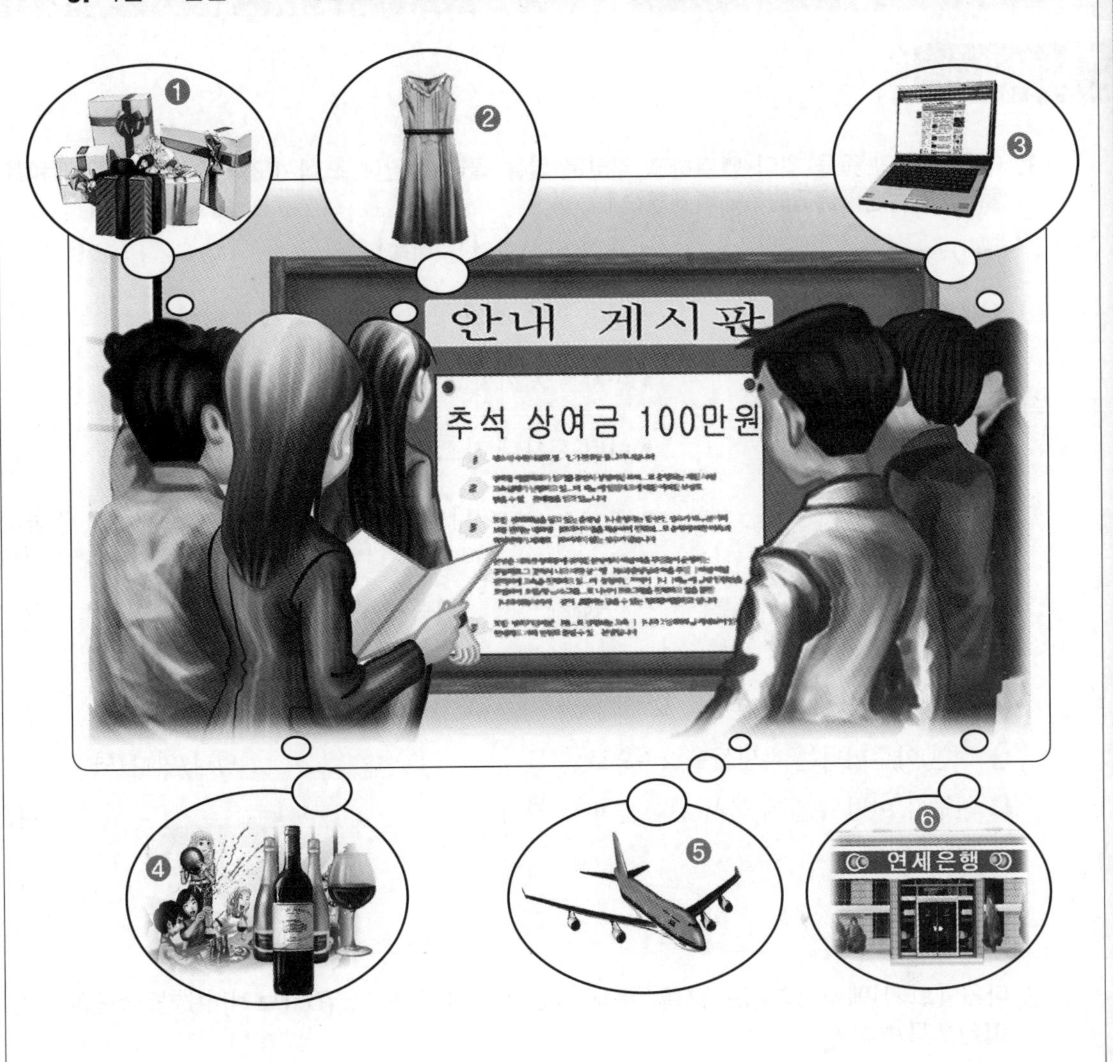

상여금을 받으면

❶ 어머니께 선물을 사 드려야지 ~~어야지/아야지/여야지~~.

❷ .... 어야지/아야지/여야지.

❸ .... 어야지/아야지/여야지.

❹ .... 어야지/아야지/여야지.

❺ .... 어야지/아야지/여야지.

❻ .... 어야지/아야지/여야지.

4과 4항

어휘

1. 다음 단어의 뜻을 찾아 연결하고 알맞은 말을 골라 빈칸에 쓰십시오. **(请正确连线单词和其意思，然后选择合适的单词填到横线上。)**

권하다 •	• 계획이나 의견을 내놓다.
소개하다 •	• 어떤 일을 하거나 무엇을 해 보라고 말하다.
안내하다 •	• 인사를 시키거나 설명을 해서 알게 해 주다.
제안하다 •	• 어떤 행사나 장소를 알려 주거나 데려다 주다.
추천하다 •	• 알맞은 사람이나 물건을 다른 사람에게 소개하고 권하다.

❶ 어머니는 손님에게 차를 ______권했다______ ~~었다/았다/였다~~.

❷ 저희 가족을 ______________겠습니다.

❸ 저에게 맞는 일자리 좀 ______________어/아/여 주세요.

❹ 주인 아주머니는 손님들을 2층으로 ______________었다/았다/였다

❺ 친구가 이번 주말에 봉사 활동을 하러 가자고 ______________었다/았다/였다.

2. 다음 [보기]에서 알맞은 말을 골라 빈칸에 쓰십시오. **(请从[보기]中选择合适的单词填到括号中。)**

[보기] 분위기 사물놀이 인기 확 지루하다 흥겹다

❶ 승연 씨는 예쁠 뿐만 아니라 성격도 좋아서 친구들한테 (인기)~~이~~/가 좋아요.

❷ 그 카페는 (　　　)이/가 좋아서 데이트하는 사람들이 많이 찾아요.

❸ 어제 공연에서는 (　　　)은/ㄴ 장단에 맞춰 춤을 추는 사람도 있었다.

❹ 그 영화는 내용을 알고 봐서 그런지 보는 내내 (　　　)었다/았다/였다.

❺ 징, 꽹과리, 장구, 북, 이 네 가지 악기를 가지고 연주하는 것이 (　　　)입니다.

❻ 노래방에 가서 큰 소리로 노래를 부르면 쌓인 스트레스가 (　　　) 풀리는 것 같다.

문법

-을 만하다

3. '-을 만하다'를 사용해 대화를 완성하십시오. (**请使用"-을 만하다"完成对话。**)

❶ 가 : 재미있는 책 좀 추천해 주세요.

나 : '그 사람'이라는 책이 읽을 만하던데 한번 읽어 보세요.

❷ 가 : 방학 때 친구하고 여행을 가려고 하는데 어디로 가면 좋을까요?

나 : ______________________________.

❸ 가 : 그 식당은 뭐가 맛있어요?

나 : ______________________________.

❹ 가 : ______________________________?

나 : 이번에 영화제에서 상을 받은 그 영화는 어때요?

❺ 가 : 두 시간 정도 걸으니까 더 못 걷겠다. 넌 괜찮아?

나 : 난 아직은 ______________________________.

❻ 가 : 그 사람 ______________________? 일을 맡겨도 괜찮을까요?

나 : 그럼요, 태우 씨라면 믿을 수 있고말고요. 걱정하지 마시고 맡겨 보세요.

4. 다음은 구두쇠 아저씨가 이웃 사람과 하는 대화입니다. '-을 만하다'를 사용해 대화를 완성하십시오. (**下面是吝啬大叔和邻居之间的对话。请使用"-을 만하다"完成对话。**)

구두쇠 : 이 옷 버리시는 겁니까?

이웃 : 네, 그런데요.

구두쇠 : 저 주세요. 아직 ❶ 입을 만한데요~~는데요/은데요/ㄴ데요~~. 이 신발도 버리시는 거예요?

이웃 : 네.

구두쇠 : 그럼, 이 신발도 저 주세요. 아직 ❷ ______________는데요/은데요/ㄴ데요.
이 가방도 버리지 마세요. 아직 ❸ ______________는데요/은데요/ㄴ데요.

이웃 : 네. 그럼 이 비디오테이프도 가지고 가시겠어요? ❹ ______________는/은/ㄴ 영화라고 해서 샀는데 저는 별로 재미가 없어서요.

구두쇠 : 네, 주세요. 혹시 그 케이크도 버리는 건가요?
아직 ❺ ______________는/은/ㄴ 것 같은데 저 주세요.

이웃 : 아니요, 이건 너무 오래 돼서 안 드시는 게 좋을 것 같아요.

구두쇠 : 아, 그래요? 그런데 이런 ❻ ______________는/은/ㄴ 물건을 왜 버리세요?
다음에 물건을 버릴 때에는 저한테 꼭 연락해 주세요.

–을걸요

5. 다음 대화를 완성하십시오. (**请完成下面的对话。**)

❶ 가 : 샤오밍 씨, 밍밍 씨 못 보셨어요?

나 : 아까 집에 간다고 했으니까 지금 집에 있을걸요 ~~을걸요/ㄹ걸요~~. 집으로 전화해 보세요.

❷ 가 : 오늘 백화점에 사람이 많을까요?

나 : 주말이니까 ______________ 을걸요/ㄹ걸요.

❸ 가 : 그분이 날마다 전화를 안 받던데요.

나 : 10시쯤 전화하면 ______________ 을걸요/ㄹ걸요. 그 시간에 집에 돌아오거든요.

❹ 가 : 승연 씨가 내일 회사에 일찍 나올까요?

나 : 언제나 일찍 나오니까 내일도 ______________ 을걸요/ㄹ걸요.

❺ 가 : 손님들이 점심을 드시고 오실까요?

나 : 3시에 오신다고 하니까 점심은 ______________ 을걸요/ㄹ걸요.

❻ 가 : 태우 씨가 비행기를 탔을까요?

나 : 지금 1시지요? 12시 비행기를 탄다고 했으니까 ______________ 을걸요/ㄹ걸요.

6. 다음 그림을 보고 대화를 완성하십시오. (**请看下图完成对话。**)

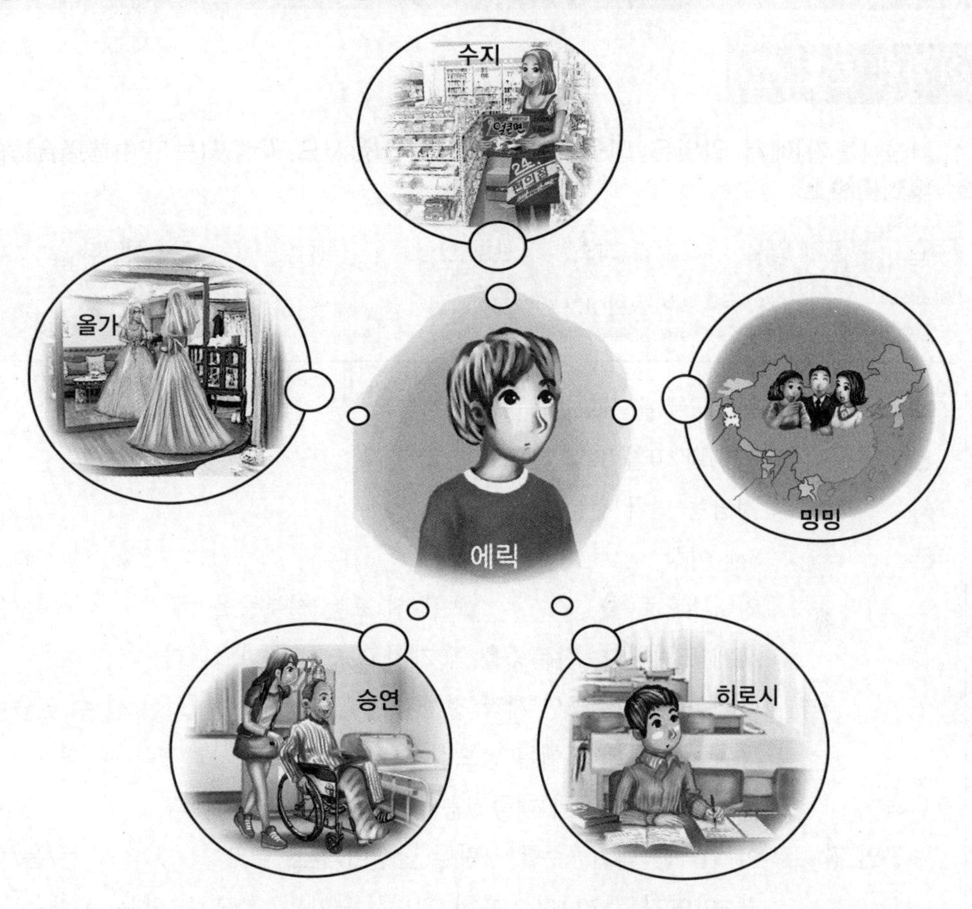

유카 : 에릭 씨, 방학인데 우리 반 친구들과 같이 여행을 가는 게 어때요?

에릭 : 저는 갈 수 있는데, 다른 친구들은 아마 ❶ 갈 수 없을걸요 ~~을걸요/ㄹ걸요~~.

유카 : 왜요? 다들 바쁘대요? 수지 씨도 바쁘대요?

에릭 : 수지 씨는 요즘 아르바이트를 해서 ❷ .... 을걸요/ㄹ걸요.

유카 : 그럼, 밍밍 씨는요?

에릭 : 밍밍 씨는 벌써 ❸ .... 을걸요/ㄹ걸요.

유카 : 히로시 씨는요?

에릭 : 히로시 씨는 취업 준비 때문에 ❹ .... 을걸요/ㄹ걸요.

유카 : 승연 씨도 바쁜가요?

에릭 : 승연 씨 할아버지께서 많이 편찮으시대요.

그래서 요즘 날마다 ❺ .... 을걸요/ㄹ걸요.

유카 : 그럼 올가 씨는요?

에릭 : 올가 씨는 다음 달에 결혼을 하니까 ❻ .... 을걸요/ㄹ걸요.

유카 : 그렇군요. 여행은 다음 방학에 가야겠네요.

4과 5항

어휘와 문법

1. 다음 [보기]에서 알맞은 말을 골라 빈칸에 쓰십시오. (**请从[보기]中选择合适的单词填到横线上。**)

[보기]	공연 일시	공연 장소	관람 연령	작품명	감동적이다
	예매하다	인상적이다	추천하다	확인하다	환불 받다

❶ .... : 백설공주를 사랑한 난쟁이

❷ .... : 2010년 10월 31일 ~ 2011년 2월 3일

❸ .... : 청담동 연극 전용 극장

❹ .... : 8세 이상

기타 : 인터넷으로 ❺ .... 으신/신 표는 신분증을 ❻ .... 는/은/ㄴ 후에 드립니다. 신분증을 꼭 가지고 오시기 바랍니다.
구입하신 표는 공연 시작 전까지만 ❼ .... 으실/실 수 있습니다.
공연이 시작된 후에는 받으실 수 없습니다.
주차장이 없으니까 대중교통을 이용하시기 바랍니다.

공연 평 : 이 연극은 백설공주를 사랑한 난쟁이의 ❽ .... 는/은/ㄴ 사랑 이야기였습니다. 특히 30만 송이의 꽃으로 만든 무대는 정말 ❾ .... 었습니다/았습니다/였습니다. 먼저 공연을 본 사람들이 이 공연을 ❿ .... 는/은/ㄴ 이유를 알 것 같습니다.

2. 다음 [보기]에서 알맞은 말을 골라 빈칸에 쓰십시오. (**请从[보기]中选择合适的单词填到括号中。**)

[보기]	대사	의상	자막	좌석	가입하다
	말할 것도 없다	알려 주다	지루하다	흥겹다	훌륭하다

❶ 제 친구는 정말 예뻐요. 성격은 (   )고요.

❷ 공연을 하다가 (   )을/를 잊어버리면 어떻게 하지요?

❸ 정해진 (   )에 앉아서 공연을 관람해 주시기 바랍니다.

❹ 그 이야기가 (   )을/ㄹ 줄 알았는데 의외로 재미있었다.

❺ (   )는/은/ㄴ 사람들은 어린 시절부터 다른 사람과 달랐던 것 같다.

❻ (   )는/은/ㄴ 리듬에 맞춰 사람들이 하나 둘씩 춤을 추기 시작했다.
❼ 이 연극은 외국인들을 위해서 (   ) 서비스를 제공하고 있습니다.
❽ 약속 시간이 변경된 것을 승연 씨에게 (   )지 않은 것이 생각났다.
❾ 저는 여행을 가면 꼭 그 나라의 전통 (   )을/를 입고 사진을 찍어요.
❿ 한국은 1991년에 161번 째 회원국으로 국제 연합(UN)에 (   )었다/았다/였다.

3. 다음 대화를 완성하십시오. (**请完成下面的对话。**)

❶ 가 : 기말시험은 어땠어요? 중간시험보다 잘 보셨지요?
나 : 아니요, ...만 못해요.

❷ 가 : 발표 순서 좀 바꿔 줄 수 있어요?
나 : 네, 좋아요. 하지만 ....는 대신에 저한테
....

❸ 가 : 이것 좀 드세요. ....는다고/다고/으라고/자고 해서 사 왔어요.
나 : 네, 고마워요. 잘 먹을게요.

❹ 가 : 공포 영화를 보셨다고요? 그런 영화를 좋아하세요?
나 : 아니요, ...는다고/다고/으라고/자고 해서 봤는데 너무 무서웠어요.

❺ 가 : 어제 수업이 끝나고 뭘 했어요?
나 : ....고서 ....

❻ 가 : 신촌 식당에서 점심을 드시던데 그 식당 음식이 맛있나요?
나 : 네, ...을/ㄹ 뿐만 아니라 ....
....

❼ 가 : 내일부터 ....어야지/아야지/여야지.
나 : 그래. 아침에 일찍 일어나서 운동을 하면 살도 빠지고 더 건강해질 거야.

❽ 가 : 고향 친구하고 서울 구경을 하려고 하는데 어디에 가면 좋을까요?

나 : .... 을/ㄹ 만해요.

❾ 가 : 연세가 많으신데 이런 일 하시기 힘들지 않으세요?

나 : 아니요, 아직은 .... 을/ㄹ 만해요.

❿ 가 : 수지 씨한테도 같이 가자고 연락합시다.

나 : 수지 씨는 .... 을걸요/ㄹ걸요.

4. 다음 중 맞는 문장에 ○표 하십시오. (**请在正确的句子后面标记○。**)

❶ 가 : 저는 기숙사가 하숙집보다 더 편한 것 같아요.

나 : 맞아요. 기숙사가 하숙집만 못해요. (　　)

맞아요. 하숙집이 기숙사만 못해요. (　　)

❷ 가 : 숙제하는 것 좀 도와줄래?

나 : 그래, 그러면 저녁 준비를 하는 대신에 숙제 해 줘. (　　)

그래, 그러면 숙제를 도와주는 대신에 너는 저녁 준비 좀 해 줘. (　　)

❸ 가 : 전화기를 사려고 하는데요. 저것 좀 보여 주시겠어요?

나 : 네, 이 전화기는 디자인이 예쁠 뿐만 아니라 복잡해요. (　　)

네, 이 전화기는 디자인이 예쁠 뿐만 아니라 가벼워요. (　　)

❹ 가 : 어제 가게에서 산 반찬 어땠어요?

나 : 너무 매워서 먹을 만 못했어요. (　　)

조금 맵기는 했지만 먹을 만했어요. (　　)

❺ 가 : 회의가 끝났을까요?

나 : 오늘 할 이야기가 많아서 아직 안 끝날걸요. (　　)

오늘 할 이야기가 많아서 아직 안 끝났을걸요. (　　)

듣기 연습

MP3: 10~11

1. 대화를 듣고 질문에 대답하십시오. (**请听对话回答问题。**)

1) 들은 내용과 같으면 ○표, 다르면 ×표 하십시오.

❶ 남자는 여자 친구와 영화를 보고 싶어한다. (　　)

❷ 남자가 보려는 영화는 남자들뿐만 아니라 여자들에게도 인기가 많다. (　　)

❸ 여자는 이 영화를 벌써 봤다. (　　)

❹ 주말에는 표가 없어서 남자는 오늘 영화를 볼 것이다. (　　)

2. 이야기를 듣고 질문에 대답하십시오. (**请听下面的内容回答问题。**)

1) 이 사람은 왜 공연을 보러 갔습니까? (　　　)

❶ 금요일이어서
❷ 친구가 공연을 보여 준다고 해서
❸ 연주자가 친구여서
❹ 바이올린 연주를 좋아해서

2) 들은 내용과 같은 것을 고르십시오. (　　　)

❶ 이 사람은 '예술의 전당'에서 일한다.

❷ 나는 친구의 바이올린 공연을 보러 갔다.

❸ 오늘 연주도 좋았지만 지난번 바이올린 연주만 못했다.

❹ 이 공연은 환상적이고 감동적이었다.

3) 공연을 보기 전에 이 사람은 바이올린 연주에 대해 어떻게 생각했습니까? 쓰십시오.

....

읽기 연습

1. 다음을 읽고 질문에 대답하십시오. (请阅读下面的内容回答问题。)

한여름 밤의 콘서트

*** 공연 일정**

8월 24일 (금) 19:30-21:00 여름 밤의 관악 대향연
(연세 오케스트라 공연, 영화 음악, 재즈 연주)

8월 29일 (수) 19:30-21:00 여름 밤의 가요 축제
(유명 가수 출연)

* 행사 장소 : 여의도 한강 시민공원 야외무대
* 선착순 무료 야외 공연이니까 일찍 오셔서 원하시는 자리에 앉으시기 바랍니다.
* 행사 일정 및 프로그램은 사정에 따라 변경될 수 있으며, 비가 올 경우 행사가 취소될 수 있습니다.
* 궁금한 것이 있으면 02) 2100-1111 번으로 전화해 주십시오.

1) 글의 내용과 같으면 ○표, 다르면 ×표 하십시오.

❶ 하루만 공연을 볼 수 있다. ( )
❷ 이 공연은 무료로 볼 수 있다. ( )
❸ 정해진 좌석에 앉아야 한다. ( )
❹ 비가 와도 공연을 한다. ( )

2) 이 게시물을 보고 할 수 있는 생각이 <u>아닌</u> 것을 고르십시오. ( )

❶ '일찍 가서 좋은 자리에 앉아야지.'
❷ '저녁 공연이니까 퇴근하고서 친구하고 같이 가야지.'
❸ '유명한 가수들이 많이 나오니까 비싸도 볼 만할 거야.'
❹ '오늘은 비가 오니까 공연을 하는지 전화를 해 봐야겠다.'

2. 다음 글을 읽고 질문에 대답하십시오. (**请阅读下面的文章回答问题。**)

올 가을에는 음악을 소재로 한 영화가 특히 많다.

한국 영화로는 음악을 통해 인생의 꿈을 찾아가는 아저씨들의 이야기인 '아름다운 청춘'과 '마이 라이프'가 있고, 외화 역시 꽤 많이 준비돼 있다. 외화 중에서 '음악은 나의 인생'은 꼭 한번 볼 만한 작품이다. 이 영화는 뮤지컬 영화라고 할 수 있는데, 신촌 영화제에서 작품상 수상 이후 그 인기가 높아지고 있다.

아일랜드를 배경으로 한 이 영화는 거리의 음악가와 체코에서 이민 온 가난한 소녀의 사랑 이야기이다. 한 번의 키스 장면도 없지만 음악을 통해 보여 주는 이들의 사랑이 가슴을 따뜻하게 만든다. 마지막 장면에 나오는 피아노와 기타로 만들어 내는 그들의 연주가 가장 인상적인 장면이라고 할 수 있다. 실제 음악가인 두 남녀 주인공의 뛰어난 음악 실력과 꾸미지 않은 연기가 돋보인다.

가족과 함께 보기에 좋은 영화다. 20일 개봉. 전체 관람가.

1) 이 글은 무슨 글입니까? ( )

❶ 일기 ❷ 소설 ❸ 광고 ❹ 신문 기사

2) '음악은 나의 인생'에 대한 이야기로 맞으면 ○표, 틀리면 ×표 하십시오.

❶ 영화제에서 상을 받아 인기가 더 많아졌다. ( )
❷ 한국을 배경으로 한 뮤지컬 영화이다. ( )
❸ 영화에서 음악가로 나오는 남자 주인공은 실제로도 음악가이다. ( )
❹ 20일부터 극장에서 볼 수 있다. ( )
❺ 어린이는 이 영화를 극장에서 볼 수 없다. ( )

3) 영화 '음악은 나의 인생'은 무슨 내용입니까? 쓰십시오.

....

말하기 · 쓰기 연습

1. 배운 문법을 사용해 친구에게 질문하고 대답하십시오. (**请使用学过的语法跟朋友一起做问答练习。**)

질문	친구 1	친구 2
❶ 가장 최근에 본 공연은 뭐예요? 그 공연에 대해 간단하게 소개해 주세요. (-을 뿐만 아니라)		
❷ 공연 표는 어떻게 사세요? 직접 가서 사세요? 컴퓨터나 전화로 예매를 하세요? 왜요? (-을 뿐만 아니라)		
❸ 표를 예매한 후에 취소하거나 환불 받은 경험이 있어요? 왜 그렇게 했어요? (-는다고 해서, -고서)		
❹ 좋아하는 배우는 누구예요? 그 배우가 어때요? (-을 뿐만 아니라)		
❺ 친구들에게 추천할 만한 공연(음식점, 영화, 책……)이 있어요? 추천하는 이유는 뭐예요? (-을 만하다)		

2. 다음 글을 읽고 여러분이라면 어떻게 할지 써 보십시오. 그리고 친구와 같이 이야기해 보십시오. (**请阅读下面的文章，写一下各位遇到这种情况会怎么做。然后跟朋友一起说一下。**)

나는 가수 ○○를 정말 좋아한다. 이번 달에 있는 콘서트 표를 구하지 못해 실망하고 있었는데 마침 친구가 고향에 돌아가야 해서 그 표를 판다고 했다. 사고 싶어하는 친구들이 많아서 나는 일주일 동안 매일 그 친구에게 부탁을 했다. 정말 어렵게 표를 얻었는데 표를 확인해 보니까 콘서트 날짜가 시험 전날이었다. 이번 쓰기 시험은 많이 어렵다고 하고 게다가 공부할 문법도 많아서 공부하는데 시간이 많이 걸릴 텐데……. 나는 중간시험을 못 봐서 기말시험은 꼭 잘 봐야 한다. 그런데 ○○의 다음 콘서트는 1년 후에나 있다고 한다. ○○콘서트를 봐야 할까? 아니면, 시험공부를 해야 할까? 어떻게 하는 게 좋을까?

쉼터 2 - 단어를 만들어 봅시다

다음 자음으로 시작하는 단어를 만들어 봅시다. 단어를 많이 만드는 팀이 이깁니다. (请写出以下面这些辅音开头的单词。写出单词最多的一组获胜。)

ㄱ	ㄱ

결과, 결국, 고기, 공기, 관객, 광경, 광고, 귀국, 기간……

ㄱ	ㅅ

ㅅ	ㄱ

ㅅ	ㅈ

ㅇ	ㅇ

ㅊ	ㅊ

ㄱ	ㄱ	ㄹ

ㅊ	ㅂ	ㅈ

제 5 과 사람

5과 1항

어휘

1. 다음 [보기]에서 알맞은 말을 골라 빈칸에 쓰십시오. (请从[보기]中选择合适的单词或词组填到括号中。)

[보기] 능력이 뛰어나다 성공하다 유명하다 인기가 좋다 인정을 받다

❶ 그분은 열심히 노력해서 결국 (성공했어요)~~었어요/았어요/였어요~~.

❷ 그분이 여자들한테 ( )는/은/ㄴ 이유는 잘 생긴데다가 매너도 좋아서 이다.

❸ 다른 사람보다 빨리 승진이 된 걸 보면 그 사람이 회사에서 ( )고 있는 거겠지요?

❹ 그 식당은 칼국수로 ( )어서/아서/여서 그 식당에 온 사람들은 모두 칼국수만 먹어요.

❺ 그 사람은 컴퓨터를 다루는 ( )어서/아서/여서 컴퓨터에 무슨 문제만 생기면 사람들은 다 그 사람을 찾는다.

2. 다음 [보기]에서 알맞은 말을 골라 빈칸에 쓰십시오. (请从[보기]中选择合适的单词填到括号中。)

[보기] 실력 패션쇼 평 겨우 나오다

❶ 그 노래가 요즘 인기여서 그 가수가 텔레비전에 날마다 (나온다)는~~다/ㄴ다/다~~.

❷ 어제는 너무 피곤해서 ( ) 세수만 하고 잤다.

❸ 그 작품에 대한 ( )이/가 좋아서 상을 기대해도 될 것 같다.

❹ 지난 주말에는 디자이너인 친구의 ( )에 초대 받아서 다녀왔다.

❺ 좋은 회사에 취직하려면 먼저 ( )을/를 쌓아야 한다고 생각해요.

문법

–는 모양이다

3. '–는 모양이다'를 사용해 대화를 완성하십시오. (**请使用"–는 모양이다"完成对话。**)

❶ 가 : 오늘 날씨가 좋지 않네요.

나 : 구름이 많이 낀 걸 보니까 곧 비가 올 ~~는/은/을~~ 모양이에요.

❷ 가 : 아무도 전화를 안 받아요.

나 : 집에 사람이 ______________ 는/은/을 모양이에요.

❸ 가 : 샤오밍 씨가 팔에 깁스를 하고 왔던데요.

나 : 어제 농구를 하다가 넘어졌는데 그때 ______________ 는/은/을 모양이네요.

❹ 가 : 안드레이 씨가 어디에 가지요?

나 : 책을 들고 가는 걸 보니까 ______________.

❺ 가 : 이 식당 음식이 맛있어요?

나 : 잘 모르겠지만 이렇게 사람이 많은 걸 보니까 ______________ ______________.

❻ 가 : 히로시 씨가 시험을 잘 봤대요?

나 : ______________ 는/은/ㄴ 걸 보니까 ______________ ______________.

4. 다음 그림을 보고 문장을 완성하십시오. (**请看下图完成句子。**)

❶ 어머니께서 상을 차리시는 걸 보니까 가족들이 곧 저녁을 먹을~~는/은/을~~ 모양입니다.

❷ 오빠가 .... 는 걸 보니까 .... 는/은/을 모양입니다.

❸ 할아버지께서 .... 는 걸 보니까 .... 는/은/을 모양입니다.

❹ 남동생이 .... 는 걸 보니까 .... 는/은/을 모양입니다.

❺ 승연이가 .... 는 걸 보니까 .... 는/은/을 모양입니다.

❻ 아버지께서 .... 는 걸 보니까 .... 는/은/을 모양입니다.

–을 뿐이다

5. '–을 뿐이다'를 사용해 대화를 완성하십시오. (**请使用"–을 뿐이다"完成对话。**)

❶ 가 : 그 분을 잘 아세요?
나 : 아니요, 이름만 알 ~~을/ㄹ~~ 뿐이에요.

❷ 가 : 그림을 참 잘 그리시네요. 혹시 화가세요?
나 : 아니에요. 그림 그리는 것을 좋아해서 ………………………… 을/ㄹ 뿐이에요.

❸ 가 : 많이 편찮으시면 집에 가서 쉬세요.
나 : 아니에요. 머리가 조금 ………………………… 을/ㄹ 뿐입니다.

❹ 가 : 도와주셔서 감사합니다.
나 : 뭘요. 제가 할 일을 ………………………… 을/ㄹ 뿐인데요.

❺ 가 : 어제 같이 영화를 보시던 그 분은 남자 친구이신가요?
나 : 아니요, 같이 공부하는 …………………………………………….

❻ 가 : 이번 시험 성적이 좋던데요. 무슨 비결이 있나요?
나 : 비결은요. 수업만 열심히 …………………………………………….

6. 다음 메모를 보고 문장을 완성하십시오. (**请看下面的记录完成句子。**)

9월

11일(월)	미장원 가기	❶ 오늘 미장원에 가서 긴 머리를 자르고 파마를 했다. 하숙집 아주머니와 친구들이 너무 예뻐서 누군지 몰랐다고 했다. 파마만 했을 ~~을/ㄹ~~ 뿐인데……
12일(화)	신문 발표 준비	❷ 오늘 학교에서 발표를 했다. 발표 준비 때문에 며칠 동안 잠을 자지 못했다. 지금은 아무 생각도 나지 않는다. 그냥 .... 을/ㄹ 뿐이다.
13일(수)	유카 씨에게 연락하기	❸ 지난주에 유카 씨 생일 파티에서 만난 친구가 학교에서 나한테 인사를 했다. 옆에 있던 친구들이 잘 생긴 그 친구를 소개해 달라고 했다. 그냥 파티에서 .... 을/ㄹ 뿐인데……
14일(목)	아르바이트	❹ 오늘은 기분이 몹시 나빴다. 사장님이 다른 직원들한테 내가 말이 많다고 했다. 나는 사장님 질문에 .... 을/ㄹ 뿐인데……
15일(금)	승연 씨 집들이	❺ 오늘 승연 씨가 집들이를 했다. 그래서 수업이 끝나고 승연 씨 집에 가서 조금 도와줬다. 친구들이 음식이 맛있다고 했다. 승연 씨는 내 덕분이라고 했다. 나는 그냥 조금 .... 을/ㄹ 뿐인데……
16일(토)	가족 모임	❻ 나는 주말마다 할머니께 전화를 드린다. 친척 어른들은 모두 나를 칭찬했다. 나는 그냥 할머니께 .... 을/ㄹ 뿐인데……

5과 2항

어휘

1. 다음 [보기]에서 알맞은 말을 골라 빈칸에 쓰십시오. (请从[보기]中选择合适的单词或词组填到括号中。)

[보기]	고집이 세다	게으르다	꼼꼼하다
	냉정하다	무뚝뚝하다	성격이 급하다

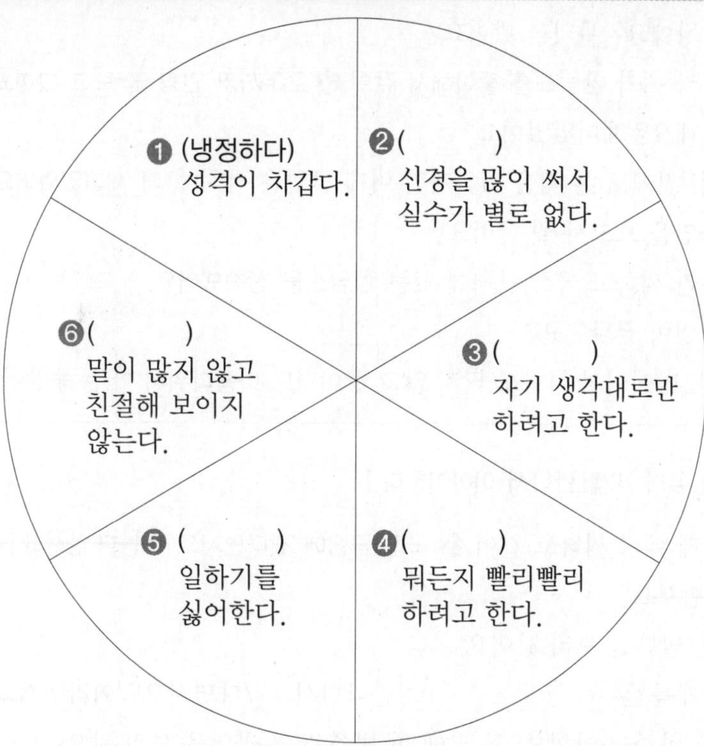

2. 다음 [보기]에서 알맞은 말을 골라 빈칸에 쓰십시오. (请从[보기]中选择合适的单词填到括号中。)

[보기]	죽	마치	무척	옮기다	챙기다	충분하다

❶ 직장을 (옮기)고 싶은데 어디 좋은 곳이 없을까?

❷ 오후에 비가 온다고 하니까 우산 꼭 (   )어/아/여.

❸ 그 사람은 노래를 너무 잘 불러서 (   ) 가수 같았다.

❹ 아이들이 먹을 거니까 이 정도면 (   )을/ㄹ 것 같은데요.

❺ 내가 아플 때 우리 어머니는 늘 (   )을/를 끓여 주셨었다.

❻ 내가 장학금을 받았다는 이야기를 듣고 아버지는 (   ) 기뻐하셨다.

문법

–는다면서요?

3. 다음 대화를 읽고 밑줄 친 내용을 확인하십시오. **(请阅读下面的对话，然后确认一下画线部分的内容。)**

올가 : 에릭 씨, 주말에 뭘 하셨어요?
에릭 : 저는 유카 씨하고 같이 ❶국립 극장에 갔어요.
올가 : 극장에요? 무엇을 봤어요?
에릭 : 유카 씨가 ❷발레를 좋아해서 같이 ❸'호두까기 인형'을 보고 왔어요.
올가 : 그래요? 재미있었어요?
에릭 : 네, 전에도 본 적은 있었지만 어제 공연은 특히 ❹더 재미있었어요.
올가 : 공연을 보고서 뭘 했어요?
에릭 : 유카 씨하고 극장 근처에 있는 ❺남산을 산책했어요.
올가 : 공연이 끝나고요?
에릭 : 네, 밤이어서 사람도 많지 않고 ❻야경도 아름다워서 아주 좋았어요.

[올가 씨가 유카 씨를 만나서 이야기한다.]

올가 : 어제 에릭 씨하고 같이 ❶ 국립 극장에 갔다면서요? ~~는다면서요?/다면서요?/이라면서요~~?
유카 : 네, 발레를 보러 갔어요.
올가 : 발레를 ❷ ______________ 는다면서요?/다면서요?/이라면서요?
유카 : 네, 아주 좋아해요. 두 달에 한 번쯤은 꼭 공연을 보러 가요.
올가 : 어제는 '호두까기 인형'을 ❸ ______________ 는다면서요?/다면서요?/이라다면서요?
유카 : 네, 여러 번 봤지만 볼 때마다 느낌이 다른 공연이거든요.
올가 : 어제 공연은 ❹ ______________ 는다면서요?/다면서요?/이라다면서요?
유카 : 네, 아주 재미있었어요.
올가 : 공연을 보고 에릭 씨하고 ❺ ______________ 는다면서요?/다면서요?/이라면서요?
유카 : 네, 사람이 많지 않아서 산책하기에 좋았어요.
올가 : ❻ ______________ 는다면서요?/다면서요?/이라면서요?
유카 : 네, 아주 아름다웠어요. 다음에는 올가 씨도 같이 가요.

4. 다음 대화를 완성하십시오. (**请完成下面的对话。**)

❶ 가 : 에릭 씨 부모님께서 서울에 계시다면서요? ~~는다면서요?/다면서요?/이라면서요~~?

나 : 네, 그래서 주말마다 부모님 댁에 다녀온대요. 정말 부러워요.

❷ 가 : 수지 씨 여동생은 한국에 오래 살아서 ______________ 는다면서요?/다면서요?/이라면서요?

나 : 네, 한국 사람처럼 한국말을 잘 한대요.

❸ 가 : 오늘이 ______________ 는다면서요?/다면서요?/이라면서요?

나 : 아니요, 제 생일은 지났는데요.

❹ 가 : 어제 백화점에서 쇼핑했어요.

나 : 요즘 세일 기간이어서 ______________ 는다면서요?/다면서요?/이라면서요?

❺ 가 : 밍밍 씨하고 ______________ 는다면서요?/다면서요?/이라면서요?

나 : 네, 밍밍 씨가 제 비밀을 친구들한테 이야기해서요. 그래서 싸웠어요.

❻ 가 : 어제 그 축구 경기 봤어요?

나 : 보고 싶었는데 일이 너무 늦게 끝나서 못 봤어요. ______________ 는다면서요?/다면서요?/이라면서요?

만하다

5. 두 문장이 같은 뜻이 되도록 만드십시오. (**请造句，使其与前面的句子意思相同。**)

❶ 동생의 키가 형과 비슷해요. → 동생이 .... 형 .... 만해요.

❷ 우리 집과 저 집 크기가 비슷해요. → 우리 집이 .... 만해요.

❸ 고양이가 이 가방 크기와 비슷해요. → 고양이가 .... 만해요.

❹ 제 얼굴이 시디(CD) 크기와 같아요. → 제 얼굴이 .... 만해요.

❺ 제 컴퓨터가 이 공책 크기와 같아요. → 제 컴퓨터가 .... 만해요.

❻ 내 방이 교실 크기의 반 정도 돼요. → 내 방이 .... 만해요.

6. 다음 [보기]에서 단어를 골라 한국 사람들이 많이 쓰는 표현을 만드십시오. (**请从[보기]中选择合适的单词写一下韩国人常用的表达。**)

[보기] 남산 단춧구멍 모기 소리 손바닥 주먹 쥐꼬리

❶ 목소리가 아주 작아요.

→ 목소리가 모기 소리만해요.

❷ 방이 아주 작아요.

→ .... 만해요.

❸ 배가 많이 불러요.

→ .... 만해요.

❹ 눈이 아주 작아요.

→ .... 만해요.

❺ 월급이 아주 적어요.

→ .... 만해요.

❻ 얼굴이 아주 작아요.

→ .... 만해요.

5과 3항

어휘

1. 다음 [보기]에서 알맞은 말을 골라 빈칸에 쓰십시오. (请从[보기]中选择合适的单词或词组填到括号中。)

[보기] 기부하다 낭비하다 돈을 벌다 저축하다 절약하다 투자하다

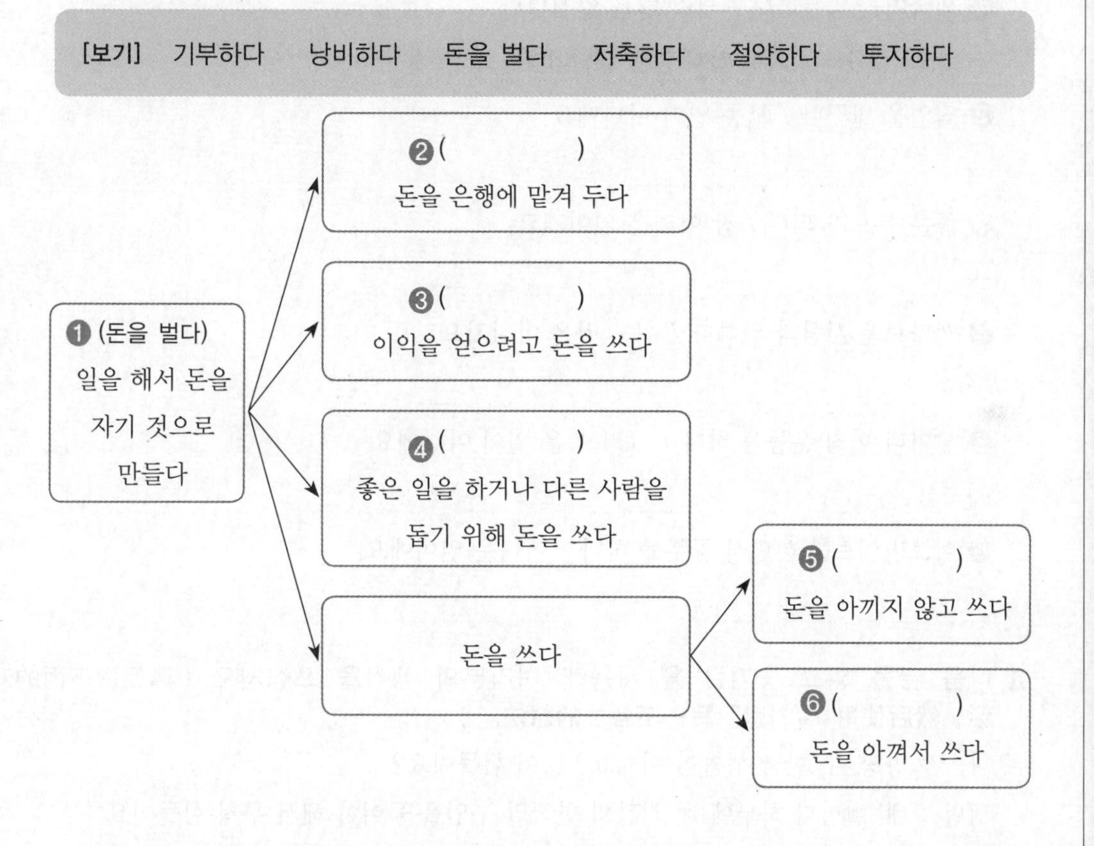

2. 다음 [보기]에서 알맞은 말을 골라 빈칸에 쓰십시오. (请从[보기]中选择合适的单词填到括号中。)

[보기] 소식 자신 혹시 놀랍다 대단하다 말이다

❶ 오랫동안 (소식)이/~~가~~ 끊긴 친구에게서 연락이 왔다.
❷ ( ) 김 선생님 전화번호를 알고 있으면 좀 알려 줄래?
❸ 50년 동안 잠을 자지 않은 사람이 있다는 ( )은/ㄴ 이야기를 들었다.
❹ 다른 사람과 한 약속보다 ( )과/와 한 약속을 지키는 것이 더 어렵다.
❺ 그 사람을 아십니까? 아까 학교 앞에서 인사한 사람 ( )습니다/ㅂ니다.
❻ 외국에서도 그 배우를 만나려고 오는 걸 보니까 그 배우의 인기가 ( ) 은/ㄴ 모양이에요.

문법

-기란

3. '-기란'을 사용해 두 문장을 한 문장으로 바꾸십시오. (**请使用"-기란"把两个句子改写成一个句子。**)

❶ 외국어를 공부하다 / 쉽지 않은 일입니다.

→ 외국어를 공부하기란 쉽지 않은 일입니다.

❷ 직업을 바꾸다 / 보통 일이 아니에요.

→ ______________________.

❸ 좋은 부모가 되다 / 참 어려운 일이지요.

→ ______________________.

❹ 까다로운 사람과 일하다 / 쉬운 일은 아니지요.

→ ______________________.

❺ 날마다 아침 운동을 하다 / 그리 쉬운 일이 아니에요.

→ ______________________.

❻ 아르바이트를 하면서 공부를 하다 / 어려운 일이에요.

→ ______________________.

4. 다음 글을 읽고 '-기란'을 사용해 여러분의 생각을 쓰십시오. (**请阅读下面的对话，然后使用"-기란"写一下各位的想法。**)

나 : 밍밍 씨, 한국 생활이 어때요? 많이 힘들지요?

밍밍 : 네, 날마다 하루에 네 시간씩 한국말 수업을 들어야 해서 무척 힘들어요.

나 : ❶ 외국어로 수업을 듣기란 쉬운 일이 아니지요.

밍밍 : 그리고 집이 멀어서 지각하지 않으려면 날마다 6시에 일어나야 해요.

나 : ❷ 날마다 ______________________.

밍밍 : 날마다 숙제도 많고 꼭 해야 해요.

나 : ❸ 날마다 ______________________.

밍밍 : 또 수업 끝나고 아르바이트도 해야 하고요.

나 : ❹ ______________________.

밍밍 : 아르바이트를 할 때는 아무리 힘들어도 손님에게 친절하게 대해야 해요.

나 : ❺ ______________________.

밍밍 : 아르바이트가 끝나고 집에 와서는 집안일도 해야 해요.

나 : ❻ ______________________.

그래도 열심히 생활하는 밍밍 씨가 참 보기 좋아요. 힘내세요.

-었던 것 같다

5. 다음은 옛 조상들이 쓰던 물건들의 사진입니다. 사진을 보고 무엇을 할 때 쓰던 물건인지 [보기]에서 골라 빈칸에 쓰십시오. **(下面是古代韩国人用过的东西的图片。请看下图从[보기]中选择表示这些东西用途的词组填到横线上。)**

[보기]	곡식을 갈다	곡식을 빻다	여름을 시원하게 보내다
	실을 만들다	다림질을 하다	화장실로 사용하다

이 물건으로 곡식을 빻았던 ~~었던/았던/였던~~ 것 같아요.

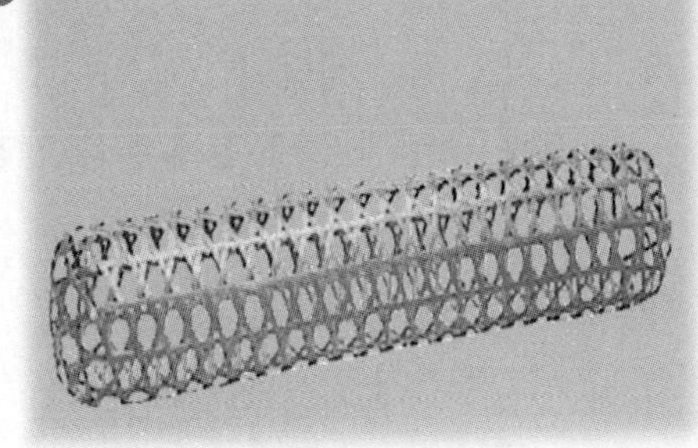

이 물건으로 ....
었던/았던/였던 것 같아요.

이 물건으로 ....
었던/았던/였던 것 같아요.

❹

이 물건으로 ....
었던/았던/였던 것 같아요.

이 물건으로 ....
었던/았던/였던 것 같아요.

❻

이 물건을 ....
었던/았던/였던 것 같아요.

6. 다음 대화를 완성하십시오. (**请完成下面的对话。**)

❶ 가 : 집에 누가 왔던 ~~었던/았던/였던~~ 것 같아요. 서랍이 다 열려 있어요.

나 : 경찰에 신고부터 해야겠어요.

❷ 가 : 이 노래는 전에 ....었던/았던/였던 것 같아요.

나 : 네, 옛날 노래를 이 가수가 다시 부른 거래요.

❸ 가 : 이 근처에 식당이 ....었던/았던/였던 것 같은데요.

나 : 네, 그런데 얼마 전에 문을 닫았어요.

❹ 가 : 저 사람 언제 ....었던/았던/였던 것 같아. 낯이 많이 익어.

나 : 그럼 가서 인사해 봐.

❺ 가 : 제 안경 못 보셨어요?

나 : 조금 전까지 식탁 위에 ....었던/았던/였던 것 같은데요.
한번 가 보세요.

❻ (영화를 보면서)

가 : 이 영화 재미있지?

나 : 응, 그런데 전에 한 번 ....었던/았던/였던 것 같아. 주인공도
낯이 익고 내용도 알겠어.

어휘

1. 이 사람은 어떤 일을 하면 좋을까요? [보기]에서 알맞은 말을 골라 빈칸에 쓰십시오. (**这个人从事什么工作比较好呢? 请从[보기]中选择合适的单词填到括号中。**)

[보기] 교육자 사업가 언론인 연예인 정치인

❶ 새로운 소식을 사람들에게 제일 먼저 알리고 싶어요. (언론인)
❷ 제 회사를 하나 갖고 싶어요. ( )
❸ 국민들을 위해 일하고 싶어요. ( )
❹ 아이들을 좋아하고 가르치기를 좋아해요. ( )
❺ 다른 사람들 앞에서 노래하고 춤추기를 좋아해요. ( )

2. 다음 [보기]에서 알맞은 말을 골라 빈칸에 쓰십시오. (**请从[보기]中选择合适的单词或词组填到括号中。**)

[보기] 마음이 넓다 배려하다 존경하다 화를 내다 흐뭇하다

❶ 아버지께서는 거짓말을 한 나에게 무섭게 (화를 내셨다)~~으셨다/셨다~~.
❷ 저는 케네디 같은 정치가가 되고 싶어요. 그분을 ( )어요/아요/여요.
❸ 그 사람은 너무 자기만 생각해요. 남을 ( )는/은/ㄴ 마음부터 배워야겠다.
❹ 선생님은 우리 반 학생들의 연극을 보시고 무척 ( )어하셨다/아하셨다/여하셨다.
❺ 우리 부장님께서는 ( )으셔서/셔서 직원들의 작은 실수를 이해해 주시고 용서해 주신다.

문법

-었을 텐데

3. '-었을 텐데'를 사용해 두 문장을 한 문장으로 바꾸십시오. (**请使用"-었을 텐데"把两个句子改写成一个句子。**)

❶ 힘들었을 것 같아요. / 푹 쉬세요.

→ 힘들었을 텐데 푹 쉬세요.

❷ 비행기가 도착했을 거예요. / 왜 연락이 없지?

→ ....

❸ 번거로우셨을 것 같다. / 도와주셔서 감사합니다.

→ ....

❹ 백화점에 사람이 많았을 거예요. / 힘들지 않았어요?

→ ....

❺ 날씨가 많이 추웠을 거예요. / 고생하지 않으셨어요?

→ ....

❻ 친구들은 다 돌아갔을 거예요. / 혼자서 할 수 있겠어요?

→ ....

4. 다음 대화를 완성하십시오. (**请完成下面的对话。**)

❶ 가 : 교실에 가서 학생들에게 빨리 알려 줘야겠어요.

나 : 지금은 학생들이 다 돌아갔을 ~~었을/았을/였을~~ 텐데 내일 알려 주세요.

❷ 가 : 샤오밍 씨가 이번에 장학금을 탔어요.

나 : 그래요? 일을 하면서 공부하기가 .... 었을/았을/였을 텐데 정말 대단해요.

❸ 가 : 내가 보낸 소포가 벌써 .... 었을/았을/였을 텐데 왜 아직까지 연락이 없지?

나 : 소포 받으면 연락한다고 했으니까 조금만 더 기다려 봐.

❹ 가 : 내일 승연이랑 같이 그 공연을 보러 갈까 해.

나 : 그래? 승연이는 그 공연을 .... 었을/았을/였을 텐데 한번 확인해 봐.

❺ 가 : 어제가 여자 친구 생일이었는데 깜빡 잊고 축하한다는 말도 못 했어요.

나 : .... 었을/았을/였을 텐데 빨리 연락해 보세요.

❻ 가 : 수업이 .... 었을/았을/였을 텐데 왜 아이들이 안 오지요?

나 : 걱정하지 마세요. 수업이 끝나고 친구들하고 놀다 오는 거겠지요.

5. '-거든'을 사용해 대화를 완성하십시오. (请使用"-거든"完成对话。)

❶ 가 : 수리가 다 됐나요?

나 : 네. 다 됐습니다. 혹시 또 문제가 생기거든 서비스 센터로 연락하십시오.

❷ 가 : 다음 연휴에 고향에 좀 다녀오려고 해.

나 : 그럼 부탁 하나만 해도 될까? ………………………………………… 거든 우리 부모님께 선물 좀 전해 줄래?

❸ 가 : 일찍 집에 가려고요? 선생님께서 찾으시면 뭐라고 하지요?

나 : ………………………………………… 거든 몸이 아파서 일찍 집에 갔다고 해 주세요.

❹ 가 : 어제 연극을 보셨다면서요? 다음에는 저도 데려가 주세요.

나 : 네, ………………………………………….

❺ 가 : 오늘 안드레이 씨를 만나신다면서요? ………………………………………… ………………………………………….

나 : 네, 전해 드리겠습니다.

❻ 가 : 어디 아프세요? ………………………………………….

나 : 아니에요. 좀 피곤할 뿐이에요.

-거든

6. 한 주부가 외출하면서 집에 있는 아이에게 부탁하는 내용입니다. 다음을 보고 대화를 완성하십시오. (**一位家庭主妇外出时嘱咐家里的孩子做下面这些事情。请看下图完成对话。**)

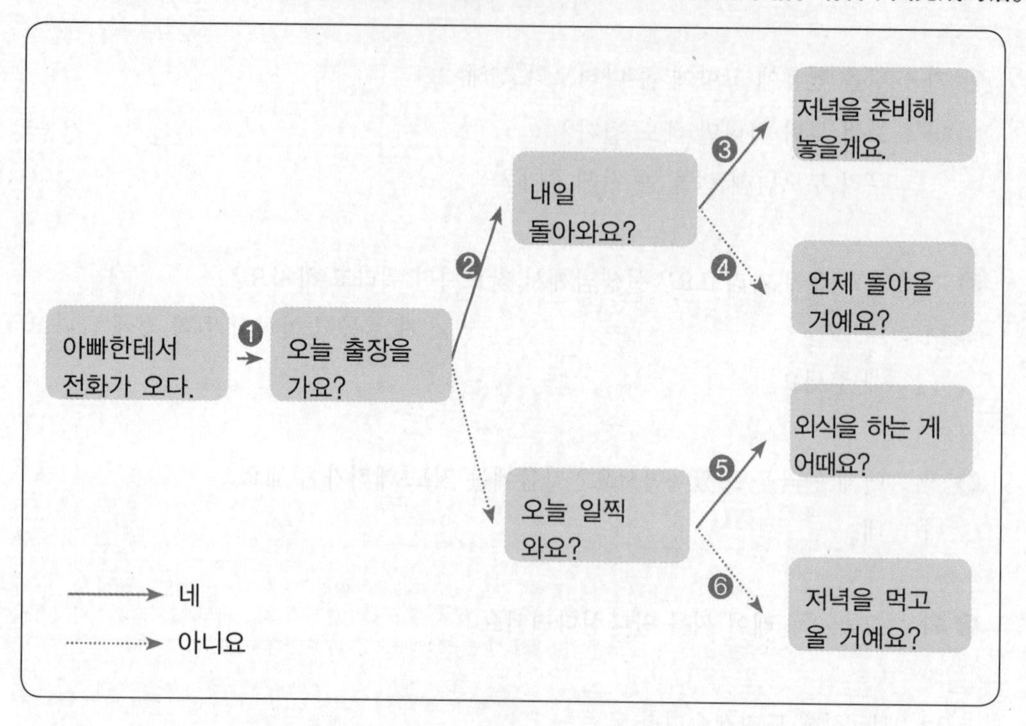

❶ 엄마가 외출한 사이에 아빠한테서 전화가 오거든 오늘 출장을 가시냐고 여쭤 봐.

❷ 출장을 .... 거든 내일 돌아오시냐고 여쭤 봐.

❸ 내일 .... 거든 맛있는 저녁을 준비해 놓겠다고 해.

❹ 내일 .... 거든 언제 돌아오실 거냐고 여쭤 봐.

출장을 안 가신다고 하시거든 오늘 일찍 오시냐고 여쭤 봐.

❺ 오늘 .... 거든 오늘 저녁은 외식을 하는 게 어떠냐고 여쭤 봐.

❻ 오늘 늦게 .... 거든 ....

5과 5항

어휘와 문법

1. 다음 글을 읽고 밑줄 친 곳과 바꿀 수 있는 말을 [보기]에서 찾아 쓰십시오. (**请阅读下面的文章，然后从[보기]中选择可以替换画线部分的单词或词组填到括号中。**)

[보기]	고집이 세다	기부하다	꼼꼼하다	능력이 뛰어나다	무뚝뚝하다
	성격이 급하다	성공하다	인기가 좋다	인정을 받다	정이 많다

우리 가족은 성격이 모두 다릅니다. 우리 아버지는 선생님이신데 ❶말씀이 적고 표현을 잘 하지 않는 편이어서 (　　　) 학생들에게 인기가 없는 것 같습니다. 그렇지만 ❷작은 일에도 신경을 많이 써서 실수가 없으십니다. (　　　) 우리 어머니는 ❸다른 사람에게 관심이 많고 잘 도와주는 편이어서 (　　　) ❹사람들이 좋아합니다. (　　　) 우리 언니는 피아노를 전공하고 있는데 ❺실력이 좋아서 (　　　) ❻여기저기서 상도 많이 받았습니다. (　　　) 저는 ❼뭐든지 빨리빨리 해야 하고 다른 사람을 기다리는 것을 잘 못합니다. (　　　) 또 ❽다른 사람의 생각을 듣기보다는 제 생각대로만 하는 편입니다. (　　　) 그래서 저는 회사에 취직하기보다는 사업을 해서 ❾돈도 많이 벌고 유명한 사람이 되고 싶습니다. (　　　) 그리고 그 돈을 ❿어려운 사람들을 위해 쓰고 싶습니다. (　　　)

2. 다음 [보기]에서 알맞은 말을 골라 빈칸에 쓰십시오. (**请从[보기]中选择合适的单词或词组填到括号中。**)

[보기]	자신	패션쇼	평	겨우	마치
	무척	인정을 받다	존경 받다	챙기다	흐뭇하다

제 친구는 유명한 디자이너입니다. 얼마 전 ❶(　　　　)에서 보여 준 옷들이 요즘 유행이랍니다. 친구가 디자인한 옷을 많은 사람들이 입고 다니는 걸 보면 ❷(　　　　)어집니다/아집니다/여집니다. ❸(　　　　) 제가 친구의 어머니가 된 것처럼 말입니다.

제 친구의 옷은 언제 입어도 예쁜 옷으로 알려져 있습니다. 이렇게 ❹(　　　　)는/은/ㄴ 디자이너가 되기까지 친구는 ❺(　　　　) 많은 노력을 했습니다. 하루에 ❻(　　　　) 세네 시간 정도 자고 밤낮으로 열심히 노력했습니다.

또, ❼(　　　　)이/가 힘들게 고생해서 그런지 후배들을 잘 ❽(　　　　)어/아/여 줍니다. 그래서 후배들한테도 ❾(　　　　)이/가 좋습니다. 친구의 이런 노력과 행동은 모든 사람들한테서 ❿(　　　　)을/ㄹ 만하다고 생각합니다.

3. 다음 대화를 완성하십시오. (**请完成下面的对话。**)

❶ 가 : 지금쯤 도착할 때가 됐는데……. 왜 안 오지?

나 : ....는/은/을 모양이에요. 조금만 더 기다려 봅시다.

❷ 가 : 바쁘실 텐데 도와주셔서 감사합니다.

나 : 뭘요. ....을/ㄹ 뿐인데요.

❸ 가 : 에릭 씨, 내일부터 ....는다면서요?/다면서요?/이라면서요? 뭐 할 거예요?

나 : 몸이 안 좋아서 집에서 쉬려고 해요.

❹ 가 : 시험이 ....는다면서요?/다면서요?/이라면서요?

나 : 아니요. 우리 반 학생들은 모두 시험을 잘 봤는데요.

❺ 가 : 제 여자 친구는 키가 좀 작아요.

나 : 지난번에 보니까 밍밍 씨하고 키가 비슷하던데요. 여자 키가 .... 만하면 작은 편은 아니지요.

❻ 가 : 그 배우는 얼굴이 정말 작지요?

나 : 네. 얼굴이 .... 만해요.

❼ 가 : 연세무역에 취직했어요.

나 : 그 회사에 ....기란 ....는다고/다고/이라고 들었는데 정말 축하합니다.

❽ 가 : 우리 전통 음식들이 암을 예방하는 데 효과가 있다고 뉴스에서 들었어요.

나 : 네, 우리 조상들은 정말 ....었던/았던/였던 것 같아요.

❾ 가 : 떡볶이가 많이 ....었을/았을/였을 텐데 ....었어요?/았어요?/였어요?

나 : 네, 좀 맵기는 했지만 먹을 만했어요.

❿ 가 : 눈이 와도 산에 가나요?

나 : 아니요. 눈이 ....거든 ....지 맙시다.

4. 다음 중 맞는 문장에 ○표 하십시오. (请在正确的句子后面标记○。)

❶ 기분이 좋은 걸 보니까 시험을 잘 본 모양입니다. (　　)
시험을 잘 본 걸 보니까 기분이 좋은 모양입니다. (　　)

❷ 그 사람과 저는 같은 반 친구뿐입니다. (　　)
그 사람과 저는 같은 반 친구일 뿐입니다. (　　)

❸ 그 회사는 일은 많은데 월급은 쥐꼬리만해요. (　　)
그 회사는 일은 많은데 월급은 쥐꼬리만 못해요. (　　)

❹ 뛰어가는 걸 보니까 약속 시간에 늦은 모양입니다. (　　)
뛰어가는 걸 보니까 약속 시간에 늦을 모양입니다. (　　)

❺ 그 사람을 벌써 만날 텐데 왜 아무 소식이 없지? (　　)
그 사람을 벌써 만났을 텐데 왜 아무 소식이 없지? (　　)

듣기 연습

MP3: 12~13

1. 대화를 듣고 질문에 대답하십시오. (**请听对话回答问题。**)

1) 이 남자가 본 여자 친구의 첫인상은 어땠습니까? 쓰십시오.

....

2) 이 남자의 여자 친구는 성격이 어떻습니까? 쓰십시오.

....

3) 들은 내용과 같으면 ○표, 다르면 ×표 하십시오.

❶ 남자는 여자 친구를 친구한테서 소개 받았다. ( )

❷ 여자는 남자의 여자 친구가 예쁘다고 다른 사람한테서 들었다. ( )

❸ 이 남자의 여자 친구는 배우이다. ( )

❹ 이 남자는 주말에 부모님께 자신의 여자 친구를 소개할 것이다. ( )

2. 이야기를 듣고 질문에 대답하십시오. (**请听下面的内容回答问题。**)

1) 들은 내용과 같으면 ○표, 다르면 ×표 하십시오.

❶ 데이비드와 친구가 된 것은 몇 달 전이었다. ( )

❷ 데이비드는 맞벌이 부부여서 경제적으로 넉넉한 것 같았다. ( )

❸ 데이비드는 대학에서 요리를 전공한 유명한 호텔의 요리사이다. ( )

❹ 데이비드는 자기가 만든 음식을 다른 사람이 행복한 마음으로 먹을 때 제일 기쁘다고 한다. ( )

❺ 데이비드는 지금 하는 일에 아주 만족해하는 것 같다. ( )

2) 이 사람은 어떤 사람이 가장 행복한 사람이라고 생각했습니까? 쓰십시오.

....

읽기 연습

1. 다음 글을 읽고 질문에 대답하십시오. (**请阅读下面的文章回答问题。**)

"요즘 얼마나 바쁘세요?" "빨리요, 빨리." 어느 순간 우리에게 가장 자연스러운 말이 되었다. 외국인들이 한국에서 가장 먼저 배우는 말 역시 "빨리빨리"라고 한다. 어제 만난 외국인 친구는 한국의 '빨리빨리' 문화에 강한 인상을 받았다고 했다. 자고 나면 금방 여의도 공원이 생기고 청계천이 복원되는 서울은 그 어떤 도시보다 '빨리빨리' 변하는 곳이다. 그러나 너무 빨리 변하는 환경에 추억이 사라지는 것 같아 아쉽기도 하지만 한국에서만 경험할 수 있는 빠르고 정확한 서비스 문화는 정말 놀랄 만하다고 한다. 한국에서는 가전제품이나 자동차 등이 고장 나서 서비스 센터에 연락을 하면 바로 달려와서 손을 봐 준다. 또, 조금이라도 늦어지면 사과를 한다. 이런 서비스 문화는 다른 나라에서는 보기 힘들다고 한다. 바로 이런 점이 한국을 발전할 수 있게 만든 힘이라고 생각한다고 했다.

1) 글의 내용과 같으면 ○표, 다르면 ×표 하십시오.

❶ 한국에서 '빨리빨리'라는 말을 자주 들을 수 있다. (   )
❷ 한국 사람들의 생활은 아주 바쁘게 돌아가는 것 같다. (   )
❸ 서울은 다른 도시보다 빠르게 변하는 것 같다. (   )
❹ 다른 나라에서는 가전제품의 서비스를 받기가 힘들다. (   )

2) 외국인 친구가 생각하는 '빨리빨리' 문화의 좋은 점과 나쁜 점을 쓰십시오.

좋은 점 : ....

나쁜 점 : ....

2. 다음을 읽고 질문에 대답하십시오. (请阅读下面的文章回答问题。)

연세 신문

최장신 씨, 강에 빠진 일가족 3명 구해

최 씨가 구한 사람은 올해 75세의 김부영 할머니와 딸 김순희(52) 씨, 손자 김동현(3) 군 등이다.

지난 5일 오전 11시께 김순희 씨는 얼마 전에 산 새 차에 어머니와 아들을 태우고 강가에 나왔다가 강 속으로 차가 빠지는 사고를 당했다.

자동차는 물 속으로 깊이 빠지기 시작했고, 마침 근처에서 낚시를 하던 최 씨가 이 광경을 보고 119에 신고를 했다. 그 후 최 씨는 근처에 있던 로프를 들고 강 속으로 뛰어 들어갔다. 자신도 물에 빠질 수 있는 위험한 상황이었지만 최 씨는 로프를 떠내려가는 차에 걸고, 주변 사람들의 도움을 받아 차를 끌어냈다.

이 사실은 김 씨의 남편 김동필 씨가 신문사로 전화해서 알려졌다. 그러나 ㉠ 최 씨는 인터뷰를 하고 싶지 않다고 했다. 김동필 씨는 "장모님과 아내, 아들을 구해 준 분이 너무 고마워 어떻게든 이러한 미담을 알리고 싶었다" 고 말했다.

1) 읽은 내용과 같은 것을 고르십시오. (　　　)

❶ 최 씨가 구한 사람은 3살짜리 아이 한 명이다.

❷ 김 할머니는 딸, 손자와 같이 차를 타고 강가에 갔다가 사고를 당했다.

❸ 김순희 씨의 남편은 최 씨를 도와 자신의 아내와 아들을 구했다.

❹ 이 일은 마을 사람들이 신문사에 전화해서 알려졌다.

2) 최 씨는 뭐라고 말하면서 ㉠'인터뷰를 하고 싶지 않다'고 했을까요? 가장 적당한 것을 고르십시오. (　　　)

❶ 저는 인터뷰를 할 줄 몰라요.

❷ 제가 해야 할 일을 했을 뿐인데요.

❸ 너무 힘들어서 말도 하기 힘들어요.

❹ 상금을 많이 받았으니까 인터뷰를 하지 않겠습니다.

말하기 · 쓰기 연습

1. 배운 문법을 사용해 친구에게 질문하고 대답하십시오. （**请使用学过的语法跟朋友一起做问答练习。**）

질문	친구 1	친구 2
❶ 어렸을 때 친구를 소개해 보십시오. 외모(얼굴/키)는 어땠습니까? 성격은 어땠습니까? (만하다, -었던 것 같다)		
❷ 어렸을 때 여러분의 성격은 어땠습니까? 지금 성격과 어떻게 달랐습니까? (-었던 것 같다)		
❸ 한국에 와서 다른 사람을 도와주거나 다른 사람한테 도움을 받은 일이 있었습니까? 그럴 때 뭐라고 말했습니까? (-을 뿐이다, -었을 텐데)		
❹ 여러분은 존경하는 사람이 있습니까? 그 사람을 존경하는 이유는 무엇입니까? (-기란)		

2. 다음 글을 읽고 여러분의 생각을 써 보십시오. 그리고 친구와 같이 이야기해 보십시오. （**请阅读下面的文章，写一下各位的想法。然后跟朋友一起说一下。**）

한국 사람들은 다른 사람들에게 관심이 많은 것 같습니다. 공적인 일이나 사적인 일 모두에서 그런 것 같습니다. 이런 점은 때에 따라 장점이 되기도 하고 단점이 되기도 합니다. 서로에게 무관심한 사회보다는 정이 있는 따뜻한 사회가 될 수 있다는 점에서는 장점이 되지만, 너무 지나친 관심으로 다른 사람을 피곤하거나 귀찮게 만들 수 있다는 점에서는 단점이 되기도 합니다. 남에게 관심이 많은 한국 사람에 대해 여러분은 어떻게 생각하십니까?

복습 문제 (1과 - 5과)

Ⅰ. 다음 [보기]에서 알맞은 말을 골라 빈칸에 쓰십시오. (请从[보기]中选择合适的单词填到括号中。)

[보기]	경험	관심	비결	실력	거의
	겨우	뭐니 뭐니 해도	구입하다	마음먹다	배려하다
	심각하다	인상적이다	존경하다	챙기다	충분하다

1. 태우 씨는 (   )이/가 뛰어난 사람이에요.
2. 요즘 환경 문제가 아주 (   )어요/아요/여요.
3. 인생에서 제일 중요한 것은 (   ) 건강이지요.
4. 새 차를 (   )으려면/려면 비용이 얼마나 들까요?
5. 열심히 공부했는데도 (   ) 70점밖에 못 받았어요.
6. 산꼭대기에 (   ) 다 왔으니까 조금만 힘을 냅시다.
7. 제가 가장 (   )는/은/ㄴ 사람은 우리 부모님이에요.
8. 아주 젊어 보이시는데 무슨 특별한 (   )이/가 있나요?
9. 지금까지 여행한 곳 중에서 제일 (   )은/ㄴ 곳이 어디예요?
10. 하숙집 아주머니는 엄마처럼 저를 잘 (   )어/아/여 주십니다.
11. 시간이 (   )으니까/니까 서두르지 말고 천천히 준비하십시오.
12. 저는 동양의 문화에 (   )이/가 있어서 한국으로 유학을 왔어요.
13. 새해에는 꼭 내 꿈을 이루기 위해서 노력하기로 (   )었다/았다/였다.
14. 이 일은 초보자보다는 (   )이/가 많은 사람한테 맡기는 것이 좋습니다.
15. 자기 자신만 아는 사람이 아니라 남을 (   )을/ㄹ 줄 아는 사람이 되어야 한다.

Ⅱ. 어울리지 않는 말을 고르십시오. (请选出搭配不对的一项。)

1. 인사 (   )
   ① 인사를 받다 ② 인사를 나누다 ③ 인사를 시키다 ④ 인사를 주다
2. 수리 (   )
   ① 수리를 하다 ② 수리를 들다 ③ 수리를 요청하다 ④ 수리를 맡기다
3. 능력 (   )
   ① 능력이 있다 ② 능력을 받다 ③ 능력이 뛰어나다 ④ 능력이 없다
4. 경험 (   )
   ① 경험을 키우다 ② 경험을 쌓다 ③ 경험을 살리다 ④ 경험을 하다
5. 소개 (   )
   ① 소개를 하다 ② 소개를 받다 ③ 소개를 시키다 ④ 소개를 나누다

Ⅲ. 빈칸에 들어갈 수 없는 말을 고르십시오. (请选出不能填到括号中的一项。)

1. 우리 아버지는 (   )은/ㄴ 편이에요.
   ❶ 꼼꼼하다   ❷ 냉정하다
   ❸ 정이 많다   ❹ 흥겹다

2. 그 사람은 (   )는/은/ㄴ 사람이다.
   ❶ 다양하다   ❷ 성공하다
   ❸ 유명하다   ❹ 인정을 받다

3. 저는 너무 (   )은/ㄴ 것이 문제예요.
   ❶ 게으르다   ❷ 고집이 세다
   ❸ 무뚝뚝하다   ❹ 흐뭇하다

4. 좋은 곳이 있으면 (   )어/아/여 주세요.
   ❶ 소개하다   ❷ 안내하다
   ❸ 챙기다   ❹ 추천하다

5. 큰돈이 생긴다면 저는 (   )을/ㄹ 거예요.
   ❶ 기부하다   ❷ 중요하다
   ❸ 저축하다   ❹ 투자하다

Ⅳ. 다음 밑줄친 부분을 알맞은 형태로 고치십시오. (请在下面横线上写出所给单词的正确形式。)

1. 벽에 달력이 .... 어/아/여 있어요. (걸다)
2. 차를 주차장에 .... 어/아/여 놓았어요. (서다)
3. 음악 소리가 .... 는 쪽으로 걸어갔어요. (듣다)
4. 의자가 너무 높은데 좀 .... 어/아/여 주세요. (낮다)
5. 경찰한테 운전 면허증을 .... 어/아/여 줍니다. (보다)
6. 내일 아침 6시에 저를 꼭 .... 어/아/여 주세요. (깨다)
7. 이번 사건의 범인이 .... 었나요/았나요/였나요? (잡다)
8. 아기가 엄마한테 .... 어서/아서/여서 자고 있어요. (안다)
9. 사장님이 누구한테 그 일을 .... 었어요/았어요/였어요? (맡다)
10. 의자 옆에 가방이 .... 어/아/여 있으니까 가지고 오세요. (놓다)

Ⅴ. 다음 문자 메시지를 보고 간접 화법으로 고치십시오. (请把下面的短信改写成间接引语。)

❶ 2급 때 같은 반 친구였던 율리아 씨가 오늘 한국에 와.
❷ 7시에 학교 앞 카페 '빈'에서 만나기로 했어.
❸ 너도 시간이 되면 와.
❹ 같이 저녁을 먹으면서 이야기하자.
❺ 혹시 못 오면 연락해 줘.

\- 올가 -

수지 : 올가 씨한테서 문자 메시지가 왔어요.
에릭 : 올가 씨가 뭐래요?
수지 : ❶ ....
❷ ....
❸ ....
❹ ....
❺ 그리고 ....
에릭 : 좋겠네요. 저도 율리아 씨가 보고 싶은데 같이 가도 될까요?

Ⅵ. 다음 문장을 완성하십시오. (请完成下面的句子。)

1. 날씨가 나쁜데도 ....
2. 20살 이상이 돼야 ....
3. 내가 대통령이 된다면 ....
4. 에릭 씨가 지금쯤 집에 도착했을 텐데 ....
5. 선생님이 오시거든 ....

Ⅶ. 다음 중 맞는 문장에 ○표 하십시오. (请在正确的句子后面标记○。)

1. 수지 씨가 감기에 걸리던데요. ( )
   수지 씨가 감기에 걸렸던데요. ( )

2. 지난번에 산 구두가 참 예쁘던데요. ( )
   지난번에 산 구두가 참 예뻤던데요. ( )

3. 점심을 먹은데도 벌써 배가 고파요. ( )
   점심을 먹었는데도 벌써 배가 고파요. ( )

4. 수업이 끝나자마자 식당으로 달려갔어요. ( )
   수업이 끝나는 대로 식당으로 달려갔어요. ( )

5. 옷은 옷걸이에 걸어 놓아라. ( )
   옷은 옷걸이에 걸려 놓아라. ( )

6. 10명 이상이 신청해야 그 수업을 들을 수 있어요. ( )
   10명 이상이 신청하고서 그 수업을 들을 수 있어요. ( )

7. 쓰기 실력이 말하기 실력만해요. ( )
   쓰기 실력이 말하기 실력만 못해요. ( )

8. 전화를 받고서 나갔어요. ( )
   전화를 받아서 나갔어요. ( )

9. 그곳은 날씨도 좋은 뿐만 아니라 볼 것도 많아서 항상 관광객이 많아요. ( )
   그곳은 날씨도 좋을 뿐만 아니라 볼 것도 많아서 항상 관광객이 많아요. ( )

10. 에릭 씨와 저는 그냥 오빠, 동생 하면서 지내는 사이뿐이에요. ( )
    에릭 씨와 저는 그냥 오빠, 동생 하면서 지내는 사이일 뿐이에요. ( )

Ⅷ. 다음 [보기]에서 알맞은 문형을 골라서 한 문장으로 만드십시오. (请从[보기]中选择合适的语法把两个短句改写成一个句子。)

[보기] -어야 -는다고 하던데 -고서
-을 뿐만 아니라 -기란

1. 카드를 넣습니다. / 비밀 번호를 누르세요.

.

2. 자식을 잘 키웁니다. / 쉬운 일이 아닙니다.

.

3. 얼굴이 잘 생겼습니다. / 연기도 잘 합니다.

.

4. 영수증이 있습니다. / 환불 받을 수 있어요.

.

5. 학교에서 아르바이트를 할 사람을 찾습니다. / 빨리 가 보십시오.

.

Ⅸ. 다음 [보기]에서 알맞은 문형을 골라서 대화를 완성하십시오. (请从[보기]中选择合适的语法完成对话。)

[보기] -네요 -고요 -기만 하다 -던데

아이가 갑자기 열이 나고 기침을 많이 했다. 밥도 잘 못 먹고 조금만 먹어도 토했다. 병원에 갔는데 의사 선생님이 진찰을 해 보고 심각하다고 말했다. 그리고 어린이 병원이 있는 연세병원으로 가 보라고 했다.

의사 : 어떻게 오셨습니까?
엄마 : 아이가 열이 많이 나요. ❶ .
의사 : 밥은 잘 먹나요?
엄마 : 아니요, 밥도 못 먹고 먹으면 ❷ .
의사 : 진찰을 해 보니까 ❸ .
큰 병원으로 가시는 게 좋겠습니다.
엄마 : 어느 병원으로 가야 하나요?
의사 : ❹ 거기로 가 보세요.

[보기] –자마자 –거든요 –고말고요
이라든가 –는다고 하던데

나는 방학 때 여행을 가고 싶어서 안드레이에게 같이 가지 않겠냐고 물었다. 안드레이도 좋다고 했다. 나는 부산이나 제주도에 가고 싶었는데, 안드레이가 경주에 볼 것이 많다고 해서 경주로 가기로 했다. 방학 때 가고 싶었지만 그때는 안드레이가 친구 결혼식 때문에 고향에 갔다가 와야 해서 시험이 끝나면 바로 출발하기로 했다.

히로시 : 방학 때 여행을 가려고 하는데 같이 가지 않을래?
안드레이 : ❺ ______________________.
그런데 어디로 갈 거야?
히로시 : 아직 정하지 못했어. ❻ ______________________?
안드레이 : 물론 그런 곳도 좋지만 나는 한국의 문화와 역사를 알고 싶어.
❼ ______________________.
히로시 : 그래. 그럼 이번에는 경주로 가자. 방학하는 날 가는 건 어때?
안드레이 : 미안하지만 나는 ❽ ______________________.
❾ ______________________.
히로시 : 그럼, 시험이 끝나는 대로 가자.

X. 다음 대화를 완성하십시오. (**请完成下面的对话。**)

1. 가 : 커피를 많이 마셔요?
   나 : 네, ……………………………… 으니까/니까 ……………………………… 는 편이에요.
2. 가 : 저는 지금 퇴근하려고 하는데 승연 씨는 안 가세요?
   나 : 저도 지금 ……………………………… 으려던/려던 참이었어요. 같이 나가요.
3. 가 : 유카 씨 전화번호를 아는 사람이 있어요?
   나 : ……………………………… 을/ㄹ 텐데 ……………………………… .
4. 가 : 샤오밍 씨는 어렸을 때부터 이렇게 키가 컸어요?
   나 : 아니요, ……………………………… 었었어요/았었어요/였었어요.
5. 가 : 회의가 곧 시작될 텐데 서류는 다 준비됐나요?
   나 : 네, ……………………………… 어/아/여 놓았습니다.
6. 가 : 유학을 가려면 뭐부터 준비해야 할까요?
   나 : ……………………………… 어야지요/아야지요/여야지요.
7. 가 : 아이에게 제일 필요한 것이 무엇이라고 생각해요?
   나 : ……………………………… 는다고/다고/이라고 봐요.
8. 가 : 이번에 새로 나온 제품이 어때요?
   나 : ……………………………… 만 못해요.
9. 가 : 주말에 뭘 하셨어요?
   나 : ……………………………… 는다고/ㄴ다고/다고 해서 ……………………………… .
10. 가 : 이번에 영화제에서 상을 받은 영화를 보고 싶은데 지금도 표가 있을까요?
    나 : ……………………………… 을걸요/ㄹ걸요.
11. 가 : 히로시 씨가 오늘은 웃지도 않고 말도 안 하네요.
    나 : ……………………………… 는/은/ㄴ 모양이에요.
12. 가 : 그 사람을 잘 아세요?
    나 : 아니요, ……………………………… 었을/았을/였을 뿐이에요.
13. 가 : ……………………………… 는다면서요?/ㄴ다면서요?/다면서요?
    나 : 네, 고향으로 돌아가서 취직할 거예요.
14. 가 : 그 회사는 일이 많다고 하던데 월급도 많은 편이에요?
    나 : 아니요, ……………………………… 만해요.
15. 가 : 요즘은 겨울에도 별로 춥지 않은 것 같아요. 옛날에는 어땠어요?
    나 : 그때는 ……………………………… 었던/았던/였던 것 같아.

십자말풀이 I

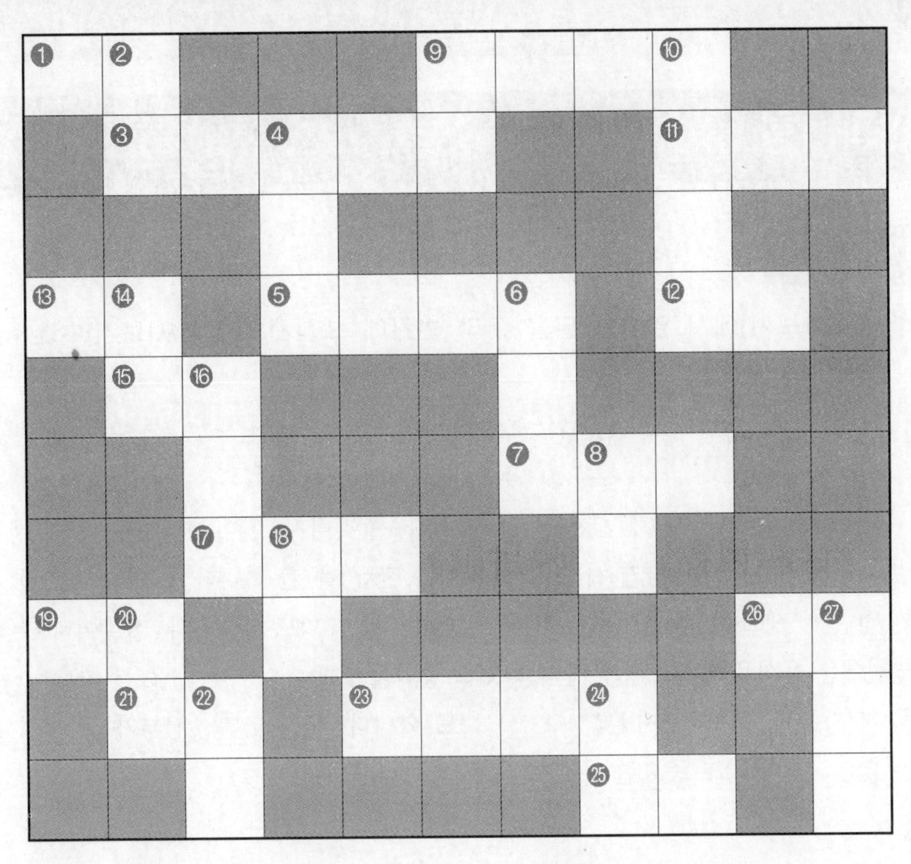

가로

❶ 예술 작품을 보거나 듣고 이해하는 것
음악 ○○
❸ 영화를 좋아하는 사람들의 모임
❺ 깨끗하고 시원하다
❼ 여자들이 머리를 하러 가는 곳, 미용실
❾ 물건들을 모으다
⓫ 집을 옮기려고 싸 놓은 물건
⓬ 소화가 안 될 때 입으로 나오는 소리
⓭ 어떤 것을 좋아해서 알고 싶어하는 것
⓯ 서로 맺은 관계 친구 ○○
⓱ 휴대 전화가 고장나면○○○센터에 가야 함.
⓳ 편지 봉투에 붙이는 것
㉑ 건물의 출입구
㉓ 어떤 문제나 정도가 매우 심하다
환경 오염이 ○○○○
㉕ 가입하다
㉖ 채소만 먹는 것

세로

❷ 극장에서 영화를 하는 것
❹ 움직이는 영상
❻ 다림질을 할 때 쓰는 것
❽ 오래 사는 것
❾ 물건이 고장나면 고치는 것
❿ 살을 빼려고 하는 것
⓮ 잘 하는지 못 하는지 평가하는 것
⓰ 자기가 다닌 학교와 경력을 글로 쓴 것
⓲ 자기만 아는 특별한 방법
⑳ 느낌이나 생각을 말이나 글로 나타내는 것
㉒ 공연이나 경기를 구경하는 것
㉔ 모두들
㉗ 밥을 먹는 양

제 6 과 모임 문화

6과 1항

어휘

1. 다음 [보기]에서 알맞은 말을 골라 빈칸에 쓰십시오. (**请从[보기]中选择合适的单词填到括号中。**)

[보기] 결혼식 돌잔치 집들이 차례 회갑 잔치

한국에는 여러 가지 가족 행사가 있습니다. 할아버지, 할머니의 예순 번째 생신에는 앞으로 오래오래 건강하게 사시라고 ❶(회갑 잔치)~~을~~/를 합니다. 그리고 아기가 건강하게 첫 번째 생일을 맞이한 것을 축하하는 ❷(　　　　)도 있습니다. 설날이나 추석 같은 명절에는 음식을 정성스럽게 차려 놓고 조상님들께 ❸(　　　　)을/를 지냅니다. 이사를 하면 손님을 초대해서 ❹(　　　　)도 합니다. 물론, 신랑, 신부가 새 가정을 이루는 ❺(　　　　)도 중요한 가족 행사 중의 하나입니다.

2. 다음 [보기]에서 알맞은 말을 골라 빈칸에 쓰십시오. (**请从[보기]中选择合适的单词填到括号中。**)

[보기] 빈대떡 큰어머니 안 그래도 우선 고생하다

❶ 가 : 저 동그랗고 납작한 음식은 이름이 뭐예요?
　 나 : (빈대떡) 이에요/~~예요~~. 한번 드셔 보세요.

❷ 가 : (　　　　)은/는 누구를 가리키는 말이에요?
　 나 : 아버지 형님의 부인을 부르는 말이에요.

❸ 가 : 우리 다음 주에 이 선생님 찾아뵈러 가는데 같이 갈래?
　 나 : 좋아, 나도 같이 가. (　　　　) 선생님을 뵈러 갈까 했었거든.

❹ 가 : 상 받으신 거 축하드립니다. 지금 누가 제일 생각나십니까?
　 나 : 지금까지 저 때문에 (　　　　)으신/신 어머님이 제일 생각납니다.

❺ 가 : 이삿짐센터에서 왔습니다. 뭐부터 할까요?
　 나 : (　　　　) 이 짐부터 싸 주시고요. 그 다음엔 저 가구들을 좀 옮겨 주세요.

문법

-어다가

3. 다음 그림을 보고 '-어다가'를 사용해 문장을 완성하십시오. (**请看下图，然后使用“-어다가”完成句子。**)

약국에서 약을 사다가 ~~어다가/아다가/여다가~~ 친구에게 줬어요.

②

.... 어다가/아다가/여다가 집에서 읽어요.

③

.... 어다가/아다가/여다가 내 방 꽃병에 꽂아 놓았어요.

④

.... 어다가/아다가/여다가 책상 위에 놓았어요.

⑤

슈퍼마켓에서 ....

⑥

....

4. '-어다가'를 사용해 대화를 완성하십시오. (**请使用"-어다가"完成对话。**)

❶ 가 : 내일 놀이 공원에 가는데 점심은 어떻게 할까요?
나 : 김밥이나 사다가 먹읍시다.

❷ 가 : 심심한데 뭘 할까?
나 : 만화책이나 ______________________.

❸ 가 : 지난번에 빌려 드린 책 내일 돌려주실 수 있어요?
나 : 그럼요. 내일 ______________________.

❹ 가 : 엄마, 지난번에 세탁소에 맡긴 옷 찾아오셨어요? 내일 꼭 입어야 하는데요.
나 : 알았어. 이따가 ______________________.

❺ 가 : 승연 씨, 죄송하지만 커피 좀 ______________________?
나 : 네. 안 그래도 저도 커피를 마시려던 참이었거든요.

❻ 가 : 이쪽 벽에 그림 좀 ______________________.
나 : 그거 좋겠는데요. 오늘 제가 사 올게요.

이라도

5. 다음 대화를 완성하십시오. (**请完成下面的对话。**)

❶ 가 : 비가 많이 오는데 우산이 없네요. 빨리 가야 하는데…….

나 : 그럼, 제 것이라도/~~라도~~ 쓰고 가세요. 저는 친구랑 같이 쓰고 갈게요.

❷ 가 : 에어컨이 고장 나서 너무 더워요.

나 : ______________ 이라도/라도 켜세요. 조금은 나아질 거예요.

❸ 가 : 일을 오늘까지 다 끝내야 하는데 도와줄 사람이 없네요.

나 : 다른 사람이 없으면 ______________ 이라도/라도 도와 드릴까요?

❹ 가 : 지금 내가 이 일을 시작하기에는 너무 늦지 않았을까?

나 : 늦지 않았어. ______________ 이라도/라도 시작해 봐. 잘 할 수 있을 거야.

❺ 가 : 급한 일이 생겨서 오늘 못 가겠는데요.

나 : 그러면 ______________ 이라도/라도 오세요. 오셔서 보고 결정하시는 게 나으니까요.

❻ 가 : 지금은 지하철이 끊겼을 텐데 오실 수 있겠어요?

나 : ______________ 이라도/라도 갈 테니까 걱정마세요.

6. 다음 그림을 보고 '이라도'를 사용해 문장을 완성하십시오. (**请看下图，然后使用"이라도"完成句子。**)

❶ 밥이 없으면 ......빵...... 이라도/~~라도~~ 주세요.

❷ 주스가 없으면 .... 이라도/라도 마십시다.

❸ 전화를 자주 할 수 없으면 .... 이라도/라도 자주 .... 으세요/세요.

❹ 제주도에 갈 수 없으면 ....

❺ 자동차가 고장 났으면 ....

❻ 애인하고 올 수 없으면 ....

6과 2항

어휘

1. 다음 [보기]에서 알맞은 말을 골라 빈칸에 쓰십시오. (**请从[보기]中选择合适的词组填到括号中。**)

[보기] 안부가 궁금하다 안부를 묻다 안부를 전하다 안부 문자를 보내다 안부 인사를 드리다 안부 전화를 하다

❶ 친구한테 잘 지내냐고 휴대전화로 (안부 문자를 보냈다)~~었다/았다/였다~~.

❷ 어제는 할머니 댁에 ( )으러/러 갔다. 할머니께서는 오랜만에 우리를 보고 아주 기뻐하셨다.

❸ 고향에 돌아간 친구가 2급 때 우리 반 친구들 모두 잘 지내냐고 ( )었다/았다/였다.

❹ 한국 여행을 하고 돌아가는 고향 친구에게 우리 부모님께 ( )어/아/여 달라고 부탁했다.

❺ 오늘 우연히 초등학교 동창생을 길에서 만났다. 이런저런 이야기를 하니까 그때 친구들의 ( )어졌다/아졌다/여졌다.

❻ 한국에 유학 온 뒤로 일주일에 한 번씩 고향에 계신 부모님께 ( )는다/ㄴ다. 전화로 부모님 목소리를 들으면 더 열심히 공부해야겠다는 생각이 든다.

2. 다음 [보기]에서 알맞은 말을 골라 빈칸에 쓰십시오. (**请从[보기]中选择合适的单词填到括号中。**)

[보기] 동창회 아까 야 준비 중이다 보이다

❶ 가 : 어제 (동창회)~~은~~/는 어땠어요?
나 : 아주 좋았어요. 오랜만에 초등학교 때 친구들을 만나니까 다시 그때로 돌아간 기분이 들었어요.

❷ 가 : ( ), 지금 어디야? 친구들이 다 기다리고 있는데.
나 : 그래? 거의 다 왔어. 빨리 갈게. 조금만 기다려.

❸ 가 : 승연 씨는 요즘 많이 바쁜가 봐요.
나 : 네, 다음 달에 유학을 가려고 ( )거든요.

❹ 가 : 이 집은 왜 이렇게 비싸요?
나 : 전망이 좋아서 그래요. 저기 한강이 ( )지요?

❺ 가 : 내 책 못 봤니? 여기에 있었던 것 같은데…….
나 : 아, 그 책이요? ( ) 승연 씨가 분실물 센터에 가지고 가던데요.

문법

-더라

3. 다음 그림을 보고 대화를 완성하십시오. (请看下图完成对话。)

❶

남자 : 샤오밍 씨가 어디 갔지?

여자 : 조금 전에 식당에서 밥 먹고 있더라.

❷

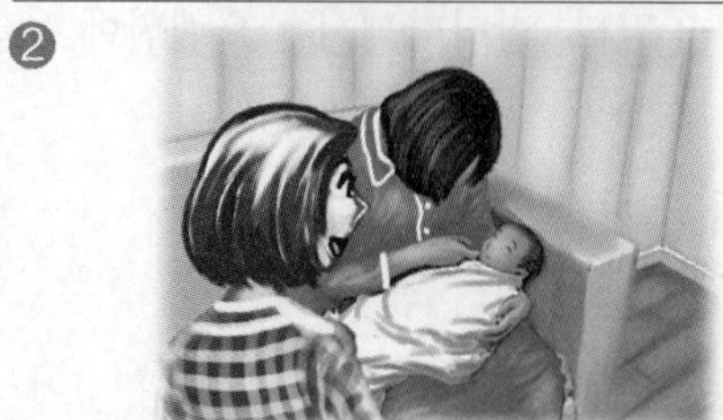

남자 : 박 선생님 아기 봤어?

여자 : 응, 정말 ______________ 더라.

❸

남자 : 올가 씨는 왜 안 오지?

여자 : 아까 몸이 아프다고 먼저 ______________ 더라.

❹

남자 : 에릭은 요즘 뭐 해?

여자 : 지난 주말에 우연히 봤는데 ______________ 더라.

남자 : 어제 파티에 그 남자 혼자 왔어?

여자 : 아니, 어떤 여자하고 같이 ______________ 더라.

여자 : 아까 보니까 태우 씨가 ______________ 더라.

남자 : 내가 거짓말을 했다는 것을 알게 됐거든.

4. 다음은 10년 전에 어학당을 다닌 마이클과 제니퍼가 하는 대화입니다. 그림을 보고 대화를 완성하십시오. (**下面是10年前就读于语学堂的迈克尔和詹妮弗之间的对话。请看图完成对话。**)

[10년 전]

[지금]

마이클 : 한국에 잘 다녀왔어? 어학당도 가 봤어?

제니퍼 : 응, 잘 다녀왔어. 어학당은 정말 많이 ❶ 변했더라.

마이클 : 어떻게 변했는데?

제니퍼 : 건물이 많이 ❷ .... 더라. 어학당 기숙사도 생기고.

마이클 : 학생들이 많아졌나 보구나.

제니퍼 : 응, 그런데 내가 갔을 때는 방학이어서 그런지 학생들이 ❸ .... 더라.

마이클 : 그래? 방학이었으면 선생님도 못 뵈었겠네.

제니퍼 : 아니야, 가기 전에 연락을 드려서 만나 뵐 수 있었어.
그런데 정말 ❹ .... 더라. 예전이나 지금이나 똑같으셨어.
그리고 네 안부를 ❺ .... 더라. 네 소식이 많이 궁금하셨었나 봐.

마이클 : 그래? 내가 먼저 연락 드려야겠다. 선생님은 결혼하셨겠지?

제니퍼 : 그럼, 아이도 있던데 아이가 ❻ .... 더라.
같이 사진도 찍었는데 다음에 보여 줄게.

마이클 : 그래, 정말 좋았겠다. 나도 다음 휴가 땐 한국에 가야지.

–다니요?

5. 다음 대화를 완성하십시오. (**请完成下面的对话。**)

❶ 가 : 오늘 학교에 안 가셨다면서요?

나 : 학교에 안 가다니요?/~~이라니요?~~ 지금 학교에서 오는 길인데요.

❷ 가 : 언제 졸업하세요?

나 : ____________ 다니요?/이라니요? 전 작년에 졸업했는데요.

❸ 가 : 미선 씨가 많이 아프대요.

나 : ____________ 다니요?/이라니요? 어제까지도 괜찮았는데요.

❹ 가 : 오늘 숙제가 많다면서요?

나 : ____________ 다니요?/이라니요? 시험이 끝나서 오늘은 숙제가 없는데요.

❺ 가 : 샤오밍 씨가 공부를 아주 열심히 하지요?

나 : ____________ 다니요?/이라니요? 어제도 학교에 안 왔는데요.

❻ 가 : 선생님이 화가 많이 나셨다면서요?

나 : ____________ 다니요?/이라니요? 오늘 기분이 아주 좋으시던데요.

6. 기자 '사토' 씨가 영화배우 '유미' 씨를 인터뷰하고 있습니다. 대화를 완성하십시오. (**记者佐藤正在采访电影演员尤美。请完成下面的对话。**)

사토 : 유미 씨, 오래간만입니다. 지난번 영화를 끝내고 지금까지 특별한 활동이 없으셨는데 푹 쉬셨나요?

유미 : ❶ 푹 쉬다니요? ~~다니요? /이라니요?~~ 너무 바빠서 눈 코 뜰 새가 없었어요.

사토 : 그동안 외국에 계셨다는 소문이 있던데요.

유미 : ❷ ____________ 다니요?/이라니요? 계속 한국에 있었는데요.

사토 : 아, 그래요? 그리고 너무 예뻐지셔서 성형 수술을 했다는 소문도 들었는데요.

유미 : ❸ ____________ 다니요?/이라니요? 너무 바빠서 살이 좀 빠졌을 뿐이에요.

사토 : 그럼, 남자 친구와 헤어졌다는 말은 사실인가요?

유미 : ❹ ____________ 다니요?/이라니요? 조금 전에도 같이 식사했는걸요.

사토 : 이번에 새로 찍는 영화의 남자 주인공과 사이가 나쁘다고 들었는데 연기하기 불편하지 않으시겠어요?

유미 : ❺ ____________ 다니요?/이라니요? 예전부터 친구 사이였는걸요.

사토 : 아, 그래요? 곧 가수로 데뷔한다고 들었는데요. 언제 앨범이 나옵니까?

유미 : ❻ ____________ 다니요?/이라니요? 저는 연기밖에 모르는 사람이에요.

사토 : 아, 그렇군요. 잘 알겠습니다. 오늘 바쁘실 텐데 이렇게 시간을 내 주셔서 감사합니다.

6과 3항

어휘

1. 다음 [보기]에서 알맞은 말을 골라 빈칸에 쓰십시오. (请从[보기]中选择合适的单词填到括号中。)

[보기]	뒤풀이	새내기	선배	신입생 환영회	회비	후배

올해 입학한 ❶(새내기)을/를 환영하는 ❷( )이/가 설악산에서 열립니다. ❸( )은/는 내지 않아도 되니까 걱정하지 마시고 모두 참석해 주십시오. 신입생들은 ❹( )과/와, 재학생들은 새로 맞은 ❺( )과/와 친해질 수 있는 기회이니 놓치지 마시기 바랍니다. 또, 서울에 돌아와서는 연세 호프에서 ❻( )도 할 예정이니까 시간이 있는 사람은 참석하시기 바랍니다.

2. 다음 [보기]에서 알맞은 말을 골라 빈칸에 쓰십시오. (请从[보기]中选择合适的单词填到括号中。)

[보기]	곡	신입생	오리엔테이션	끝나다	오랜만이다

❶ 가 : 내일은 12시부터 일해 줄 수 있어?
나 : 12시부터는 힘든데요. 수업이 1시에 (끝나)거든요.

❷ 가 : 어, 태우야, 이게 얼마만이야?
나 : 정말 ( )지? 그동안 뭐 하고 지냈어?

❸ 가 : 이번에 입학하신 학생들 중에서 학생회 사무실에서 아르바이트를 할 생각이 있는 분은 연락 주시기 바랍니다.
나 : ( )만 되는 건가요? 재학생은 안 돼요?

❹ 가 : 선생님, 한국 노래를 좀 배우고 싶은데요.
나 : 그럼, 금요일에 쉬운 노래로 한두 ( )쯤 가르쳐 드릴게요.

❺ 가 : 오늘 오후에 새로 온 학생들을 위한 ( )이/가 있습니다. 수업과 선택반 소개, 기숙사 안내, 상담실 이용에 대한 이야기를 할 예정이니까 꼭 참석하십시오.
나 : 네, 알겠습니다.

문법

-고 나서

3. 다음 그림을 보고 문장을 완성하십시오. (**请看下图完成句子。**)

①

저는 밥을 먹고 나서 이를 닦아요.

②

저는 ______________________ 고 나서 아르바이트를 하러 가요.

③

저는 ______________________ 고 나서 바로 설거지를 해요.

④

______________________ 고 나서 친구 집에 가요.

⑤

______________________ 고 나서 샤워를 하면 기분이 상쾌해져요.

⑥

다음 날 배울 것을 미리 ______________ ______________ 고 나서 수업을 들으면 훨씬 이해하기가 쉬워요.

4. 다음 대화를 완성하십시오. (请完成下面的对话。)

❶ 가 : 시작해도 돼요?
나 : 네, 먼저 이름부터 쓰고 나서 문제를 푸세요.

❷ 가 : '독서 감상문'이 뭐예요?
나 : ______________ 고 나서 자기의 생각이나 느낌을 쓴 글이에요.

❸ 가 : '이사 떡'이 뭐지요?
나 : ______________ 고 나서 이웃들에게 인사를 하는 뜻으로 돌리는 떡을 말하는 거예요.

❹ 가 : '식후 30분'은 무슨 뜻인가요?
나 : '______________ 고 나서 30분 후에'라는 뜻이에요.

❺ 가 : 이 컵라면은 어떻게 해 먹어요?
나 : 아주 쉬워요. 먼저 ______________ 고 나서 그 끓인 물을 컵에 붓기만 하면 돼요.

❻ 가 : 그 사람 ______________ 고 나서 많이 변했어. 승진하기 전에는 정말 천사 같았는데…….
나 : 이제 우리한테는 인사도 안 하던데요.

-지

5. 다음 대화를 완성하십시오. (请完成下面的对话。)

❶ 가 : 너무 화가 나서 친구한테 화를 내고 말았어.
나 : 좀 참지.

❷ 가 : 집에서 늦게 나와서 기차를 놓쳤어.
나 : ______________ 지. 조금만 서둘렀으면 기차를 놓치지 않았을 텐데…….

❸ 가 : 닭튀김 다 먹었어? ______________ 지. 내가 닭고기를 얼마나 좋아하는데…….
나 : 네가 닭고기를 안 먹는 줄 알고 내가 다 먹었어. 미안해.

❹ 가 : 한국에서는 아기 돌에 금반지를 선물해요.
나 : ______________ 지. 미리 알았으면 금반지를 샀을 텐데.

❺ 가 : 어제 친구들이랑 같이 동대문 시장에 갔다 왔어.
나 : ______________ 지. 다음에는 나도 꼭 데려가 줘, 알았지?

❻ 가 : 많이 짜? 마지막에 소금을 좀 넣었거든.
나 : ______________ 지 말지. 너무 짜서 어른들이 싫어하시겠어.

6. 다음 글을 읽고 이 사람의 친구가 되어서 다음과 같이 이야기하십시오. (请阅读下面的文章，然后扮演这个人的朋友仿照例子说一下。)

어제 아침은 정말 추웠다. 이제 정말 겨울인가 보다. 아침에 옷을 얇게 입고 나와서 그런지 하루 종일 춥고 머리가 아팠다. 머리가 많이 아파서 약을 먹었는데 아침부터 아무 것도 먹지 않아서 그런지 시간이 지나니까 속이 더 아팠다. 머리도 아프고 속도 아파서 학교에서 일찍 나왔다. 병원에 갈까 하다가 좀 쉬면 나을 것 같아서 집으로 왔다.

낮잠을 좀 자고 일어나니까 아픈 것이 좀 괜찮아진 것 같았다. 그래서 시험공부를 하면서 커피를 마셨는데 밤에 잠이 안 왔다. 그래서 잠이 올 때까지 텔레비전을 봤다. 아침에 눈을 뜨니까 벌써 9시였다. 어제 낮잠을 자면서 자명종을 꺼서 아침에 시계가 울리지 않은 모양이다. 그래서 오늘 쓰기 시험에 늦었다. 가는 도중에 선생님께 전화가 왔다. 많이 걱정하신 모양이다.

❶ 추운데 옷 좀 잘 입고 나오지.
❷ 밥을 먹고 약을 .... 지.
❸ 많이 아프면 병원에 .... 지.
❹ 커피를 .... 지.
❺ 자명종을 .... 지.
❻ 선생님이 많이 걱정하셨는데 집에서 나가면서 선생님께 .... 지.

6과 4항

어휘

1. 다음 [보기]에서 알맞은 말을 골라 빈칸에 쓰십시오. (请从[보기]中选择合适的单词填到括号中。)

[보기] 동호회 야유회 연수 회식 회의

안내 게시판

신입 사원 ❶( )

신입 사원들을 위한 업무 설명 및 회사 안내가 있습니다. 신입 사원은 한 분도 빠짐없이 참석하시기 바랍니다.

일시 : 7월 20일
장소 : 대강당

사원 가족과 함께 하는 즐거운 ❷( )

이번 주말, 양평에서 합니다. 맛있는 바비큐와 아이들과 함께 할 수 있는 재미있는 게임들이 많이 준비되어 있습니다. 많은 참석 바랍니다.

회원 모집

저희는 사내 축구 ❸( ) 입니다. 한 달에 한 번 모여서 사내 운동장에서 운동을 합니다. 연예인 축구팀과 경기도 있으니 신입 사원 여러분들의 많은 가입 부탁드립니다.

이번 금요일에 우리 부서 ❹( )이/가 회사 앞 신촌 식당에서 있습니다. 다른 부서로 옮기시는 김 과장님과의 마지막 자리이니 꼭 참석하시기 바랍니다.

월요일 오후 2시에 3층 회의실에서 신제품 디자인에 대한 ❺( )이/가 있습니다. 디자인팀은 한 명도 빠짐없이 모두 참석하십시오.

❶ 연수 ❷ ______ ❸ ______

❹ ______ ❺ ______

2. 다음 [보기]에서 알맞은 말을 골라 빈칸에 쓰십시오. (**请从[보기]中选择合适的单词或词组填到括号中。**)

[보기] 2차	슬슬	잔뜩	기대하다	목이 쉬다	참석하다

❶ 어제는 친구 생일이었다. 같이 저녁을 먹고 (2차)~~으로~~/로 노래방에도 갔다.

❷ 월급이 오르기를 사원들은 ( )고 있다.

❸ 약속 시간이 되어 가는데 ( ) 출발할까요?

❹ ( )을/ㄹ 때까지 열심히 응원을 했지만 우리 팀이 졌다.

❺ 나도 같이 가고 싶은데 일이 ( ) 밀려서 오늘은 못 가겠다.

❻ 그 친구의 결혼식에 ( )으려고/려고 외국에서 온 손님도 있었다.

문법

-는다니까

3. 다음 대화를 완성하십시오. (**请完成下面的对话。**)

❶ 밍밍 : 유카 씨 생일 선물로 뭐가 좋을까? (유카 씨가 꽃을 아주 좋아한대요.)
올가 : 유카 씨가 꽃을 좋아한다니까 ~~는다니까/다니까/이라니까~~ 장미꽃을 사 갑시다.

❷ 수지 : 승연 씨가 금방 나올 수 있대요? (지금 회의 중이래요.)
태우 : 아니요, ... 는다니까/다니까/이라니까 한참 기다려야 할 것 같아요.

❸ 안드레이 : 돌 선물은 뭘 살까요? (아기 옷은 많대요.)
승연 : .... 는다니까/다니까/이라니까 금반지를 삽시다.

❹ 태우 : 이번 토요일에 뭘 할 거예요? (다음 월요일에 시험을 본대요.)
승연 : .... 는다니까/다니까/이라니까 공부해야지요.

❺ 올가 : 내일 스키장에 갈 거지? (에릭 씨가 감기에 걸렸대요.)
밍밍 : .... 는다니까/다니까/이라니까 다음에 같이 가는 게 어떨까?

❻ 샤오밍 : 미안한데 돈 좀 빌려 줄 수 있어? (태우 씨가 어제 월급을 받았대요.)
유카 : 미안해. 나도 지금은 돈이 없어. .... 는다니까/다니까/이라니까 태우 씨한테 말해 봐.

4. 다음 그림을 보고 대화를 완성하십시오. (请看下图完成对话。)

❶ 리에 : 영화배우를 한번 만나 보는 게 제 소원이에요.
웨이 : 그래요? 수지 씨 친구가 유명한 영화배우라니까 ~~는다니까/다니까/이라니까~~ 소개해 달라고 해 보세요.

❷ 리에 : 고향에서 어머니가 오셨는데 같이 어디로 여행 가는 게 좋을까요?
웨이 : ______________ 는다니까/다니까/이라니까 설악산에 다녀오세요.

❸ 리에 : 연극에 쓸 도자기가 필요한데 어디 빌릴 곳이 없을까요?
웨이 : ______________ 는다니까/다니까/이라니까 한번 부탁해 보세요.

❹ 리에 : 영어를 가르쳐 줄 선생님을 찾고 있어요.
웨이 : ______________ 는다니까/다니까/이라니까 부탁해 보는 게 어떨까요?

❺ 리에 : 남산에 가는 방법 좀 알려 주세요.
웨이 : 어제 ______________ 는다니까/다니까/이라니까 태우 씨한테 물어보세요.

❻ 리에 : 연극 표가 두 장 생겼는데 누구 저하고 같이 안 갈래요?
웨이 : 저는 일이 많아서 못 갈 것 같아요. ______________ 는다니까/다니까/이라니까 같이 가자고 해 보세요.

-지요

5. 다음 상황에 맞게 권유해 보십시오. (**请根据下面这些情况劝说对方。**)

❶ ▶ **우리 집 근처에 가시는 교수님께 자신의 차로 같이 가자고 말씀드릴 때**

비도 오는데 제 차로 같이 가시지요.

❷ ▶ **약속이 있어서 시내에 가시는 어머니께 지하철로 가는 게 낫다고 말씀드릴 때**

이 시간에는 교통이 복잡할 텐데 .... 지요.

❸ ▶ **날씨가 흐려서 곧 비가 올 것 같을 때 우산을 챙기시라고 아버지께 말씀드릴 때**

비가 올 것 같던데 .... 지요.

❹ ▶ **식당에 같이 온 선배에게 쌀국수를 권할 때**

지난번에 먹어 보니까 이 집 쌀국수가 맛있던데 .... 지요.

❺ ▶ **전자 사전을 싸게 살 수 있는 곳을 물어보는 선배에게**

.... 지요.

❻ ▶ **살 빼는 방법을 묻는 이웃집 언니에게**

.... 지요.

6. 다음 대화를 완성하십시오. (**请完成下面的对话。**)

❶ 손님 : 이거 부산으로 보내는 소포인데 금요일까지는 도착하겠지요?
직원 : 금요일이요? 그렇게 빨리 도착해야 하면 빠른 우편으로 보내시지요.

❷ 손님 : 아저씨, 연세 스포츠 9월호 나왔지요? 어디에 있어요?
점원 : 내일 나오는데……. 내일 다시 ______________________지요.

❸ 사원 : 오늘 점심은 시켜 먹을까요? 나가서 먹을까요?
동료 : 시간도 많은데 ______________________지요.

❹ 승연 : 약속 시간까지 한 시간 정도 남았는데 뭘 하지?
유카 : 그럼, ______________________지요. 저기 커피숍이 있네요.

❺ 수지 : 오늘 저녁은 ______________________지요.
밍밍 : 그럼, 수지 씨가 요리를 하는 대신에 제가 설거지를 할게요.

❻ 샤오밍 : 히로시 씨, 공책 좀 빌려 주실 수 있어요?
히로시 : 네, ______________________지요.

6과 5항

어휘와 문법

1. 다음 [보기]에서 알맞은 말을 골라 빈칸에 쓰십시오. (**请从[보기]中选择合适的单词填到横线上。**)

[보기] 돌잔치　동창회　신입생 오리엔테이션　신입생 환영회
연수　직원 단합 대회　차례　회갑 잔치　회식

가족 모임	학교 모임	회사 모임
....	....	....
....	....	....
....	....	....

2. 다음 [보기]에서 알맞은 말을 골라 빈칸에 쓰십시오. (**请从[보기]中选择合适的单词填到括号中。**)

[보기] 곡　잔치　슬슬　아까　안 그래도
잔뜩　고생하다　기대하다　준비 중이다　참석하다

❶ 가 : 이제 (　　　　　) 일어날까요?
나 : 어머, 벌써 10시네요. 이야기가 너무 재미있어서 시간 가는 줄 몰랐어요.

❷ 가 : 별로 유명하지 않은 노래인데 이 노래를 어떻게 알아요?
나 : 이 (　　　　　)은/는 제가 고등학교 때 제일 좋아했던 노래예요.

❸ 가 : 연극 대회 1등 상품이 뭐예요?
나 : 아주 좋은 걸 준비했으니까 (　　　　　)어도/아도/여도 좋아요.

❹ 가 : (　　　　　) 전화를 했었는데 통화 중이던데요.
나 : 고향 집에서 전화가 와서 통화가 좀 길어졌어요.

❺ 가 : 점심 먹으러 안 갈래?
나 : (　　　　　) 식당에 가려던 참이었어. 뭐 먹을까?

❻ 가 : 결혼식에 (   )지 못해서 죄송합니다.
   나 : 아니에요. 축의금은 잘 받았습니다. 감사합니다.

❼ 가 : 책상 좀 치워라. (   ) 어질러 놓고 공부가 되니?
   나 : 지금 바쁘니까 이따가 치울게요.

❽ 가 : 어디 다녀오세요?
   나 : 이모가 (   )을/를 한다고 해서 좀 도와 드리고 오는 길이에요.

❾ 가 : 어머니께 먼저 인사부터 드릴게. 그런데 어디 계시니?
   나 : 지금 외출 (   )어/아/여. 좀 있다가 인사 드려.

❿ 가 : 오늘 술값은 내가 낼게. 첫 월급을 받았거든.
   나 : 우리는 좋지만 (   )어서/아서/여서 번 돈을 그렇게 써도 돼?

3. 다음 대화를 완성하십시오. (请完成下面的对话。)

❶ 가 : 과일은 냉장고에 있으니까 ______________ 어다가/아다가/여다가 먹어.
   나 : 네, 걱정 마시고 잘 다녀오세요.

❷ 가 : 따뜻한 물이 없는데 어떻게 하지요?
   나 : ______________ 이라도/라도 주세요.

❸ 가 : 어제 밍밍 씨 남자 친구를 봤는데 ______________ 더라.
   나 : 그렇게 잘 생겼어?

❹ 가 : 올가 씨가 장학금을 받았대요.
   나 : ______________ 다니요?/이라니요? 저는 수지 씨가 받았다고 들었는데요.

❺ 가 : 마지막에 그 두 사람이 만났어요? 그때 전화가 와서 그 장면을 못 봤거든요.
   나 : 아니요, 남자 주인공이 ______________ 고 나서 여자 주인공이 약속 장소에 와요. 그래서 또 못 만났어요.

⑥ 가 : 어제 너희 집 근처에서 약속이 있었어.
나 : 근처에 왔으면 ____________________지.

⑦ 가 : 내일부터 ____________________는다니까/다니까/이라니까 따뜻하게 입고 나오세요.
나 : 네, 그렇게 할게요.

⑧ 가 : 태우 씨가 이번 주까지는 ____________________는다니까/다니까/이라니까 다음 주에 만납시다.
나 : 그래요? 저는 다음 주에 고향에 돌아가는데요.

⑨ 가 : 조금 전부터 두통이 너무 심해요.
나 : 그럼 ____________________지요.

⑩ 가 : 오늘은 제가 ____________________지요.
나 : 아니에요. 지난번에도 사 주셨잖아요. 오늘은 제가 낼게요.

4. 다음 대화를 완성하십시오. (**请完成下面的对话。**)

[보기] -다가	-어다가	에다가	-어 가지고

❶ 먼저 시험지 ____________________ 이름을 쓰세요.
❷ 그림을 ____________________ 벽에 붙였어요. (그리다)
❸ 커피 ____________________ 설탕 좀 넣어 주세요.
❹ 케이크를 ____________________ 친구 집에 갔어요. (사다)
❺ 돈을 ____________________ 등록금을 냈어요. (찾다)
❻ 남은 음식을 ____________________ 왔는데 드실래요? (싸다)
❼ 빵집에서 샌드위치를 ____________________ 먹었어요. (사다)
❽ 기숙사에 ____________________ 하숙집으로 이사했어요. (살다)
❾ 중국어를 ____________________ 어려워서 그만두었어요. (배우다)
❿ 도서관에서 책을 ____________________ 집에서 읽었어요. (빌리다)

듣기 연습

MP3: 14 ~15

1. 이야기를 듣고 질문에 대답하십시오. (**请听下面的内容回答问题。**)

1) 이 편지는 누가, 누구에게 썼습니까? 쓰십시오.

2) 이 편지를 쓴 목적은 무엇입니까? (　　)

❶ 감사　　❷ 사과　　❸ 안부　　❹ 축하

3) 들은 내용과 같은 것을 고르십시오. (　　)

❶ 이 사람은 한국말 때문에 한국에서 생활하기가 어렵다.
❷ 얼마 전에는 이 사람의 생일이었다.
❸ 이 사람의 할아버지는 건강하시다.
❹ 이 사람은 서울에서 부모님과 함께 산다.

2. 대화를 듣고 질문에 대답하십시오. (**请听对话回答问题。**)

1) 들은 내용과 같으면 ○표, 다르면 ×표 하십시오.

❶ 여자는 전에도 한국 사람 결혼식에 참석한 적이 있다. (　　)
❷ 한국 결혼식에 가면 선물도 하고 돈도 내야 한다. (　　)
❸ 이 남자와 여자는 결혼 선물을 준비했다. (　　)
❹ 한국에서 5월에는 다른 달보다 결혼식이 많은 편이다. (　　)
❺ 두 사람은 요즘 결혼식에 자주 가야 해서 부담스러워한다. (　　)

2) 축의금은 무엇입니까? 쓰십시오.

읽기 연습

1. 다음 글을 읽고 질문에 대답하십시오. (**请阅读下面的文章回答问题。**)

한국에서는 만으로 예순 살이 되면 회갑 잔치를 한다. 특별히 예순 살 생일에 큰 잔치를 하는 의미는 무엇일까?

물론 예전에는 예순 살까지 사는 사람들이 그리 많지 않았으니까 예순 살까지 건강하게 사신 것을 축하하는 의미도 있을 것이다. 그러나 단순히 건강하게 오래 살았다는 의미에서만 예순 살 생일을 축하하는 것은 아니다.

한국에서는 태어날 때 그 해의 동물을 띠로 갖게 된다. 그 동물로는 쥐, 소, 호랑이, 토끼, 용, 뱀, 말, 양, 원숭이, 닭, 개, 돼지가 있다. 동물이 모두 12마리이므로 12년마다 자기 띠가 돌아온다. 이렇게 12년씩 5번이 돌아서 만 60세가 되면 사람이 다시 태어나는 것과 같다고 생각했다. 그래서 '인생은 60부터'라는 말도 생겼다고 한다.

그러나 요즘은 예순 살 생일에 회갑 잔치를 하지 않고 여행을 가거나 가족끼리 모여 식사를 하는 것으로 대신하기도 한다.

1) 글의 내용과 같으면 ○표, 다르면 ×표 하십시오.

❶ 회갑 잔치는 만 60세 생일에 한다. ( )
❷ 요즘에도 예순 살까지 사는 사람들은 많지 않다. ( )
❸ 띠는 12개의 동물 중에서 그 사람이 좋아하는 것으로 정한다. ( )
❹ 한국에서는 모든 사람들이 회갑 잔치를 한다. ( )

2) 한국 사람들은 왜 만 60세의 생일을 중요하게 생각합니까? 쓰십시오.

....

2. 다음을 읽고 질문에 답하십시오. (请阅读下面的内容回答问题。)

연세 신문

연세무역, 아름다운 송년회

직원 부부 50명, 희망의 집 방문
목욕 봉사, 청소 등 새해맞이 봉사 활동 실시

연세무역에서 일하는 직원 부부들이 뜻 깊은 연말을 보내기 위해 장애인들이 살고 있는 '희망의 집'에서 봉사 활동을 했다.

28일 송년회를 하는 대신 희망의 집을 방문한 이들은 장애인들을 목욕시키고 청소, 화단 정리 정돈을 하며 특별한 송년 행사를 가졌다. 또한 봉사자들은 준비해 간 음식과 과일 등을 전하고 희망의 집 식구들의 건강을 기원했다.

연세무역 김철수 사장은 "한 해의 마지막을 봉사 활동으로 마무리할 수 있어 기쁘다"고 했다. 연세무역 직원들은 한 달에 한 번씩 정기적으로 봉사 활동을 하고 있다.

1) 이 글은 무슨 글입니까? (　　　)

❶ 일기　　❷ 소설　　❸ 광고　　❹ 신문 기사

2) 직원들이 '희망의 집'에서 한 일이 <u>아닌</u> 것을 고르십시오. (　　　)

❶ 요리하기
❷ 청소하기
❸ 화단 정리하기
❹ 장애인 목욕 시키기

3) 글의 내용과 같으면 ○표, 다르면 ×표 하십시오.

❶ 연세무역은 송년회를 하는 대신에 봉사 활동을 했다. (　　　)
❷ '희망의 집'은 가족이 없는 노인들이 사는 곳이다. (　　　)
❸ 연세무역은 '희망의 집'에 큰 돈을 기부했다. (　　　)
❹ 연세무역은 앞으로도 봉사 활동을 계속 할 것이다. (　　　)

말하기 · 쓰기 연습

1. 배운 문법을 사용해 친구에게 질문하고 대답하십시오. (**请使用学过的语法跟朋友一起做问答练习。**)

질문	친구 1	친구 2
❶ 여러분은 한국의 가족 행사에 참여해 본 적이 있습니까? 어떤 모임이었습니까? 무엇을 가지고 갔습니까? (–어다가)		
❷ 다른 반 친구의 안부를 묻고 대답하십시오. (–더라, –다니요?)		
❸ 여러분은 모임에 친구를 초대해 본 적이 있습니까? 어떤 모임이었습니까? 여러분의 생일 파티 계획을 친구와 함께 세워 보십시오. (–고 나서, –지요)		
❹ 여러분은 회식을 한 적이 있습니까? 언제, 누구와 무슨 일로 회식을 했습니까? 회식에서는 무엇을 했습니까? (–고 나서)		

2. 다음 글을 읽고 여러분이라면 어떻게 할지 써 보십시오. 그리고 친구와 같이 이야기해 보십시오. (**请阅读下面的文章，写一下各位遇到这种情况会怎么做。然后跟朋友一起说一下。**)

오늘은 아버지 회갑입니다. 요즘은 잔치는 안 한다고 해서 가족끼리만 저녁을 먹기로 했습니다. 퇴근 시간이 다 되어 가서 급한 일만 해 놓고 자리에서 일어서려고 하는데, 부장님이 오늘 저녁에 새로 오신 사장님과 회식이 있으니까 한 사람도 빠지지 말라고 하십니다. 새로 오신 사장님께 처음부터 나쁜 인상을 주기는 싫습니다. 하지만 기다리고 있을 가족들을 생각하니까 어떻게 해야 할지 망설여집니다. 어느 모임에 참석하는 게 좋을까요?

쉼터 3 - 삼행시

삼행시를 지어 봅시다. (作一下三行诗吧。)

자 : 자동차를 사랑하는 여러분
동 : 동호회 모임에 오신 걸 환영합니다.
차 : 차를 대접해 드리겠습니다.

자 : 자동차를 새로 샀는데 기분이 너무 좋아 추운 날씨인데도 발을
동 : 동동 구르며
차 : 차를 열심히 닦고 있다.

사 : 사랑해.
이 : 이렇게 널 사랑해.
다 : 다 진실이야. 믿어 줘.

[친구 이름]
김 : 김밥 싸는 법을 배우고 싶어요.
채 : 채소만 넣어도 맛있다고 하던데.
환 : 환한 웃음으로 우리 엄마가 가르쳐 주신대요.

여러분도 자기 이름이나 친구 이름으로 삼행시를 지어 보세요. (各位也以自己或朋友的名字为开头作一下三行诗吧。)

◯ : ....
◯ : ....
◯ : ....
◯ : ....

다른 단어로 '삼행시'를 지어 보세요. 그리고 친구와 같이 이야기해 보세요. (请用其他单词为开头作一下三行诗，然后跟朋友一起说一下。)

[보기] 한국말 불고기 고구마 강아지 고양이 무지개 전화기 기숙사

★ '삼행시'란 단어의 첫 글자로 만든 짧은 글입니다.

제 7과 실수와 사과

7과 1항

어휘

1. 다음 [보기]에서 알맞은 말을 골라 빈칸에 쓰십시오. (**请从[보기]中选择合适的单词填到横线上。**)

[보기]	실수하다	오해하다	잊어버리다	잘못하다	조심하다	착각하다

❶ 가 : 이건 오늘 회의 자료가 아니라 지난번 회의 자료인데요.
　 나 : 죄송해요. 제가 실수했네요 ~~었네요/았네요/였네요~~. 다시 갖다가 드릴게요.

❷ 가 : 날씨가 추워서 감기에 걸릴 것 같아요.
　 나 : 요즘 감기가 유행이래요. 감기에 걸리지 않게 ________________으세요/세요.

❸ 가 : 다음에도 또 이런 거짓말을 할 거야?
　 나 : ________________었어요/았어요/였어요. 다시는 안 그럴게요.

❹ 가 : 여보세요, 수정 씨. 왜 안 와요? 오늘 만나기로 했잖아요.
　 나 : 어머, 미안해요. 약속을 ________________었어요/았어요/였어요.

❺ 가 : 태우야, 시험이 오늘이 아니라 내일이래. 네 말을 듣고 어젯밤 2시까지 공부했는데.
　 나 : 미안해. 내가 날짜를 ________________었나/았나/였나 봐.

❻ 가 : 남자 친구가 바쁘다고 만나 주지 않아서 제가 화를 냈는데 사실은 제 생일 파티를 준비하고 있었어요.
　 나 : 남자 친구를 ________________었군요/았군요/였군요. 미안하다고 하세요.

2. 다음 [보기]에서 알맞은 말을 골라 빈칸에 쓰십시오. (**请从[보기]中选择合适的单词填到括号中。**)

[보기]	내용	비밀	일기장	그만	내다	어떡하다

❶ 신청서를 오늘 저녁 6시까지 (　내야　) ~~어야/아야/여야~~ 합니다.

❷ 시험공부를 하다가 (　　　　) 잠이 들었어요.

❸ 잘못해서 커피를 옷에 쏟았어요. (　　　　)지요?

❹ 그 사람이 쓴 글은 무슨 (　　　　)인지 잘 모르겠어요.

❺ 초등학교 때 쓴 (　　　　)을/를 다시 보니까 어렸을 때 일들이 생각나요.

❻ 이건 너와 나, 둘만 아는 (　　　　)이야/야. 절대로 다른 사람한테 말하면 안 돼.

문법

-는다는 것이

3. 다음 대화를 완성하십시오. （**请完成下面的对话。**）

❶ 가 : 수프가 왜 이렇게 짜요?
나 : 후추를 친다는 ~~는다는/ㄴ다는~~ 것이 소금을 쳐서 그래요.

❷ 가 : 손님, 이 돈은 우리 나라 돈이 아닌데요.
나 : 아, 미안해요. 한국 돈을 낸다는 것이 ....

❸ 가 : 히로시 씨는 왜 책을 안 가져왔어요?
나 : .... 는다는/ㄴ다는 것이 2급 책을 가져왔어요.

❹ 가 : 승연 씨가 어제 저한테 문자 메시지를 보냈죠?
나 : 네? 제가요? 아마 샤오밍 씨한테 .... 는다는/ㄴ다는 것이 선생님께 잘못 보냈나 봐요. 죄송해요.

❺ 가 : 유카 씨 미안해요. .... 는다는/ㄴ다는 것이 방해만 됐어요.
나 : 괜찮아요. 신경 쓰지 마세요.

❻ 가 : 여보세요, 올가 씨, 무슨 일로 전화를 했어요?
나 : 아, 밍밍 씨, 죄송해요. .... 는다는/ㄴ다는 것이 .... 었어요/았어요/였어요.

4. 다음은 김준호 씨가 실수한 이야기입니다. 실수한 내용을 찾아서 '-는다는 것이'를 사용해 쓰십시오. (下面是有关金俊浩失误的内容。请找出失误的内容，然后使用"-는다는 것이"写一下。)

오늘은 동창회가 있는 날이어서 김준호 씨는 내일 있을 회의 준비를 마치자마자 친구들이 모여 있는 술집으로 달려갔다. 오랜만에 만나는 친구들과 한잔하다가 보니까 벌써 12시가 다 되었다. 김준호 씨는 옷걸이에 걸려 있는 많은 옷들 중에서 자기의 옷을 찾아 입고 가방을 들고 나왔다. 구두도 겨우 찾아 신고 나왔다. 택시에서 내려서 집으로 가는데 구두가 좀 커서 걷기가 불편했다. 아파트 계단을 올라와서 초인종을 눌렀는데 누구냐는 낯선 목소리가 들렸다. 준호 씨 집은 403호인데 거기는 503호였다. 대답도 못하고 바로 내려왔다. 집에 들어가니까 준호 씨 부인이 놀라면서 "당신, 누구 옷을 입고 온 거예요?"라고 했다.

아침에 자신의 가방을 연 준호 씨는 깜짝 놀랐다. 회의 자료가 있어야 할 가방에는 다른 사람의 노트북 컴퓨터가 들어 있었다. 할 수 없이 그 가방을 들고 집에서 나온 준호 씨는 버스 정류장에 서 있는 버스를 보고 뛰어가서 탔다. 버스 카드가 없어서 동전을 냈는데 운전기사 아저씨가 더 내라고 한다. 백 원짜리를 오백 원짜리인 줄 알고 낸 것이다. 그런데 정신을 차리고 보니까 버스가 회사와는 다른 쪽으로 가고 있었다. 이런, 731번을 타야 하는데 713번을 탔다. 아, 어쩌면 좋을까?

❶ 자기 구두를 찾아 신는다는 것이 다른 사람의 구두를 신고 왔다.

❷ ....

❸ ....

❹ ....

❺ ....

❻ ....

-을까 봐

5. 관계있는 문장을 연결해서 한 문장으로 만드십시오. (**请正确连接相关的句子，然后把两个短句写成一个句子。**)

늦습니다. •	• 냉장고에 넣었어요.
길이 막힙니다. •	• 열심히 공부했어요.
음식이 상합니다. •	• 택시를 타고 왔어요.
친구가 실망합니다. •	• 말을 하지 않았어요.
시험에 떨어집니다. •	• 높은 곳에 올려놓았어요.
아이들이 깨뜨립니다. •	• 다른 길로 돌아서 왔어요.

❶ 늦을까 봐 택시를 타고 왔어요.
❷ ....
❸ ....
❹ ....
❺ ....
❻ ....

6. 다음 대화를 완성하십시오. (**请完成下面的对话。**)

수지 : 중간시험도 끝나고 내일 휴일인데 뭐 재미있는 것 좀 없을까? 남산에 가서 케이블카나 탈까?

에릭 : ❶ 싫어. 난 케이블카가 고장 날까 ~~을까/ㄹ까~~ 봐 무서워.

수지 : 그럼, 날씨도 더운데 실내 스케이트장에 가서 스케이트를 타자.

에릭 : ❷ 난 스케이트를 못 타. ....을까/ㄹ까 봐 겁이 나.

수지 : 바다에 가는 건 어때? 바다에 가서 수영하고 놀면 재미있을 것 같은데.

에릭 : 난 수영 못해. ❸ ....을까/ㄹ까 봐 무서워.

수지 : 그럼, 배를 타고 가까운 섬에 가는 건 어때?

에릭 : ❹ ....을까/ㄹ까 봐 배 타는 건 싫어. 전에 한 번 멀미를 심하게 해서 아주 고생한 적이 있어.

수지 : 그럼 가까운 산으로 등산 갈까?

에릭 : 난 ❺ ....을까/ㄹ까 봐 겁이 나.
난 그냥 집에서 기말시험 공부할래. 사실 ❻ ....을까/ㄹ까 봐 걱정이 되거든.

7과 2항

어휘

1. 다음 [보기]에서 알맞은 말을 골라 빈칸에 쓰십시오. (**请从[보기]中选择合适的单词填到括号中。**)

[보기]	방문 예절	식사 예절	언어 예절	전화 예절

❶ 음식을 먹으면서 말을 하거나 큰 소리를 내지 않는다. (식사 예절)
❷ 너무 오래 통화하지 않는다. ( )
❸ 숟가락과 젓가락을 같이 들지 않는다. ( )
❹ 처음 보는 사람에게 반말을 하지 않는다. ( )
❺ 식사 시간은 피해서 가고 또 너무 오래 있지 않는다. ( )
❻ 이른 아침이나 밤 늦은 시간에는 꼭 필요한 일이 아니면 전화를 걸지 않는다. ( )

2. 다음 [보기]에서 알맞은 말을 골라 빈칸에 쓰십시오. (**请从[보기]中选择合适的单词填到括号中。**)

[보기]	끼리	사이	불편하다	불평하다	비위생적이다	친하다

❶ 우리 하숙집은 다 좋은데 교통이 (불편한)~~은/ㄴ~~ 것이 단점이에요.
❷ 두 사람은 어떤 ( )이에요/예요?
❸ 우리 앞으로 싸우지 말고 ( )게 지내자.
❹ 그 음식점 주방은 너무 더러워서 ( )이에요/예요.
❺ 이번 여행은 여자들( )만 가는 여행이라서 더 재미있을 것 같아요.
❻ 콘서트 시간이 지났는데도 그 가수가 오지 않아서 모두들 ( )고 있어요.

문법

-어 버리다

3. '-어 버리다'를 사용해 문장을 완성하십시오. (**请使用"-어 버리다"完成句子。**)

❶ 택시를 잡으려고 했지만 택시들이 서지 않고 그냥 가 버렸다 ~~었다/았다/였다~~.

❷ 전화를 너무 오래 해서 커피가 다 ______________ 었다/았다/였다.

❸ 다음 주까지 해야 할 일을 오늘 다 ______________ 었다/았다/였다.

❹ 밥을 아직 다 안 먹었는데 엄마가 벌써 상을 ______________ 었다/았다/였다.

❺ 월급을 받은 지 얼마 안 됐는데 벌써 돈을 다 ______________ 었다/았다/였다.

❻ 내가 사다 놓은 맥주를 동생이 친구들과 같이 다 ______________ 었다/았다/였다.

4. 다음 [보기]에서 알맞은 동사를 골라 '-어 버리다'를 사용해 글을 완성하십시오. (**请从[보기]中选择合适的动词，然后使用"-어 버리다"完成下面这段话。**)

[보기]	끊다	먹다	울다	자르다	지우다	찢다

남자 친구한테서 헤어지자는 문자를 받았다. 참으려고 했지만 눈물이 나왔다. ❶ 큰 소리로 엉엉 울어 버렸다 ~~었다/았다/였다~~. 그동안 받은 편지와 같은 찍은 사진들을 모두 ❷ ______________ 었다/았다/였다. 그 친구한테서 받은 이메일도 모두 ❸ ______________ 었다/았다/였다. 그 친구가 좋아해서 자르지 않았던 긴 머리도 짧게 ❹ ______________ 었다/았다/였다. 머리를 자른 후 그동안 다이어트 때문에 안 먹었던 케이크를 사서 혼자서 다 ❺ ______________ 었다/았다/였다. 그러니까 기분이 좋아졌다. 그런데 그 남자 친구한테서 잘 있냐는 전화가 왔다. 나는 대답을 하는 대신에 전화를 그냥 ❻ ______________ 었다/았다/였다.

-잖아요

5. 다음 표를 보고 '-잖아요'를 사용해 대화를 완성하십시오. (**请看下表，然后使用"-잖아요"完成对话。**)

질문	서지현(32살)	김영숙(42살)
김치는 어떻게 하세요?	사서 먹는게 편하다.	집에서 담가 먹는 게 맛있다.
물건은 어디에서 사세요? 그 이유는요?	백화점에서 산다. 질도 좋고 디자인도 예쁘다.	동대문 시장에서 산다. 물건도 많고 싸다.
물건 살 때 어떻게 사요?	돈이 없어도 카드로 살 수 있으니까 카드가 편하다.	돈이 없으면 필요 없는 것은 안 사게 되니까 현금으로 산다.

리포터 : 김영숙 씨, 김치를 직접 담가 먹는다고 하셨는데 힘들지 않으세요?

김영숙 : 힘은 들지요. 하지만 ❶ 직접 담가 먹는 게 맛있잖아요.

리포터 : 서지현 씨, 김치를 사서 먹으면 돈이 많이 들지 않나요?

서지현 : 돈은 좀 들지만 ❷ ______________________.

리포터 : 쇼핑은 어디에서 하세요?

김영숙 : 저는 동대문 시장에 자주 가요. ❸ ______________________.

서지현 : 전 백화점에서 사요. ❹ ______________________.

리포터 : 김영숙 씨는 물건을 살 때 현금으로 산다고 하셨는데 특별한 이유가 있나요?

김영숙 : ❺ ______________________.

서지현 : 하지만 현금은 갖고 다니기가 ❻ ______________________.

카드는 돈이 없어도 살 수 있으니까 편해요.

6. '-잖아요'를 사용해 대화를 완성하십시오. (**请使用"-잖아요"完成对话。**)

❶ 가 : 학교 앞이 왜 이렇게 복잡해요? 오늘 무슨 날이에요?

나 : 졸업식 날이잖아요. 꽃다발을 들고 가는 사람이 많지요?

❷ 가 : 저 차가 왜 잘 팔린대요?

나 : ______________________잖아요.

❸ 가 : 왜 하루 종일 집에만 있어?

나 : ______________________.

❹ 가 : 오늘 왜 학교에 안 갔어요?

나 : ______________________.

❺ 가 : 왜 구두 대신에 운동화를 신었어요?

나 : ______________________.

❻ 가 : 한복이 예쁜데 왜 안 입어요?

나 : 일할 때는 좀 ______________________. 이따가 세배할 때 입을 거예요.

7과 3항

어휘

1. 다음 [보기]에서 알맞은 말을 골라 빈칸에 쓰십시오. (**请从[보기]中选择合适的单词或词组填到横线上。**)

[보기] 변명하다	사과하다	양해를 구하다	용서를 빌다

❶ 가 : 제가 괜히 친구들한테 화를 내서 친구들이 다 가 버렸어요.
   나 : 그럼 빨리 친구들한테 ___사과하세요___ ~~으세요/세요~~.

❷ 가 : 회사에 늦게 도착할 것 같은데 뭐라고 하지요?
   나 : ______________지 말고 솔직하게 말하세요.

❸ 가 : 제가 아버지께서 아주 좋아하시는 도자기를 깼어요.
   나 : 아버지께 ______________으세요/세요.

❹ 가 : 내일 부모님이 고향에서 오셔서 아르바이트를 할 수 없을 것 같아요. 어떡하죠?
   나 : 그럼 사장님께 ______________으세요/세요. 이해해 주실 거예요.

2. 다음 [보기]에서 알맞은 말을 골라 빈칸에 쓰십시오. (**请从[보기]中选择合适的单词填到括号中。**)

[보기] 볼일	부담	오히려	직접적으로	들르다	그럴 리가요

❶ 회사에서 큰일을 맡아서 (부담   )이/~~가~~ 돼요.
❷ 에릭 씨가 큰 실수를 해서 회사를 그만둔다고요? (   ).
❸ 샤오밍 씨는 (   )이/가 있어서 오늘 모임에 좀 늦게 온대요.
❹ 그 사람은 1시간이나 늦게 오고서 (   ) 우리들한테 화를 내요.
❺ 친구의 부탁을 그렇게 (   ) 거절하면 사이가 나빠질 수도 있어요.
❻ 집에 오는 길에 서점에 (   )어서/아서/여서 책을 사 가지고 왔어요.

문법

-고 해서

3. 다음 표를 보고 '-고 해서'를 사용해 질문에 대답하십시오.(请看下表，然后使用"-고 해서"回答问题。)

시골로 이사한 이유	☑ 공기가 좋다	☐ 경치가 좋다	☑ 집값이 싸다
그 카페에 자주 가는 이유	☐ 분위기가 좋다	☐ 커피가 맛있다	☐ 조용하다
집에만 있는 이유	☐ 날씨가 덥다	☐ 비가 올 것 같다	☐ 외출하기가 귀찮다
청소를 하는 이유	☐ 부모님이 오신다	☐ 할 일이 없다	☐ 주말에 파티가 있다
모임에 안 간 이유	☐ 머리가 아프다	☐ 술을 안 좋아한다	☐ 돈이 없다
전화를 한 이유	☐ 심심하다	☐ 물어볼 것이 있다	☐ 친구들 소식을 듣고 싶다

❶ 가 : 왜 시골로 이사했어요?
나 : 집값도 싸고 해서 이사했어요.

❷ 가 : 왜 그 카페에 자주 가요?
나 : ____________________.

❸ 가 : 왜 집에만 있었어요?
나 : ____________________.

❹ 가 : 왜 청소를 해요?
나 : ____________________.

❺ 가 : 왜 그 모임에 안 갔어요?
나 : ____________________.

❻ 가 : 왜 전화를 했어요?
나 : ____________________.

4. '-고 해서'를 사용해 대화를 완성하십시오. (**请使用"-고 해서"完成对话。**)

❶ 가 : 시장에 다녀오세요?
나 : 네, 주말에 손님도 오시고 해서 먹을 것 좀 사 왔어요.

❷ 가 : 어제 일찍 퇴근하셨지요?
나 : 네, ______________________.

❸ 가 : 왜 그 동네로 이사하셨어요?
나 : ______________________.

❹ 가 : 운동을 시작하셨다면서요?
나 : 네, ______________________.

❺ 가 : 어제 빌린 책을 벌써 다 읽었어?
나 : 응, ______________________.

❻ 가 : 그 술집에 자주 가는 이유가 뭐예요?
나 : ______________________.

-지 그래요

5. 다음 대화를 완성하십시오. (**请完成下面的对话。**)

❶ 가 : 몸이 아파서 움직일 수가 없어요.
나 : 병원에 가지 그래요.

❷ 가 : 이 옷이 마음에 안 드는데 어떻게 할까요?
나 : ______________ 지 그래요.

❸ 가 : 단어를 몰라서 숙제를 못 하겠어요.
나 : ______________ 지 그래.

❹ 가 : 카메라가 고장 나서 쓸 수가 없어요.
나 : ______________ 지 그래요.

❺ 가 : 여행 가고 싶은데 돈이 없어요.
나 : ______________ 지 그래.

❻ 가 : 다음 학기에도 수업을 듣고 싶은데 언제까지 등록해야 하는지 모르겠어요.
나 : ______________ 지 그래요.

6. 다음 대화를 완성하십시오. (**请完成下面的对话。**)

❶

카메라 구입	
백화점 38만원	인터넷 33만원

가 : 백화점에 카메라를 사러 갔는데 너무 비싸더라.

나 : 그럼 인터넷으로 사지 그래요. 훨씬 쌀 걸요.

❷

가족 모임 장소	
집	식당

가 : 집에서 회갑 잔치를 하려고 하는데 준비하기가 너무 힘들어요.

나 : 그럼 .... 편하잖아요.

❸

듣기 연습	
뉴스	드라마

가 : 저는 듣기 연습으로 뉴스를 듣는데 단어가 너무 어려워요.

나 : 그럼 .... 단어도 쉽고 재미있잖아요.

❹

운동	
테니스	스쿼시

가 : 저는 테니스를 좋아하는데 같이 칠 친구가 없어요.

나 : 그럼 .... 혼자서도 할 수 있잖아요.

❺

부산 ↔ 후쿠오카 왕복	
비행기 30만원	배 15만원

가 : 후쿠오카에 가고 싶은데 비행기 표가 생각보다 비싸네요.

나 : ....
....

❻

선물	
옷	상품권

가 : 어머니께 옷을 사 드리고 싶은데 고르기가 힘들어.

나 : ....
....

7과 4항

어휘

1. 다음 단어의 뜻을 찾아 연결하고 알맞은 말을 골라 빈칸에 쓰십시오. (**请把单词与其意思正确连线，然后选择合适的单词填到括号中。**)

이해하다 •	• 어떤 사람을 보고 누구인지 알다.
알아보다 •	• 다른 사람의 말이나 뉴스 등을 알게 되다.
알아듣다 •	• 싸운 다음에 사과하고 다시 사이좋게 지내다.
화해하다 •	• 다른 사람의 생각을 바꾸어서 내 생각과 같이 만들다.
설득하다 •	• 말이나 글의 뜻을 알거나 다른 사람의 상황을 알아 주다.

❶ 한국에서 오래 살아 보니까 한국 사람들의 사고방식을 (이해할)을/ㄹ 수 있어요.
❷ 10년 만에 그 친구를 봤는데도 첫눈에 (　　　　)을/ㄹ 수 있었어요.
❸ 그 사람은 고집이 너무 세서 그 사람을 (　　　　)기는 참 어려워요.
❹ 그 사람의 말은 너무 빨라서 (　　　　)기가 어려워요.
❺ 친구와 싸워서 마음이 불편했는데 오늘 (　　　　)으니까/니까 기분이 좋아요.

2. 다음 [보기]에서 알맞은 말을 골라 빈칸에 쓰십시오. (**请从[보기]中选择合适的单词或词组填到括号中。**)

[보기] 방법　　계속　　부딪치다　　오해를 사다　　표현하다

❶ 종이로 배를 접는 (방법)을/를 알면 가르쳐 주세요.
❷ 너무 기뻐서 말로 (　　　　)을/ㄹ 수가 없어요.
❸ 약을 먹어도 배가 (　　　　) 아픈데 어떻게 하지요?
❹ 뛰어가다가 친구와 (　　　　)어서/아서/여서 같이 넘어졌어요.
❺ 다른 사람들한테 (　　　　)을/ㄹ 수 있는 행동은 처음부터 안 하는 게 나아요.

문법

-고도

3. 다음 대화를 완성하십시오. (**请完成下面的对话。**)

❶ 가 : 누구한테 편지를 써요?

나 : 고향 친구한테요. 제가 편지를 받고도 답장을 쓰지 못했거든요.

❷ 가 : 수지 씨, 왜 그렇게 화가 났어요?

나 : 친구가 ________________ 고도 사과를 하지 않아서요.

❸ 가 : 아이가 거짓말을 해서 야단친 거예요?

나 : 아니요, ________________ 고도 반성하지 않아서 야단을 쳤어요.

❹ 가 : 올가 씨, 지난번에 산 시디(CD)가 어때요?

나 : 요즘 너무 바빠서 ________________ 고도 아직까지 들어 보지도 못했어요.

❺ 가 : 우리 아이는 책을 ________________ 고도 무슨 내용인지 몰라요.

나 : 집중해서 읽지 않아서 그래요. 좀 크면 나아질 거예요.

❻ 가 : 샤오밍 씨가 대학교 입학시험에 합격했어요?

나 : 네, 하지만 등록금이 없어서 대학교에 ________________ 고도 ________________.

4. 다음 표를 보고 '-고도'를 사용해 대화를 완성하십시오. (**请看下表，然后使用"-고도"完成对话。**)

샤오밍의 말	히로시의 말
❶ 히로시가 돈을 빌렸는데 갚지 않음.	❷ 내가 샤오밍한테 여러 번 밥을 사 주었는데도 고맙다는 인사를 하지 않음.
❸ 히로시가 학교에서 나를 봤는데도 인사하지 않고 그냥 감.	❹ 길에서 불렀을 때 샤오밍이 들었는데도 대답을 하지 않음.
❺ 히로시가 문자 메시지를 받았을 텐데 답장을 하지 않음.	❻ 샤오밍이 전화를 받았는데도 말하지 않고 끊어 버림.

수지 : 샤오밍 씨와 히로시 씨, 두 사람 싸웠어요? 왜 말을 안 해요?

샤오밍 : 제가 히로시한테 돈을 빌려 줬어요.

❶ 그런데 히로시가 돈을 빌리고도 갚지 않잖아요.

히로시 : 저는 샤오밍이 돈이 없을 때마다 밥을 사 줬어요.

그런데 샤오밍은 ❷밥을 먹고도 ....

그리고 제가 돈을 조금 빌렸는데 만날 때마다 돈을 달라고 해요.

샤오밍 : 너는 학교에서 ❸ ....

히로시 : 샤오밍, 너도 내가 길에서 불렀을 때 ❹ ....

샤오밍 : 너는 ❺내 문자 메시지를 ....

히로시 : 네가 먼저 ❻내 전화를 ....

수지 : 그만, 그만하세요. 무슨 오해가 있는 것 같은데 우리 어디 가서 한잔하면서 이야기해 봐요.

-는단 말이에요?

5. 다음 대화를 완성하십시오. (**请完成下面的对话。**)

❶ 가 : 날마다 2시간 씩 공부했는데 이번 시험에서 55점을 받았어요.

나 : 날마다 그렇게 열심히 공부했는데 55점을 받았단 ~~는단/단/이란~~ 말이에요?

❷ 가 : 휴대전화가 고장 나서 수리를 맡겼는데 수리비가 10만 원이래요.

나 : .... 는단/단/이란 말이에요?

❸ 가 : 수지 씨 집에는 자동차가 4대나 있대요.

나 : .... 는단/단/이란 말이에요?

❹ 가 : 샤오밍 씨 여자 친구가 미인 대회에서 1등을 했대요.

나 : .... 는단/단/이란 말이에요?

❺ 가 : 날마다 5시간씩 일하는데 하루에 만 원밖에 못 받아요.

나 : .... 는단/단/이란 말이에요?

❻ 가 : 아침에 눈이 와서 학교까지 오는데 2시간이나 걸렸어요.

나 : .... 는단/단/이란 말이에요?

6. 다음은 신문 기사 제목입니다. 기사 제목을 보고 '-는단 말이에요?'를 사용해 문장을 만드십시오. (下面是新闻报道的标题。请看这些标题，然后使用"-는단 말이에요?"造句。)

친구와 불장난하다가 산불, 오래된 나무들 수천 그루 불에 타

❶ 불장난을 하다가 산불을 냈단 말이에요?

삼겹살 1인분에 1,500원. 더 싼 집이 있으면 돈 안 받아

❷ ....?

고등학생이 인터넷으로 가짜 물건 팔아 1억원 이상 벌어

❸ ....?

한 집에 사는 개와 고양이 서로 연인처럼 사이가 좋아

❹ ....?

집에서 살기 싫어 은행 강도를 하다가 붙잡힌 남자, 교도소 가고 싶어서

❺ ....?

다이어트 때문에 날마다 빵 하나와 과일 하나만 먹어 어른 몸무게가 35kg

❻ ....?

7과 5항

어휘와 문법

1. 다음을 읽고 [보기]에서 알맞은 말을 골라 빈칸에 쓰십시오. (**请阅读下面的内容，然后从[보기]中选择合适的单词或词组填到横线上。**)

[보기]	변명하다	사과하다	설득하다	실수하다	알아듣다
	알아보다	양해를 구하다	오해하다	착각하다	화해하다

❶ "지난번에는 내가 잘못했어. 정말 미안해." ....

❷ "어머, 미안해요. 제 친구인 줄 알았어요". ....

❸ "드라마에 나오는 말은 들으면 거의 알 수 있어요." ....

❹ "서류에 10억이라고 써야 하는데 1억이라고 썼어요." ....

❺ "오늘은 늦잠을 잔 게 아니라 일찍 나왔는데 차가 밀려서……." ....

❻ "우리 다시 싸우지 말고 전보다 더 사이좋게 지내자."
"좋아." ....

❼ "그 사람이 그렇게 하겠대요?"
"네, 제가 잘 설명을 하니까 그 사람이 마음을 바꾸던데요." ....

❽ "어제 10년 전에 헤어진 태우를 만났는데 보자마자 누구인지 알겠더라." ....

❾ "내 비밀을 친구가 말한 줄 알고 화를 냈는데 친구가 한 일이 아니었어요." ....

❿ "ㅋ은행에 갈 시간이 없어서 돈을 못 찾았는데 하숙비를 내일 드려도 될까요?" ....

2. 다음 [보기]에서 알맞은 말을 골라 빈칸에 쓰십시오. (**请从[보기]中选择合适的单词填到横线上。**)

[보기]	내용	일기장	그만	비위생적이다	표현하다

친구의 방에서 책을 꺼내는데 친구의 ❶ .... 이/가 떨어졌다. 그걸 줍다가 일기 ❷ .... 을/를 보게 되었다. 친한 친구들끼리 점심을 먹을 때 내가 내 젓가락으로 친구 그릇에 있는 음식을 갖다 먹는 게 ❸ .... 이라고/라고 생각한 모양이었다. 나는 오히려 그게 친한 걸 ❹ .... 는/ㄴ 것이라고 생각했는데. 그런데 그때 친구가 방에 들어왔고 나는 너무 놀라서 ❺ .... 일기장을 떨어뜨렸다.

[보기] 볼일　　오히려　　부딪치다　　불평하다　　친하다

도서관에서 중간시험 준비를 하다가 머리가 아파서 일찍 나왔다. 길을 건너려고 뛰어가다가 저쪽에서 뛰어오는 사람하고 ⑥ ________ 었다/았다/였다. 그런데 그 사람은 중학교 때 나와 제일 ⑦ ________ 었던/았던/였던 친구였다. 내 잘못인데 ⑧ ________ 그 친구가 더 미안해했다. 그 친구는 지금 회사에 다니는데 우리 학교 근처에 ⑨ ________ 이/가 있어서 왔다고 한다. 내가 학교 생활이 재미없다고 ⑩ ________ 으니까/니까 그 친구는 그래도 학교 다닐 때가 더 좋았다고 했다. 오래간만에 만나서 여러 가지 이야기를 하고 헤어졌다.

3. 다음 대화를 완성하십시오. (**请完成下面的对话。**)

❶ 가 : 불고기가 왜 이렇게 달아요?
　나 : ________________ 는다는/ㄴ다는 것이 ________________
　　________________ .

❷ 가 : 뭘 그렇게 열심히 보고 계세요?
　나 : 약도예요. 오늘 친구 집에 혼자 가는데 ________________ 을까/ㄹ까 봐 걱정이 돼서요.

❸ 가 : 여기 있던 과자 혹시 못 봤어요?
　나 : 미안해요. 유카 씨 것인줄 모르고 ________________ 어/아/여 버렸어요.

❹ 가 : 내가 작년에 산 코트가 어디 있지?
　나 : 작아서 안 입는다고 해서 친구한테 ________________ 어/아/여 버렸어.

❺ 가 : 무슨 일로 술을 그렇게 많이 마셨어요?
　나 : ________________ 고 해서 술을 좀 마셨어요.

❻ 가 : 샤오밍 씨는 왜 날마다 라면만 먹어요?
　나 : ________________ 잖아요. 저는 요리하는 것이 귀찮아요.

❼ 가 : 저, 죄송하지만 잠깐 은행에 가서 돈 좀 내고 올게요.
　나 : ________________ 지 그래요. 은행까지 갈 필요가 없잖아요.

❽ 가 : 태우야, 왜 ________________ 고도 대답을 안 하니?
　나 : 부르셨어요? 책을 읽고 있어서 못 들었나 봐요.

❾ 가 : 이 생수는 한 병에 2만 원이래요.
　나 : ________________ 는단/단/이란 말이에요?

❿ 가 : 친구가 일 년 전에 돈을 빌려 가고는 아직까지 갚지 않아요.
　나 : 아니, 일 년 전에 ________________ 는단/단/이란 말이야?

4. 다음 중 맞는 문장에 ○표 하십시오. （请在正确的句子后面标记○。）

❶ 책을 사 놓고도 읽었어요. (　　)
책을 사 놓고도 안 읽었어요. (　　)

❷ 취직을 할까 봐 걱정이에요. (　　)
취직을 못 할까 봐 걱정이에요. (　　)

❸ 휴대전화가 고장 나서 수리를 맡겼어요. (　　)
휴대전화가 고장 나고 해서 수리를 맡겼어요. (　　)

❹ 지난번 시험을 그렇게 못 본단 말이에요? (　　)
지난번 시험을 그렇게 못 봤단 말이에요? (　　)

❺ 다 쓴 공책을 버리는 것이 새 공책을 버렸어요. (　　)
다 쓴 공책을 버린다는 것이 새 공책을 버렸어요. (　　)

❻ 그 친구는 자기를 부르는 말을 듣고도 그냥 가 버렸어요. (　　)
그 친구는 자기를 부르는 말을 들었고도 그냥 가 버렸어요. (　　)

듣기 연습

MP3: 16 ~17

1. 이야기를 듣고 질문에 대답하십시오. (**请听下面的内容回答问题。**)

1) 이 사람은 피시(PC)방 주인 아저씨께 왜 고맙다고 했나요? 쓰십시오.

....

2) 들은 내용과 같으면 O표, 다르면 X표 하십시오.

❶ 이 사람은 한국에서 한두 번 말실수를 한 적이 있다. ( )

❷ 피시(PC)방 아저씨가 콜라를 선물로 준 걸 몰랐다. ( )

❸ 친구 생일 파티에서 이 사람은 친구들을 웃기려고 농담을 했다. ( )

❹ 한국말 실력을 늘리려면 실수를 할까 봐 두려워해서는 안 된다. ( )

3) 이 사람은 이런 말실수를 하면 어떤 점이 좋다고 했나요? 쓰십시오.

....

2. 이야기를 듣고 질문에 대답하십시오. (**请听下面的内容回答问题。**)

1) 이 책은 어떤 사람에게 필요한 책입니까? 쓰십시오.

....

2) 들은 내용과 같으면 O표, 다르면 X표 하십시오.

❶ 이 책의 제목은 '칭찬은 고래도 춤추게 한다' 이다. ( )

❷ 이 책에는 사과의 방법이 잘 나타나 있다. ( )

❸ 사과는 잘못을 알게 된 순간보다 좀 더 시간을 두고 하는 것이 좋다. ( )

❹ 사과할 때는 진실된 마음으로 해야 한다. ( )

❺ 사과를 잘 해도 원래의 상황으로 돌아올 수는 없다. ( )

읽기 연습

1. 다음 빈칸에 공통으로 들어갈 말을 쓰십시오. (**请写出可以填到下面横线上的一个单词。**) (　　　　　)

> ________ 은/는 누구나 할 수 있습니다. 문제는 ________ 을/를 한 다음입니다. 자신의 ________ 이/가 누군가에게 불편과 아픔을 주었다면 사과할 줄 알아야 합니다. 사실 사과를 하는 것이 쉽지 않을 수도 있지만, 자신의 ________ 을/를 인정하고 사과하는 것은 꼭 필요합니다.

2. 다음 글을 읽고 질문에 대답하십시오. (**请阅读下面的文章回答问题。**)

사과 데이(apple day)

10월 24일. 오늘은 '사과 데이'입니다. 이것은 학교 폭력을 예방하고 사회적으로 화해 분위기를 만들기 위해 2002년부터 매년 실시하고 있는 캠페인입니다. 평소 오해와 나쁜 감정이 쌓여 있는 사람에게 사과 향기가 가득한 10월에 둘(2)이 사(4)과를 선물함으로써 자연스럽게 화해하자는 뜻으로 만든 날입니다. 그뿐만 아니라 피부 미용과 건강에도 좋은 사과를 많이 먹어 우리 농산물을 살리자는 의미로 시작되었습니다.

올해는 '사과! 화해! 그리고 행복!'이라는 주제를 정해서 대도시를 중심으로 '화해의 사과 나무 만들기'등 여러 가지 다양한 기념 행사를 한다고 합니다. '화해의 사과 나무 만들기'는 사과 모양의 메모지에 자신이 사과할 내용을 적어 나무에 붙이는 행사라고 합니다. 오늘 '사과 데이'를 맞아 화해를 해야 할 사람이 있거나 사랑을 나눌 사람이 있다면 사과 선물을 해 보면 어떨까요? 선물을 주는 사람이나 받는 사람 모두의 얼굴이 사과처럼 밝아질 것입니다.

1) 처음에 '사과 데이'를 만든 목적은 무엇입니까? (　　　　　)

❶ 모두가 건강해지기 위해서
❷ 학교 폭력을 예방하기 위해서
❸ 사과 나무를 많이 심기 위해서
❹ 우리 나라의 과일을 알리기 위해서

2) 올해 '사과 데이'의 주제가 **아닌** 것은 무엇입니까? (　　　)

❶ 건강　　❷ 사과　　❸ 행복　　❹ 화해

3) 화해의 사과 나무에 적은 내용이 **아닌** 것은 무엇일까요? (　　　)

❶ "친구야 미안해."
❷ "너 나한테 사과해."
❸ "부모님 말씀 잘 들을게요."
❹ "여보, 미안해, 앞으로 잘 할게."

4) 글의 내용과 같으면 O표, 다르면 X표 하십시오.

❶ 매달 24일은 '사과 데이'다. (　　　)
❷ '사과 데이'를 통해서 사과도 많이 팔 수 있다. (　　　)
❸ 사과를 먹으면 피부도 좋아질 뿐만 아니라 건강에도 좋다. (　　　)
❹ '사과 데이'는 오해와 나쁜 감정이 있는 사람에게 자연스럽게 사과할 수 있는 날이다. (　　　)

말하기 · 쓰기 연습

1. 배운 문법을 사용해 친구에게 질문하고 대답하십시오. **(请使用学过的语法跟朋友一起做问答练习。)**

질문	친구 1	친구 2
❶ 한국에 와서 실수한 적이 있어요? (-는다는 것이)		
❷ 혹시 실수를 할까 봐 하지 못한 일이 있어요? (-을까 봐)		
❸ 제가 가족하고 친구한테 잘못한 일이 있는데 어떻게 사과해야 할까요? (-지 그래요?, -는단 말이에요?)		
❹ 학교나 회사에서 제일 싫은 사람은 어떤 사람이에요? (-고도, -잖아요)		

2. 다음 글을 읽고 여러분이라면 어떻게 할지 써 보십시오. 그리고 친구와 같이 이야기해 보십시오. **(请阅读下面的文章，写一下各位遇到这种情况会怎么做。然后跟朋友一起说一下。)**

저하고 아주 친한 친구가 있어요. 그 친구는 착한 데다가 공부도 잘 해서 인기도 많아요. 저희 엄마는 늘 저한테 그 친구처럼 하라고 해요. 그래서 그날은 기분도 나쁘고 해서 다른 친구한테 그 친구의 욕을 했어요. 그런데 그 친구가 그걸 들은 모양이에요. 그 친구는 너무 화가 나서 저하고 말도 안 해요. 전화를 받고도 대답도 안 하고 끊어 버려요. 정말 사과하고 싶은데 어떻게 사과하는 게 좋을까요? 제가 생각하는 첫 번째 방법은 편지예요. 편지를 써 가지고 친구 가방 속에 넣거나 책상 위에 올려놓는 거예요. 두 번째는 직접 만나서 미안하다고 사과하는 거예요. 세 번째는 선물을 사서 주는 거예요. 그런데 선물을 주면 친구가 오히려 더 기분 나빠할까 봐 걱정이에요. 어떤 방법이 제일 좋을지 가르쳐 주세요.

제 8 과 학교생활

8과 1항

어휘

1. 다음 [보기]에서 알맞은 말을 골라 빈칸에 쓰십시오. (请从[보기]中选择合适的单词填到括号中。)

[보기] 교통편 준비물 행사 회비 회원

사랑의 김장 담그기

- 날짜 : 11월 20일 (토)
- 장소 : 시청 앞 광장
- ❶(교통편) : 버스 (학교 정문 앞에서 오전 8시 30분에 출발합니다.)
- ❷( ) : 앞치마, 고무장갑

올해도 "사랑의 김장 담그기" ❸( )에 참가하려고 합니다. 봉사 동아리 '날개없는 천사' ❹( ) 모두가 나와 주실 거라고 믿습니다.
❺( )은/는 따로 내지 않으셔도 되고 점심도 무료로 드립니다.

2. 다음 [보기]에서 알맞은 말을 골라 빈칸에 쓰십시오. (请从[보기]中选择合适的单词填到括号中。)

[보기] _박 _일 야유회 일정 전체 의논하다

❶ 이번 여행은 (1박 2일) 으로/로 간다. 오늘 떠나서 내일 돌아올 예정이다.
❷ 경주는 도시 ( )이/가 마치 박물관 같다.
❸ 문제가 생기면 누구하고 ( )어요/아요/여요?
❹ 지난번 여행은 여행사가 짠 ( )에 맞춰 다녀야 해서 제대로 관광을 할 수 없었다.
❺ 지난 주말에는 회사에서 남한산성으로 ( )을/를 가서 친구 집들이에는 가지 못했다.

문법

-으면서도

3. '-으면서도'를 사용해 문장을 완성하십시오. (请使用"-으면서도"完成句子。)

❶ 담배가 건강에 나쁘다는 것을 알다. ① 담배를 끊었어요. (X)
② 담배를 계속 피워요. (O)

→ 담배가 건강에 나쁘다는 것을 알면서도 ~~으면서도/면서도~~ 담배를 계속 피워요.

❷ 돈이 있다. ① 친구에게 빌려 줬어요. ( )
② 친구에게 빌려 주지 않았어요. ( )

→ ______ 으면서도/면서도 ______.

❸ 돈이 별로 없다. ① 쓰기만 해요. ( )
② 쓰지 못해요. ( )

→ ______ 으면서도/면서도 ______.

❹ 단어의 뜻을 모른다. ① 안다고 말했어요. ( )
② 모른다고 말했어요. ( )

→ ______ 으면서도/면서도 ______.

❺ 두 사람은 서로 사랑한다. ① 결혼했어요. ( )
② 결혼하지 않았어요. ( )

→ ______.

❻ 그 사람이 잘못했다. ① 나한테 사과했어요. ( )
② 나한테 사과하지 않았어요. ( )

→ ______.

4. 다음 대화를 완성하십시오. (**请完成下面的对话。**)

❶ 가 : 이 옷은 아주 얇은데 지금 입기에는 좀 춥지 않을까요?
나 : 아니요, 이 옷은 얇으면서도 ~~으면서도/면서도~~ 아주 따뜻해요.

❷ 가 : 그 친구가 부자 아니에요? 그 친구한테 도와 달라고 해 보세요.
나 : 그 친구는 ………………………으면서도/면서도 다른 사람을 도와주지 않아요.

❸ 가 : 살을 빼는 데는 운동만한 것이 없다는 걸 아시잖아요.
나 : ………………………으면서도/면서도 시작하기가 어렵네요.

❹ 가 : 샤오밍 씨는 그 이야기를 ………………………으면서도/면서도 아는 것처럼 말해요.
나 : 저는 샤오밍 씨가 그 이야기를 다 알고 있는 줄 알았는데 아니었어요?

❺ 가 : 저 학생은 시험을 잘 봤나요?
나 : 아니요. ………………………으면서도/면서도 저렇게 잠만 자네요.

❻ 가 : 선생님께서 왜 화가 나셨어요?
나 : 밍밍 씨가 ………………………으면서도/면서도 숙제를 다 했다고 거짓말을 했거든요.

-도록 하다

5. 다음 대화를 완성하십시오. (**请完成下面的对话。**)

❶ 가 : 다음부터는 조심하세요.
나 : 네, 다시는 이런 실수를 하지 않도록 하겠습니다.

❷ 가 : 오늘은 강의가 많아서 내가 좀 바쁜데…….
나 : 네, 교수님, 그럼 다음에 ………………………도록 하겠습니다.

❸ 가 : 오늘까지 이 일을 다 끝내셔야 하는데요.
나 : 걱정하지 마세요. ………………………도록 하겠습니다.

❹ 가 : 내일 회의는 11시에 시작합니다. ………………………도록 하세요.
나 : 네, 일찍 오겠습니다.

❺ 가 : 차를 여기에 세우시면 안 됩니다. 다음부터는 ________ 도록 하세요.

나 : 죄송합니다. 다음부터는 꼭 주차장에 세우겠습니다.

❻ 가 : 기침이 자꾸 나요.

나 : ________ 도록 하세요. 훨씬 좋아질 거예요.

6. 다음 대화를 완성하십시오. (**请完成下面的对话。**)

사장 : 출장 준비는 거의 다 됐지요? 서류 준비는 다 됐나요?

비서 : 아니요, 아직 안 됐습니다. ❶ 서류는 오늘 오후까지 준비해 놓도록 하겠습니다.

사장 : 비행기를 오후에 탔으면 좋겠는데……. 오후 비행기 표로 좀 바꿔 주세요.

비서 : 네, ❷ ________ 도록 하겠습니다.

사장 : 비행기 표를 바꾸면 호텔 예약 날짜도 바뀌니까 확인해 보세요.

비서 : 네, ❸ ________ 도록 하겠습니다.

사장 : 아, 그리고 출장 가기 전에 회의를 했으면 좋겠는데……. 부장들한테 내일 오전에 회의가 있다고 연락 좀 해 주세요.

비서 : 네, ❹ ________ 도록 하겠습니다.

사장 : 미안한데 비행기에서 읽을 책도 좀 부탁해요.

비서 : 네, ❺ ________ 도록 하겠습니다.

사장 : 그리고 이번 토요일 김 과장 결혼식에 나 대신 참석 좀 해 주세요.

비서 : 네, 그럼 제가 ❻ ________ 도록 하겠습니다.

8과 2항

어휘

1. 다음 [보기]에서 알맞은 말을 골라 빈칸에 쓰십시오. (请从[보기]中选择合适的单词填到横线上。)

[보기] 국적 기타 모국어 성명 성별 연락처

구직 신청서

❶ 성명 : 이 제니퍼 (Jennifer Lee) 3 급 16 반

❷ ________ : 캐나다

❸ ________ : 남 / (여)

❹ ________ : 영어

❺ ________ : 저는 아이들을 좋아합니다. 아이들을 가르치는 일이었으면 좋겠습니다.

❻ ________ : 010) 2112-1234

2. 다음 [보기]에서 알맞은 말을 골라 빈칸에 쓰십시오. (请从[보기]中选择合适的单词或词组填到括号中。)

[보기] 발음 억양 마침 교환하다 시간이 나다 포기하다

❶ 배달해 드린 물건에 이상이 있으면 바로 (교환해)~~어/아/여~~ 드리겠습니다.

❷ 제 친구는 일본에서 왔는데 'ㅇ' 받침 ( )이/가 정말 어렵대요.

❸ 그 학생은 발음은 좋은데 ( )이/가 자연스럽지 않은 것이 문제이다.

❹ 어렵다고 그만두면 어떻게 해? ( )지 말고 조금만 더 노력해 보자.

❺ 친구한테 전화를 하려고 하는데 ( ) 그 친구한테서 전화가 왔다.

❻ 약속이 취소되었기 때문에 두 시간 정도 ( )어서/아서/여서 영화를 봤다.

문법

어찌나 -는지

3. '어찌나 -는지'를 사용해 대화를 완성하십시오. (**请使用 "어찌나 -는지" 完成下面的对话。**)

❶ 가 : 그 학생이 정말 열심히 공부해요?
나 : 네, 어찌나 열심히 하는지 ~~는지/은지/ㄴ지~~ 제가 깜짝 놀랐어요.

❷ 가 : 그곳이 그렇게 추워요?
나 : 네, ________________ 는지/은지/ㄴ지 얼어 죽는 줄 알았어요.

❸ 가 : 그 영화가 그렇게 재미있어요?
나 : 네, ________________ 는지/은지/ㄴ지 세 번을 봤는데 또 보고 싶어요.

❹ 가 : 밖에 바람이 많이 불어?
나 : 응, ________________ 는지/은지/ㄴ지 눈을 뜰 수가 없었어.

❺ 가 : 시험이 많이 어려웠어요?
나 : ________________ 는지/은지/ㄴ지 한 문제도 못 풀었어요.

❻ 가 : 잔칫집에서 많이 드셨어요?
나 : ________________ 는지/은지/ㄴ지 배가 터질 것 같아요.

4. 다음 [보기]에서 알맞은 말을 골라 빈칸에 쓰십시오. (**请从[보기]中选择合适的单词或词组填到横线上。**)

[보기]	맵다	보고 싶다	슬프다
	아프다	많이 싸 주다	무섭게 야단을 치다

내 별명은 울보다. 어제도 하루 종일 울었다. 아침에 늦게 일어나서 학교에 늦었다. 선생님께서 지각을 자주 한다고 ❶어찌나 무섭게 야단을 치시는지~~는지/은지/ㄴ지~~ 울 수밖에 없었다. 수업이 끝나고 친구 집에 갔다. 친구 어머니를 보니까 갑자기 고향에 계신 어머니가 보고 싶어졌다. ❷ ________________ 는지/은지/ㄴ지 눈물이 났다. 눈물을 닦고 친구 어머니가 차려 주신 점심을 먹었다. 고추를 하나 입에 넣었는데 ❸ ________________ 는지/은지/ㄴ지 또 눈물이 났다. 식사를 하고 한국 영화 비디오를 봤다. 이야기가 ❹ ________________ 는지/은지/ㄴ지 한참을 울었다. 집에 오려고 하는데 친구 어머니가 음식을 많이 싸 주셨다. 음식을 ❺ ________________ 는지/은지/ㄴ지 무거워서 걸을 수가 없었다. 또 눈물이 나왔다. 지하철 역까지 걸어가다가 넘어졌다. ❻ ________________ 는지/은지/ㄴ지 눈물이 나왔다.

-고 말다

5. 다음 대화를 완성하십시오. (**请完成下面的对话。**)

❶ 가 : 감기에 걸렸어요?
   나 : 네, 독감이 유행이라고 해서 조심했는데 감기에 걸리고 말았어요.

❷ 가 : 두 사람이 헤어졌다면서요? 어떻게 된 일이에요?
   나 : 부모님의 반대로 결국 ______________ 고 말았대요.

❸ 가 : 지난번 사고로 다친 그 사람은 어떻게 되었대요?
   나 : 의사들이 살리려고 많이 노력했는데 며칠 전에 ______________ 고 말았대.

❹ 가 : 이 옷 굉장히 비쌀 텐데……. 돈이 없다고 하지 않으셨어요?
   나 : 돈이 없어서 안 사려고 했는데 다들 잘 어울린다고 해서 ______________ 고 말았어요.

❺ 가 : 동생 간식도 남겨 놓았지? 어디에다 두었니?
   나 : 죄송해요. 너무 맛있어서 한 개 두 개 먹다 보니까 ______________ 고 말았어요.

❻ 가 : 시험공부는 다 하셨어요?
   나 : 아니요, 너무 피곤해서 잠깐 누웠다가 일어나려고 했는데 아침까지 ______________ 고 말았어요.

6. 다음 [보기]에서 알맞은 말을 골라 빈칸에 쓰십시오. (**请从[보기]中选择合适的单词或词组填到横线上。**)

[보기] 보다 보이다 웃다 졸다 쫓겨나다 화를 내다

오늘 오후에 있었던 일입니다. 점심을 먹은 지 얼마 안 된데다가 햇볕도 따뜻해서 저는 그만 깜빡 ❶졸고 말았습니다. 저뿐만 아니라 몇몇 학생들이 졸고 있었나 봅니다. 그런데 선생님께서 이 모습을 ❷______________ 고 말았습니다. 선생님께서 우리들에게 자리에서 일어나라고 하시고 야단을 치시기 시작했습니다. 그런데 한 친구가 일어서서 야단을 맞으면서도 계속 졸았습니다. 그 모습이 어찌나 웃긴지 우리들은 소리 내어 ❸______________ 고 말았습니다. 선생님께서는 그런 우리들을 보시고 더 화를 내셨고 우리는 결국 교실에서 ❹______________ 고 말았습니다. 쉬는 시간이 됐지만 우리는 교실에 들어갈 수 없었습니다. 그런데 그때 거기를 지나가던 남자 친구에게 제 모습을 ❺______________ 고 말았습니다. 너무 창피했는데 남자 친구는 오후에 만나서도 계속 그 이야기만 했습니다. 그래서 저는 남자 친구에게 그만 ❻______________ 고 말았습니다.

8과 3항

어휘

1. 다음 [보기]에서 알맞은 말을 골라 빈칸에 쓰십시오. (**请从[보기]中选择合适的单词填到横线上。**)

[보기] 고민 걱정 문제 의견 충고

미래가 ❶걱정되십니까?

직장을 계속 다녀야 할까 ❷____________이십니까?/십니까?

상사와 ❸____________이/가 맞지 않아 힘들지는 않으십니까?

다른 사람의 ❹____________이/가 필요하다고 느끼신 적은 없으십니까?

"직장 생활에서 성공하는 비법"이 직장에서 생길 수 있는 모든 ❺____________의 해결 방법을 알려 드립니다. 이 책을 읽는 순간 당신의 성공이 보일 겁니다.

2. 다음 [보기]에서 알맞은 말을 골라 빈칸에 쓰십시오. (**请从[보기]中选择合适的单词填到括号中。**)

[보기] 표정 그냥 아무 아무리 말 못하다 어둡다

❶ 비도 오고 하니까 오늘은 (그냥) 집에서 쉬는 게 어때요?

❷ 친구 사이에 (   )을/ㄹ 고민이 뭐야? 이야기해 봐.

❸ 수지 씨는 시험에 합격하고 나서 (   )이/가 밝아졌다.

❹ 그 친구는 고향에 돌아간 뒤로 지금까지 (   ) 연락이 없다.

❺ 공부를 (   ) 열심히 해도 성적이 오르지 않아서 걱정이에요.

❻ 밍밍 씨한테 무슨 걱정이 있는지 요즘 얼굴이 (   )어/아/여 보인다.

문법

-고는

3. 관계있는 문장을 연결해서 한 문장으로 완성하십시오. (**请正确连线相关内容，然后把两个短句改写成一个句子。**)

일기를 쓰다 •	• 건강해졌어요.
운전면허를 따다 •	• 공연장에 가지 않았어요.
거짓말을 하다 •	• 배탈이 나서 병원에 갔어요.
연극 표를 사다 •	• 곧 잠이 들었습니다.
팥빙수를 먹다 •	• 운전할 생각도 안 해요.
담배를 끊다 •	• 얼굴이 빨개졌습니다.

❶ 일기를 쓰고는 곧 잠이 들었습니다.

❷ ____________ 고는 ____________.

❸ ____________ 고는 ____________.

❹ ____________ 고는 ____________.

❺ ____________ 고는 ____________.

❻ ____________ 고는 ____________.

4. 다음 [보기]에서 알맞은 말을 골라 빈칸에 쓰십시오. (**请从[보기]中选择合适的单词填到横线上。**)

[보기] 놓다 듣다 마시다 보다 사과하다 화해하지 않다

여자 친구는 저하고 데이트할 때 돈을 내지 않습니다. 오늘도 커피를 ❶ 마시고는 그냥 밖으로 나갔습니다. 그래서 저는 여자 친구를 불러서 오늘은 돈을 내라고 이야기했습니다. 여자 친구는 제 이야기를 ❷ ____________ 고는 화를 냈습니다. 그리고 찻값을 테이블 위에 ❸ ____________ 고는 나갔습니다. 오늘 학교에서 여자 친구를 봤습니다. 여자 친구는 나를 ❹ ____________ 고는 더 큰 소리로 다른 친구와 웃으면서 이야기를 했습니다. 여자 친구와 싸우니까 마음이 너무 불편했습니다. ❺ ____________ 고는 잠이 안 올 것 같아서 여자 친구에게 전화를 했습니다. 여자 친구도 제게 ❻ ____________ 고는 앞으로 잘 지내자고 했습니다.

-을지도 모르다

5. 다음 그림을 보고 대화를 완성하십시오. (**请看下图完成对话。**)

여자 : 왜 우산을 가지고 오셨어요?

남자 : ❶비가 올지도~~을지도/ㄹ지도~~ 몰라서 우산을 가지고 왔어요.

여자 : 덥지 않으세요? 왜 이렇게 두꺼운 옷을 입고 오셨어요?

남자 : ❷...을지도/ㄹ지도 몰라서 두꺼운 옷을 입고 왔어요.

여자 : 지도는 왜 가지고 오셨어요?

남자 : ❸...을지도/ㄹ지도 몰라서 가지고 왔어요.

여자 : 손전등은요?

남자 : ❹...을지도/ㄹ지도 몰라서 가지고 왔지요.

여자 : 그런데 신문은 왜 가지고 오셨어요?

남자 : ❺...을지도/ㄹ지도 몰라서 가지고 왔지요.

여자 : 어, 저기 가게가 있네요. 저기서 먹을 것 좀 사 가지고 갈까요?

남자 : ❻...을지도/ㄹ지도 몰라서 제가 먹을 것도 가지고 왔으니까 그냥 가요.

여자 : 준비를 잘 해서 좋기는 한데 가방이 무거워서 힘들겠어요.

6. 다음 대화를 완성하십시오. (**请完成下面的对话。**)

❶ 가 : 할머니께 전화 드렸어?

나 : 아니, 주무시고 계실지도 ~~을지도/ㄹ지도~~ 몰라서 전화를 안 했어.

❷ 가 : 왜 항상 사전을 가지고 다니세요?

나 : ______________ 을지도/ㄹ지도 몰라서요.

❸ 가 : 음식을 왜 그렇게 많이 시키세요?

나 : ______________ 을지도/ㄹ지도 몰라서요.

❹ 가 : 왜 영어로 이야기하세요?

나 : 사람들이 ______________ 을지도/ㄹ지도 몰라서 영어로 이야기해요.

❺ 가 : MP3를 사려고 하는데 10만 원 정도면 충분하겠지?

나 : 글쎄. ______________ 을지도/ㄹ지도 모르니까 더 가지고 가 봐.

❻ 가 : 밤이 늦었는데 왜 안 주무세요?

나 : ______________ 을지도/ㄹ지도 몰라서요. 남편이 출장을 가면 꼭 전화를 하는데 오늘은 아직 전화가 안 왔거든요.

8과 4항

어휘

1. 다음 [보기]에서 알맞은 말을 골라 빈칸에 쓰십시오. (请从[보기]中选择合适的单词填到括号中。)

[보기] 상담 교사　　상담실　　신청서　　조언　　상담 받다

저희 ❶(상담실)을/를 찾아 주셔서 감사합니다. ❷(　　　　)기를 원하시는 분은 먼저 ❸(　　　　)을/를 작성해 주십시오. 원하는 시간과 상담 내용을 간단히 적어 주시면 저희가 ❹(　　　　)께 연락을 드려서 상담을 받을 수 있게 해 드립니다. 친절하고 경험이 많으신 분들이니까 좋은 ❺(　　　　)을/를 해 주실 겁니다. 궁금한 것이 있으면 전화로 연락해 주십시오.

2. 다음 [보기]에서 알맞은 말을 골라 빈칸에 쓰십시오. (请从[보기]中选择合适的单词填到括号中。)

[보기] 면접시험　　성적표　　원서　　입학하다　　접수시키다

❶ 시험을 본 후 시험 결과를 알려 주는 것 → (성적표)
❷ 신청서 같은 서류를 내다 → (　　　　)
❸ 학교에 들어가 학생이 되다 → (　　　　)
❹ 직접 만나서 질문에 대답하는 시험 → (　　　　)
❺ 회사나 학교에 지원하는 내용을 적은 서류 → (　　　　)

문법

–으면 되다

3. 다음 표에 표시하고 문장을 완성하십시오. (**请在下表中做选择，然后完成句子。**)

❶ 한국말을 잘 하고 싶다.	☐ 한국에 유학 온다. ☑ 한국 친구를 사귄다. ☐ 한국 영화를 많이 본다.
❷ 옷이 잘 안 맞는다.	☐ 교환한다. ☐ 수선한다. ☐ 환불한다.
❸ 여자 친구가 화가 났다.	☐ 꽃을 선물한다. ☐ 진심으로 사과한다. ☐ 아무 일 없는 것처럼 행동한다.
❹ 텔레비전을 싸게 사고 싶다.	☐ 인터넷으로 산다. ☐ 중고 텔레비전을 산다. ☐ 전자 상가에 가서 산다.
❺ 한국 요리를 하고 싶다.	☐ 요리책을 본다. ☐ 한국 친구에게 물어본다. ☐ ....
❻ 커피를 옷에 흘렸다.	☐ 물로 빤다. ☐ 세탁소에 맡긴다. ☐ ....

❶ 한국말을 잘 하려면 한국 친구를 사귀면~~으면/면~~ 돼요.
❷ 옷이 잘 안 맞으면 .... 으면/면 돼요.
❸ 여자 친구가 화가 났을 때에는 .... 으면/면 돼요.
❹ 텔레비전을 싸게 사고 싶으면 .... 으면/면 돼요.
❺ 한국 요리를 하고 싶으면 .... 으면/면 돼요.
❻ 커피를 흘렸을 때에는 옷을 .... 으면/면 돼요.

4. 다음 대화를 완성하십시오. (**请完成下面的对话。**)

❶ 가 : 선생님, 입학 원서는 언제까지 내야 해요?

나 : 1월 27일까지만 내면~~으면/면~~ 돼요.

❷ 가 : 외국인 노래자랑은 누구나 참가할 수 있어요?

나 : 네, ______________________ 으면/면 돼요.

❸ 가 : 4급에 꼭 올라가고 싶어요.

나 : 결석을 많이 하지 않고 ______________________ 으면/면 돼요.

❹ 가 : 국이 너무 짠 거 같은데 어떻게 하지요?

나 : ______________________ 으면/면 되니까 걱정하지 마세요.

❺ 가 : 어떻게 하면 시험을 잘 볼 수 있을까요?

나 : ______________________ 으면/면 돼요.

❻ 가 : 여행 갈 준비는 다 끝났어요?

나 : 네, 이제 ______________________ 으면/면 돼요.

이라서

5. 다음 달력을 보고 대화를 완성하십시오. (**请看下面的日历，然后完成对话。**)

10월

일	월	화	수	목	금	토
			1	2	3 개천절	4
5	6 추석 →	7	8	9 한글날	10	11 오늘
12 어머니 생신	13	14	15	16	17	18
19	20 중간시험 →	21	22	23	24	25 결혼기념일
26	27	28	29	30	31 백화점 세일 →	

❶ 가 : 오늘 왜 이렇게 사람이 많지?

나 : 토요일이라서~~이라서/라서~~ 그래요.

❷ 가 : 이번 추석에 고향에 다녀오려고 하는데 오늘 비행기 표를 살 수 있을까요?

나 : 글쎄요. 추석 ....이라서/라서 비행기 표를 구하기가 어려울 걸요.

❸ 가 : 내일 약속이 없으면 같이 식사하지 않을래요?

나 : 미안해요. 내일은 ....이라서/라서 가족들끼리 식사를 할 거예요.

❹ 가 : 우리 20일에 만나기로 했잖아요. 같이 도서관에서 공부하는 게 어때요?

나 : 20일부터 24일까지는 ....이라서/라서 도서관에 자리가 없을 거예요. 그냥 우리가 만나던 카페에서 만나지요.

❺ 가 : 이번 중간시험이 끝나고 나서 여행을 간다면서요?

나 : 네, 25일이 ....이라서/라서 제주도로 여행을 다녀올 거예요.

❻ 가 : 31일 약속이요, 백화점에서 만나서 밥도 먹고 쇼핑도 하는 게 어때요?

나 : 31일부터는 ....이라서/라서 백화점에 사람이 많을 거예요. 다른 곳에서 만나는 게 어때요?

6. 다음 이야기를 완성하십시오. (**请完成下面的文章。**)

오늘은 설날이다. 고향에 돌아가지 않은 동생과 나는 창덕궁에 가기로 했다. 동생도 나도 창덕궁에 가는 것은 ❶ 처음이라서~~이라서/라서~~ 한참을 헤맸다. 입장권을 사려고 하는데 ❷ ______________ 이라서/라서 외국인은 무료 입장이라고 했다. 들어가서 사진도 찍고 한국 전통 놀이도 해 봤다. 그런데 몇몇 곳은 ❸ ______________ 이라서/라서 들어가지 못했다. 올봄이 되어야 공사가 끝난다고 하니까 그때 다시 와 봐야겠다. 창덕궁에서 나와서 점심을 먹으려고 했는데 ❹ ______________ 이라서/라서 문을 닫은 곳이 많았다. 한국 친구에게 창덕궁 근처 식당에 대해서 물어보려고 전화를 했다. 여러 번 걸었지만 계속 ❺ ______________ 이라서/라서 할 수 없이 집으로 돌아왔다. 조금 쉬었다가 고향에 계신 부모님께 전화를 드렸는데 받지 않으셨다. 부모님도 ❻ ______________ 이라서/라서 할머니 댁에 가신 모양이다.

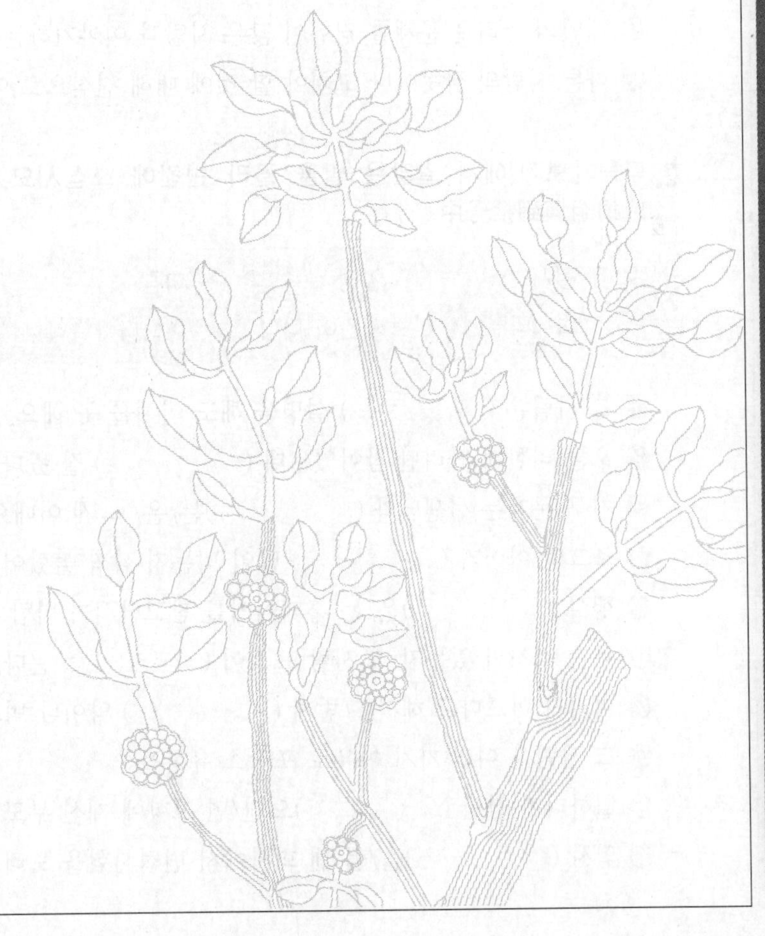

8과 5항

어휘와 문법

1. 다음 [보기]에서 알맞은 말을 골라 빈칸에 쓰십시오. **(请从[보기]中选择合适的单词填到括号中。)**

[보기] 기타	고민	모국어	상담	성별
신청	일정	준비물	충고	회원

❶ 그밖에 (　　　)
❷ 자기 나라 말 (　　　)
❸ 남자와 여자의 구별 (　　　)
❹ 어떤 모임에 가입한 사람 (　　　)
❺ 정해진 기간 동안 매일 해야 할 일 (　　　)
❻ 어떤 일을 해 줄 것을 요구하는 것 (　　　)
❼ 앞으로 할 일에 필요해 미리 준비한 물건 (　　　)
❽ 걱정이 있어서 괴로워하거나 답답해하는 것 (　　　)
❾ 개인의 어려운 문제를 경험이 많은 사람과 이야기하는 것 (　　　)
❿ 다른 사람의 잘못이나 고쳐야 할 것에 대해 진심으로 이야기하는 것 (　　　)

2. 다음 [보기]에서 알맞은 말을 골라 빈칸에 쓰십시오. **(请从[보기]中选择合适的单词或词组填到括号中。)**

[보기] 원서	일정	마침	아무	아무리
어찌나	시간이 나다	어둡다	의논하다	포기하다

❶ 그 사람은 (　　　　) 설명을 해도 이해를 못 해요.
❷ 오늘 너한테 가려던 참이었는데 (　　　　) 잘 왔다.
❸ 친구 문제는 선생님과 (　　　　)는/은/ㄴ 게 어때요?
❹ 조그만 아이가 (　　　　) 많이 먹는지 깜짝 놀랐어요.
❺ 행사 (　　　　)은/는 홈페이지를 참고하시기 바랍니다.
❻ 무슨 걱정이 있는지 그 사람 표정이 (　　　　)는다/ㄴ다/다.
❼ 머리가 아프다고 해서 그렇게 (　　　　) 약이나 먹으면 안 돼요.
❽ 그 사람은 여러 가지 이유로 프랑스 유학을 (　　　　)고 취직했다.
❾ 일하다가 잠깐 (　　　　)으면/면 고향에 계신 부모님께 전화를 한다.
❿ 입사 (　　　　)을/를 낸 회사에서 면접시험을 보러 오라는 연락이 왔다.

3. 다음 대화를 완성하십시오. (请完成下面的对话。)

❶ 가 : ______________ 으면서도/면서도 돈을 안 쓰는 사람을 뭐라고 해요?
나 : 구두쇠라고 해요.

❷ 가 : 내일은 늦지 말고 일찍 오세요.
나 : 네, ______________ 도록 하겠습니다.

❸ 가 : 얼마 전부터 중국어 공부를 시작했다면서요?
나 : 네, 그런데 발음이 어찌나 ______________ 는지/은지/ㄴ지 벌써 포기하고 싶어져요.

❹ 가 : 아이가 컴퓨터 게임을 좋아하나 봐요.
나 : 네, 컴퓨터 게임을 어찌나 ______________ 는지/은지/ㄴ지 휴일이면 하루 종일 게임만 해요.

❺ 가 : 표정이 왜 그래? 무슨 일 있어?
나 : 중요한 서류를 ______________ 고 말았어. 오늘 사장님이 그 서류를 찾으실 텐데 어떻게 하지?

❻ 가 : 밍밍 씨가 우울해 보이던데요.
나 : 고향에서 온 전화를 ______________ 고는 하루 종일 저래요. 무슨 일이 있나 봐요.

❼ 가 : 약속 시간을 왜 손바닥에다가 적어요?
나 : 안 그러면 ______________ 을지도/ㄹ지도 몰라서요.

❽ 가 : 내일 이사하신다면서요? 이사할 준비는 다 하셨어요?
나 : 네, 이제 ______________ 으면/면 돼요.

❾ 가 : 사진 좀 찍어 주세요.
나 : 네, 그러지요. 이 버튼만 ______________ 으면/면 되지요?

❿ 가 : 7, 8월에는 비행기 표를 사기가 어렵다면서요?
나 : 네, ______________ 이라서/라서 그래요.

4. 다음 중 맞는 문장에 ○표 하십시오. (请在正确的句子后面标记○。)

❶ 그 물건이 비싼데도 샀어요. ( )
그 물건이 비싸면서도 샀어요. ( )

❷ 내일까지 꼭 써 오도록 합니다. ( )
내일까지 꼭 써 오도록 하겠습니다. ( )

❸ 어찌나 많이 웃은지 배가 다 아팠어요. ( )
어찌나 많이 웃었는지 배가 다 아팠어요. ( )

❹ 조심했지만 감기가 낫고 말았어요. ( )
조심했지만 감기에 걸리고 말았어요. ( )

❺ 그 사람은 옷을 입고는 벗었다. ( )
그 사람은 옷을 입고는 밖으로 나갔다. ( )

❻ 시험 기간이라서 도서관에 자리가 없어요. ( )
시험 기간이라서 도서관에서 공부합시다. ( )

듣기 연습

MP3: 18~19

1. 대화를 듣고 질문에 대답하십시오. (请听对话回答问题。)

1) 두 사람은 무슨 일 때문에 전화를 했습니까? ( )

❶ 친구를 소개하려고
❷ 언어 교환을 하려고
❸ 안부 인사를 전하려고
❹ 아르바이트를 소개하려고

2) 들은 내용과 같으면 ○표, 다르면 ×표 하십시오.

❶ 이 두 사람은 친한 친구 사이이다. ( )
❷ 여자는 한국어를 배우고 싶어하고 남자는 중국어를 배우고 싶어한다. ( )
❸ 남자는 여자에게 외국어를 가르쳐 주는 대신에 돈을 받을 것이다. ( )
❹ 남자는 토요일마다 아르바이트를 한다. ( )
❺ 두 사람은 매주 토요일 오전에 만날 것이다. ( )

2. 대화를 듣고 질문에 대답하십시오. (请听对话回答问题。)

1) 두 사람이 대화하는 곳은 어디입니까? ( )

❶ 교실
❷ 상담실
❸ 동아리 방
❹ 출입국관리사무소

2) 들은 내용과 같은 것을 고르십시오. ( )

❶ 이 학교는 오전에만 수업이 있다.
❷ 이 남자는 지금 아르바이트를 하고 있다.
❸ 이 학교에서 공부하기만 하면 취업 비자를 받을 수 있다.
❹ 이 남자는 아르바이트 자리를 부탁하려고 선생님을 찾아왔다.

읽기 연습

1. 다음 글을 읽고 질문에 대답하십시오. (**请阅读下面的文章回答问题。**)

연세 신문

청소년들의 가장 큰 고민은 역시 학교 성적

서울시가 청소년 750명을 조사한 결과 74%인 573명이 학교 성적을 가장 큰 고민거리로 꼽았다. 16%는 용돈이 적은 것이, 13%는 부모님과의 의견 차이가 고민이라고 답했다.

그렇다면 이런 고민거리가 있을 때에는 주로 누구와 의논할까? 절반에 가까운 48%는 친구라고 답했다. 그리고 어머니가 24%로 그 뒤를 이었지만 아버지와 고민거리를 의논한다고 대답한 청소년은 0.7% 밖에 없었다.

또 학교 성적이나 교육에 누가 관심을 보이냐는 질문에 대해서도 어머니라고 대답한 청소년은 44%였으나 아버지라는 응답은 7% 밖에 나오지 않아 아버지보다는 어머니와 더 가까운 관계임을 보여줬다.

1) 다음은 자신의 고민을 적은 글입니다. 서울에 사는 청소년들이 고민하는 문제와는 **다른** 문제를 고민하는 사람을 고르십시오. (　　　)

❶ 태우 : 필요한 돈보다 용돈이 적어요.

❷ 유카 : 아버지와 대화하는 일이 거의 없어요.

❸ 수지 : 열심히 공부해도 성적이 오르지 않아요.

❹ 승연 : 우리 부모님은 제 생각을 잘 이해하지 못 하세요.

2) 글의 내용과 같으면 ○표, 다르면 ×표 하십시오.

❶ 이 글은 한국 대학생 750명을 조사한 결과이다. (　　　)

❷ 청소년들은 고민이 있을 때 어머니와 가장 많이 의논한다. (　　　)

❸ 청소년들의 교육에는 어머니보다 아버지가 더 관심을 갖고 있다. (　　　)

❹ 청소년들은 아버지보다는 어머니와 더 가깝게 지내는 편이다. (　　　)

2. 다음은 안드레이 씨의 일기입니다. 읽고 질문에 대답하십시오. (**下面是安德烈的日记。请阅读日记回答问题。**)

6월 14일 흐림

며칠 동안 날씨가 흐려서 그런지 공부도 안 되고 너무 힘들다. 날씨 때문만은 아닌 걸 알면서도 날씨 때문이라고 말하고 싶다.

사실은 교실에서 처음 유카 씨를 본 날부터 유카 씨를 좋아하게 되었다. 첫날 자기소개 시간에 남자 친구가 있다고 해서 포기했었는데 연극 대회 준비를 하면서 더 좋아졌다. 좋아하면 안 된다고 생각하니까 더 좋아하게 되는 것 같았다.

그런데 얼마 전에 유카 씨에게 연락이 왔다. 친구들과 술을 마시고 있는데 같이 마시지 않겠냐고 했다. 나는 전화를 끊자마자 술집으로 뛰어갔다. 다른 친구들도 있었지만 내 눈에는 유카 씨만 보였다. 그런데 그날 유카 씨는 우울해 보였다. 남자 친구하고 헤어졌다고 했다. 그 말을 듣고 속으로는 기뻤지만 나는 유카 씨에게 아무 말도 할 수 없었다. 처음 만났을 때부터 좋아했다고 말해도 될까? 사귀자고 했는데 거절 당하면 어떻게 하지? 며칠 동안 이 생각만 하니까 머리도 아프고 식욕도 없다.

1) 이 사람이 고민하는 것은 무엇입니까? 쓰십시오.

....

2) 글의 내용과 같으면 ○표, 다르면 ×표 하십시오.

❶ 안드레이 씨가 지금 힘든 이유는 날씨 때문이다. ( )

❷ 안드레이 씨가 유카 씨를 처음 만났을 때 유카 씨는 남자 친구가 있었다. ( )

❸ 연극 대회를 준비하면서 안드레이 씨는 유카 씨에게 실망했다. ( )

❹ 안드레이 씨는 유카 씨에게 좋아한다고 고백했지만 거절 당했다. ( )

말하기 · 쓰기 연습

1. 배운 문법을 사용해 친구에게 질문하고 대답하십시오. **（请使用学过的语法跟朋友一起做问答练习。）**

질문	친구 1	친구 2
❶ 여러분은 야유회를 다녀온 적이 있습니까? 언제, 어디로 다녀왔습니까? 어땠습니까? (어찌나 -는지)		
❷ 여러분이 할 수 있는 외국어는 무엇입니까? 외국어를 잘 하는 비법이 있으면 이야기해 주십시오. (-도록 하다, -으면 되다)		
❸ 여러분은 지금 어떤 고민이 있습니까? 고민이 있을 때 누구와 의논합니까? 여러분은 친구들의 고민을 잘 들어주는 편입니까? (-으면서도, 이라서, 어찌나 -는지)		
❹ 여러분은 학교 상담실을 이용해 본 일이 있습니까? 상담실을 이용하려면 어떻게 해야 하는지 이야기해 주십시오. (-고는, -으면 되다)		

2. 다음 글을 읽고 여러분이라면 어떻게 할지 써 보십시오. 그리고 친구와 같이 이야기해 보십시오. **（请阅读下面的文章，写一下各位遇到这种情况会怎么做。然后跟朋友一起说一下。）**

> 나는 미국에서 온 교포이다. 한국에 대해서 알고 싶어서 이번 학기에 한국에 왔다. 어렸을 때부터 엄마, 아빠와 한국말로 이야기해서 말하기는 어느 정도 할 수 있다. 하지만 쓰기는 맞춤법도 잘 모르고 문법도 어려워서 너무 힘들다. 지난 중간시험 점수는 말하기가 82점, 듣기 78점, 읽기가 60점, 쓰기가 61점이었다.
>
> 선생님께서는 4급에 올라갈 수는 있지만 3급을 다시 한 번 공부하는 게 어떠냐고 하셨다. 한국말을 잘 하려면 선생님 말씀처럼 다시 공부하는 게 좋겠지만 시간과 돈을 생각하면 4급에 가는 것이 나을 것 같다. 6개월 후에는 고향으로 돌아가야 하는데 어떻게 해야 할지 모르겠다.

쉼터 4 - 퍼즐 게임

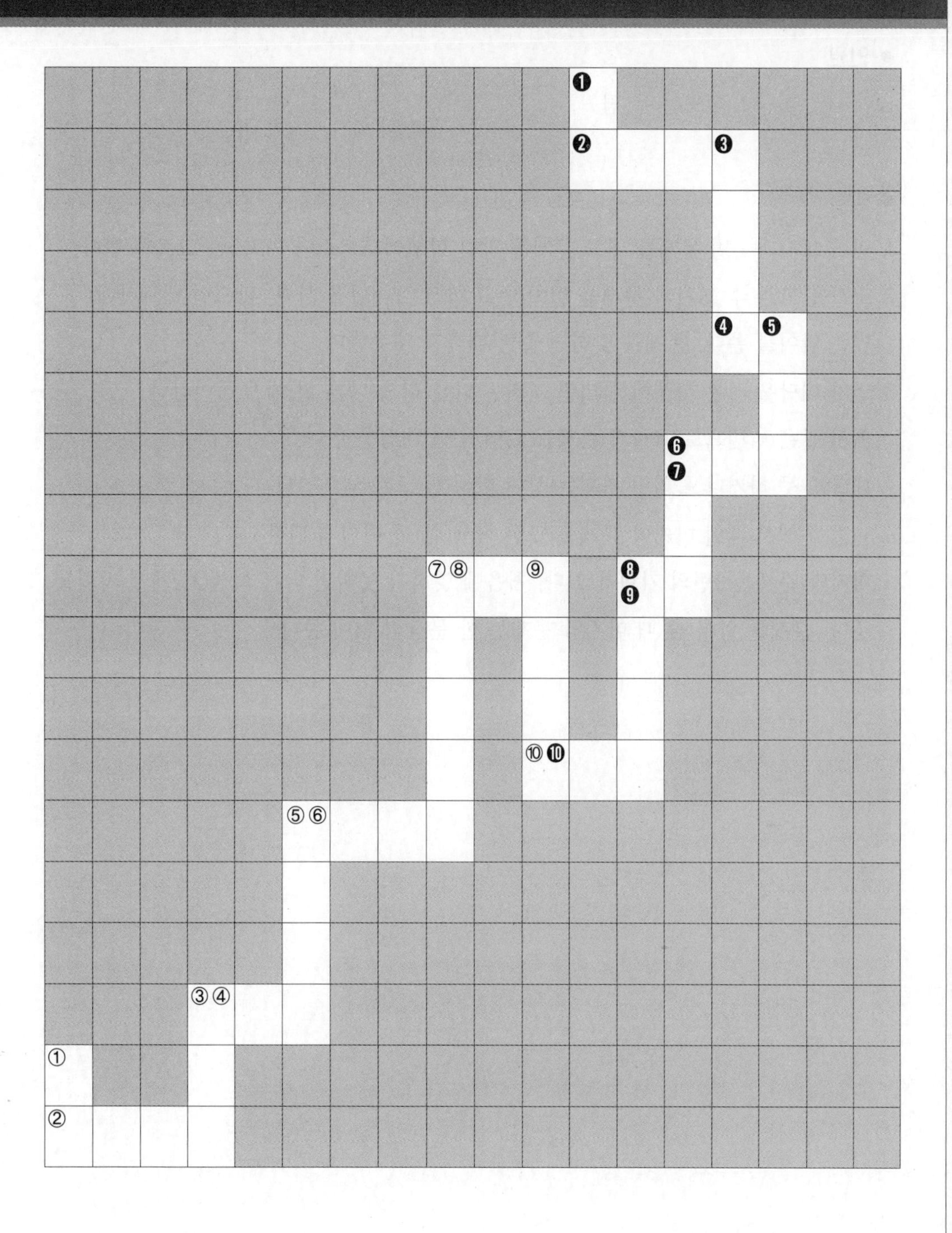

[게임 방법]

● 인원

교사 1인, 학생 2명 또는 두 팀

● 방법

1. 먼저 교사가 1)번 문제를 내고 문제를 맞힌 학생이 A코스나 B코스를 고르게 한다.
2. 코스를 고른 후 교사가 문제를 읽어 주고 학생은 대답을 한다. 맞으면 네모칸에 맞는 단어를 쓴다. 문제를 맞히면 틀릴 때까지 계속한다.
3. 먼저 대답을 하는 학생이 틀리면 기회는 다른 학생(다른 팀)에게 돌아간다. 역시 같은 방법으로 교사가 문제를 읽어 주면 대답을 한다. 대답을 못 하거나 틀리면 기회는 상대 학생(팀)으로 넘어간다.
4. 이렇게 해서 제일 마지막 문제를 맞힌 학생(팀)이 이기게 된다. 마지막 문제는 3번의 기회가 있다. 처음에 맞히지 못하면 다른 학생(팀)에게 기회를 준다. 문제를 읽어 줄 때 마지막 문제는 한 문장씩 읽어 준다.

문제1) 연극이나 영화에서 배우가 하는 말을 뭐라고 할까요?

○코스	●코스
② 자기의 잘못을 인정하고 용서를 빌다. ③ 흥겹고 기분이 좋다. 음악이 ○○○. ④ 새로 나온 상품 ⑤ 미생물의 작용으로 변화된 식품 김치, 치즈, 요구르트는 대표적인 ○○○○이다. ⑥ 어떤 사실이나 생각 등을 공식적으로 알리다. 연극 대회 심사 결과를 ○○○○. ⑦ 어떤 모습의 기억이 지워지지 않고 오랫동안 생각에 남는 것 ⑧ 사람을 그린 그림 ⑨ 눈이 부시게 아름답고 보기 좋다. 옷이 ○○○○. ⑩ · 글 등을 고치거나 정리하다. · 야채나 생선 중에 못 쓸 부분을 골라서 떼거나 버리다. · (몸이나 옷차림을) 보기 좋게 만지거나 손질하다. 머리를 ○○○.	❷ 장구, 북, 징, 꽹과리, 이 네 가지 악기를 가지고 하는 연주 ❸ 말이나 글의 뜻을 알다, 다른 사람의 마음을 잘 알아 주다. ❹ 일정한 시간이 지난 후 ○○부터는 약속을 꼭 지키세요. ❺ 음악을 연주하고 듣는 행사 ❻ 같은 학교에서 공부한 사람들의 모임 ❼ 컴퓨터 모니터의 화면이 텔레비전의 화면처럼 움직이는 것 홈페이지에 들어가면 자세한 설명과 함께 ○○○도 보실 수 있습니다. ❽ 실제로는 없거나 보이지 않는 것을 생각 속에 꾸미는 것 ❾ 어려운 문제에 대해 경험이 많은 사람과 이야기하다. ❿ · 글 등을 고치거나 정리하다. · 야채나 생선 중에 못 쓸 부분을 골라서 떼거나 버리다. · (몸이나 옷차림을) 보기 좋게 만지거나 손질하다. 머리를 ○○○.

제 9 과 부탁과 거절

9과 1항

어휘

1. 다음 [보기]에서 알맞은 말을 골라 빈칸에 쓰십시오. (**请从[보기]中选择合适的单词或词组填到横线上。**)

[보기] 부탁을 들어주다　부탁을 받다　부탁을 하다　거절하다　거절을 당하다

태우 : "돈 좀 빌려 줄 수 있니?" 승연 : "돈을 빌려 달라고? 　　　　알았어. 빌려 줄게."	태우는 승연이한테 돈을 빌려 달라는 ❶ 부탁을 했다 ~~었다/았다/였다~~. 승연이는 태우한테 ❷ ______ 었다/았다/였다. 승연이는 태우의 ❸ ______ 는다/ㄴ다.
수지 : "대사관에 같이 가 줄 수 있니?" 유카 : "나, 내일 약속이 있어서 안 돼." 수지 : "안 된다고? 그럼, 할 수 없지 뭐."	수지는 유카한테 ❹ ______ 었다/았다/였다. 유카는 수지의 부탁을 ❺ ______ 었다/았다/였다. 수지는 유카한테서 ❻ ______ 었다/았다/였다.

2. 다음 [보기]에서 알맞은 말을 골라 빈칸에 쓰십시오. (**请从[보기]中选择合适的单词或词组填到括号中。**)

[보기] 동료　뭐　갑자기　어쩐지　남다　밤을 새우다

❶ 이번 주말에 회사 (동료) ~~이~~/가 부산에서 결혼을 해서 거기에 가야 합니다.

❷ 집에 오는데 (　　　　) 비가 와서 옷이 다 젖었어요.

❸ 음식이 너무 많이 (　　　　)어서/아서/여서 친구들한테 싸 주었어요.

❹ 보고서를 쓰느라고 어제 (　　　　)어서/아서/여서 지금 정신이 하나도 없어요.

❺ 친구가 병원에 입원해서 (　　　　) 좀 사 가지고 가고 싶은데 어떤 게 좋을까요?

❻ 가 : 내일 고향에서 친한 친구가 올 거예요.

　나 : (　　　　) 그래서 그렇게 기분이 좋군요.

문법

-기는요

3. 다음 대화를 완성하십시오. (**请完成下面的对话。**)

❶ 가 : 요리를 잘 하시네요.
나 : 잘 하기는요. 그냥 요리하는 걸 좋아할 뿐이에요.

❷ 가 : 발음이 좋네요.
나 : ______________ 기는요. 연습을 더 해야 하는데요.

❸ 가 : 술을 안 좋아하세요?
나 : ______________ 기는요. 의사 선생님이 마시지 말라고 해서 안 마시는 거예요.

❹ 가 : 이삿짐 정리는 다 했니?
나 : ______________ 기는. 이번 주 내내 해야 할 것 같은데.

❺ 가 : 도와주지 못해서 미안해.
나 : ______________ 기는. 내가 너무 무리한 부탁을 해서 더 미안한데.

❻ 가 : 탁구를 정말 잘 치시네요.
나 : ______________ 기는요. 그냥 취미로 조금 칠 뿐이에요.

4. '-기는요'를 사용해 대화를 완성하십시오. (**请使用"-기는요"完成对话。**)

수지 : 어제 노래방에서 보니까 밍밍 씨가 노래를 아주 잘 하던데요.
밍밍 : ❶잘 하기는요. 노래 부르는 걸 좋아할 뿐이에요.
수지 : 춤도 잘 춘다고 하던데 사실이에요?
밍밍 : ❷______________ 기는요. 학교 다닐 때 댄스 동아리에서 좀 배웠을 뿐이에요.
수지 : 학교 다닐 때 공부도 잘 했지요?
밍밍 : ❸______________ 기는요. 그냥 열심히 했어요.
수지 : 이래서 밍밍 씨가 친구들한테 인기가 많은가 봐요.
밍밍 : ❹______________ . 그렇게 칭찬을 하시니까 부끄럽잖아요.
수지 : 그런데 밍밍 씨 친구인 샤오밍 씨는 좀 무뚝뚝한 것 같아요.
밍밍 : ❺______________ . 얼마나 친절한데요.
수지 : 그래요? 저는 무뚝뚝한 줄 알았어요. 말이 없어서요.
밍밍 : ❻______________ . 재미있는 농담을 얼마나 잘 하는지 몰라요.

-느라고

5. '-느라고'를 사용해 대화를 완성하십시오. (**请使用"-느리고"完成对话。**)

❶ 가 : 요즘 왜 그렇게 바빠요?
나 : 결혼 준비를 하느라고 바빠요. 제 결혼식이 일주일밖에 안 남았거든요.

❷ 가 : 요즘 왜 전화도 안 하니?
나 : 미안해. ________________ 느라고 못했어. 시험이 끝나면 한번 만나자.

❸ 가 : 왜 이렇게 늦었니?
나 : ________________ 느라고 늦었어. 빨리 새 하숙집을 구해야 할 텐데.

❹ 가 : 수연 씨, 아주 힘들어 보이네요.
나 : 네, ________________. 공연이 끝나면 연락할게요.

❺ 가 : 어제는 모임에 왜 안 왔어요?
나 : ________________. 고향에서 부모님이 오셨거든요.

❻ 가 : 하루 종일 뭐 하느라고 식사도 못했어?
나 : ________________. 집이 너무 더러워서 시간이 많이 걸렸어요.

6. 다음 표를 보고 '-느라고'를 사용해 문장을 완성하십시오. (**请看下表，然后使用"-느리고"完成句子。**)

수지	에릭	히로시	유카	올가	안드레이
텔레비전에서 내가 좋아하는 영화를 하고 있었다. 영화를 보고 잤다.	친구가 고민이 있다고 술을 마시자고 했다. 2시까지 마셨다.	친구가 아파서 내가 대신 아르바이트를 했다. 하루 종일 해서 정말 피곤했다.	이모가 오라고 해서 이모댁에 갔다가 왔다. 시간이 많이 걸렸다.	동생이 갑자기 아팠다. 밤새도록 간호를 했다.	회사에서 밀린 일을 했다. 12시에 퇴근했다.

선생님 : 시험공부 많이 했어요? 네? 못 하다니요? 왜요?

❶ 수지 : 좋아하는 영화를 보느라고 시험공부를 못 했어요.
❷ 에릭 : ________________ 느라고 ________________.
❸ 히로시 : ________________ 느라고 ________________.
❹ 유카 : ________________.
❺ 올가 : ________________.
❻ 안드레이 : ________________.

9과 2항

어휘

1. 상황에 맞게 문장을 만드십시오. (请根据所给出的情景造句。)

❶ 처음 보는 사람한테 길을 물을 때
실례지만 길 좀 묻겠습니다.

❷ 윗사람과의 약속을 미뤄야 할 때
죄송하지만 ....

❸ 윗사람한테 인사를 간다고 전화할 때
오늘 시간이 있으세요? ....

❹ 지나가는 사람한테 사진 촬영을 부탁할 때
실례지만 ....

❺ 식당에서 자리가 없어서 모르는 사람과 같이 앉아야 할 때
실례지만 ....

2. 다음 [보기]에서 알맞은 말을 골라 빈칸에 쓰십시오. (请从[보기]中选择合适的单词填到括号中。)

[보기] 기린 발짝 내밀다 누르다 물러나다 지나가다

❶ 동물원에 가서 (기린)을/~~를~~ 봤는데 정말 목이 길었어요.
❷ 시계가 없어서 ( )는 사람한테 시간을 물어봤다.
❸ 문 옆에 있는 벨을 ( )으면/면 직원이 나올 거예요.
❹ 얼굴이 너무 작게 나오니까 한 ( )만 앞으로 나와 주세요.
❺ 그 아이는 갑자기 손을 ( )으면서/면서 돈을 달라고 했다.
❻ 지금 지하철이 들어오고 있으니까 한 걸음 뒤로 ( )어/아/여 주십시오.

문법

아, 저, 자

3. 다음 [보기]에서 알맞은 말을 골라 빈칸에 쓰십시오. (**请从[보기]中选择合适的单词填到括号中。**)

[보기]	아	저	자	글쎄요	있잖아	저기요

담화 표지	상황	예문
❶ 저	말을 시작하기가 어려울 때	(저), 할 말이 있는데요.
❷ ________	놀라거나 당황했을 때 급할 때	(　　　), 무서워.
❸ ________	지나가는 사람을 부를 때 말을 시작하기가 어려울 때	(　　　), 혹시 이 근처에 은행이 있나요?
❹ ________	어떤 것을 강조하거나 확인할 때	(　　　), 그 말이 사실이래. (　　　), 그 사람이 유명한 배우였대.
❺ ________	다른 사람의 말이나 행동에 대답하기 어렵거나 생각하는 시간이 필요할 때	(　　　), 잘 모르겠는데요.
❻ ________	사람의 관심이나 주의를 끌고 싶을 때	(　　　), 저를 보세요. (　　　), 그만 갑시다.

4. 다음 대화를 완성하십시오. (**请完成下面的对话。**)

❶ 가 : 어, 내 안경 어디 있지?
나 : 저기 식탁 위에 있잖아.

❷ 가 : ________, 이제 슬슬 일어날까요?
나 : 네, 가요.

❸ 가 : ________, 공기밥 하나 더 주세요.
나 : 네, 잠깐만 기다리세요. 곧 갖다 드릴게요.

❹ 가 : 우리가 지난번에 학생 식당에서 먹었던 그 음식이 뭐지?
나 : ________, 뭐더라.

❺ 가 : ________, 아까 만난 그 사람이 이 회사 사장이래.
나 : 정말이야? 그냥 직원인 줄 알았는데.

❻ 가 : ________, 잠깐 할 얘기가 있는데 시간이 있으세요?
나 : 무슨 일이신데요?

-게

5. 다음 문장을 완성하십시오. (**请完成下面的句子。**)

❶ 모두들 알 수 있게 좀 쉽게 설명해 주세요.
❷ 감기에 ________________게 옷을 많이 입히세요.
❸ 운동을 할 땐 ________________게 조심하십시오.
❹ 엄마, 극장에 ________________게 용돈 좀 주세요.
❺ 아주머니, 여기 음식을 덜어 ________________게 그릇 좀 갖다가 주세요.
❻ 사진이 또 떨어졌네요. 이번에는 ________________지 않게 잘 붙여 주세요.

6. 다음 그림을 보고 문장을 만드십시오. (**请看下图造句。**)

❶

공연에 방해가 됩니다.

❷

뒷사람이 볼 수 없습니다.

❸

아이들이 먹으면 위험합니다.

❹

속도를 줄이지 않으면 사고가 납니다.

❺

떠들면 다른 사람에게 방해가 됩니다.

❻

포장을 잘못하면 깨질 수 있습니다.

❶ 공연에 방해가 되지 않게 휴대전화를 꺼 주십시오.
❷ ________________게 일어서지 마십시오.
❸ ________________게 높은 곳에 올려 놓으십시오.
❹ ________________게 ________________.
❺ ________________게 ________________.
❻ ________________게 ________________.

9과 3항

어휘

1. 다음 중 빈칸에 들어갈 수 없는 말을 고르십시오. (**请选出不能填到下面横线上的一项。**)

1) 신문에 ______ 단어가 많아서 아무리 읽어도 이해할 수 없어요. (❸)

❶어렵다 ❷모르다 ❸힘들다

2) 요즘 ______ 은/ㄴ 문제가 많아요. ( )

❶어렵다 ❷안 되다 ❸힘들다

3) 그런 질문은 대답하기가 ______ 어요/아요/여요. ( )

❶안 되다 ❷어렵다 ❸힘들다

4) 오늘까지 그 일을 끝내는 것은 ______ 은/ㄴ 일이에요. ( )

❶안 되다 ❷어렵다 ❸불가능하다

5) 생활이 ______ 어서/아서/여서 대학에 가는 걸 포기했어요. ( )

❶어렵다 ❷힘들다 ❸불가능하다

2. 다음 빈칸에 공통으로 들어갈 말을 [보기]에서 골라 쓰십시오. (请从[보기]中选择可以共同用于○○的单词填到括号中。)

[보기] 발표 부탁 순서 지방 출장

❶ ○○ 대학 (지방)
○○ 출장
○○ 출신

❷ 해외 ○○ ( )
○○비
○○ 중

❸ ○○을/를 하다 ( )
○○을/를 듣다
○○을/를 준비하다

❹ ○○을/를 지키다 ( )
○○을/를 기다리다
○○을/를 바꾸다

❺ ○○을/를 하다 ( )
○○을/를 들어주다
○○을/를 거절하다

문법

–다니

3. 다음 표를 보고 '–다니'를 사용해 문장을 만드십시오. (请看下面方框中的内容，然后使用"–다니"造句。)

❶ 아이를 제일 많이 낳은 여자 : 바실리에드 (러시아) 69명
❷ 세상에서 제일 작은 책 : 가로, 세로 3.5mm
❸ 딸꾹질을 제일 오래 한 사람 : 찰스 오스본 (미국) 69년
❹ 키가 제일 큰 사람 : 로봇 피싱 와들로우 (미국) 272cm
❺ 한국에서 제일 긴 이름 : 황금독수리하늘을날며세상을놀라게하다
❻ 세상에서 제일 비싼 커피 : 코피 루왁 (인도네시아) 한 잔에 오만 원

❶ 아이를 69명이나 낳다니 믿을 수 없어요.
❷ ....
❸ ....
❹ ....
❺ ....
❻ ....

4. 다음 기사를 읽고 '-다니'를 사용해 문장을 완성하십시오. (请阅读下面的报道，然后使用“-다니”完成句子。)

12월 23일

요즘 전 세계적으로 이상한 날씨가 계속되고 있다.

서울 여의도에는 봄에 피는 꽃들이 활짝 피어서 거리는 꽃구경을 나온 사람들로 교통 혼잡이 일어나기도 했다. 그런가 하면 제주도는 기온이 영하 15도로 내려가서 많은 나무와 꽃이 얼어 죽었다고 한다.

이런 이상한 일은 세계 여러 나라에서도 일어나고 있다. 유럽에서는 겨울에 큰비가 내려 홍수가 일어났다. 동남아에서는 갑자기 기온이 떨어지고 눈이 내렸다. 또 러시아에서는 갑자기 날씨가 따뜻해져서 여름옷을 입고 다니는 사람들이 늘고 있을 뿐만 아니라 호수에서 수영을 하는 사람도 있다고 한다. 계절이 반대인 호주에서도 우박이 내리는 등 지구 곳곳에서 이상한 일들이 계속 일어나고 있다.

❶ 여의도 : 겨울에 꽃이 피다니 믿을 수가 없어요.

❷ 제주도 : ……………………

❸ 유럽 : ……………………

❹ 동남아 : ……………………

❺ 러시아 : ……………………

❻ 호주 : ……………………

-게 하다

5. '-게 하다'를 사용해 대화를 완성하십시오. (请使用“-게 하다”完成对话。)

❶ 가 : 아이가 하루 종일 집에서 비디오만 봐요.

나 : 가능하면 비디오를 보지 않고 친구들과 놀게 하세요~~으세요/세요~~.

❷ 가 : 이따가 약속 시간에 보자.

나 : 오늘은 ……………… 지 마. 나는 기다리는 게 제일 싫어.

❸ 가 : 제 동생은 밤을 새우면서 게임만 해요.

나 : 게임을 너무 오래 ……………… 으세요/세요.

❹ 가 : 제 남편은 피로가 쌓여 있는데도 일만 해요.

나 : 먼저 남편을 좀 ……………… 으세요/세요. 쉬어야 피로가 풀립니다.

❺ 가 : 아이가 모기에 물린 곳을 자꾸 긁어요.

나 : 긁으면 안 되니까 .... 으세요/세요.

❻ 가 : 앞으로 이런 일이 다시 .... 으세요/세요.

나 : 네, 잘 알겠습니다. 앞으로는 이런 일이 없을 겁니다.

6. 다음 상담 내용을 보고 '-게 하다'를 사용해 문장을 만드십시오. (**请阅读下面的咨询内容，然后使用"-게 하다"造句。**)

질문

아버지가 얼마 전에 고혈압으로 쓰러지셨어요. 의사 선생님께서 아주 조심해야 한다고 하셨어요. 어떻게 해야 할지 가르쳐 주세요.

상담

아주 착한 따님이시군요. 고혈압은 아주 위험합니다. 음식 조절과 운동이 중요하니까 다음 사항을 잘 지키도록 따님이 도와주세요.

❶ 고혈압 환자에게 짠 음식은 나쁩니다.
❷ 담배를 끊어야 합니다.
❸ 약을 매일 드셔야 합니다.
❹ 스트레스를 받지 않는 것이 좋습니다.
❺ 매일 30분 이상 운동을 하는 것이 좋습니다.
❻ 규칙적으로 의사에게 진찰을 받아야 합니다.

❶ 아버지께서 짠 음식을 드시지 않게 하세요.
❷ ....
❸ ....
❹ ....
❺ ....
❻ ....

9과 4항

어휘

1. 다음 [보기]에서 알맞은 말을 골라 빈칸에 쓰십시오. (请从[보기]中选择合适的单词填到括号中。)

[보기] 과장님 사모님 사장님 선생님 ________ 씨 ________ 아/야

❶ 회사원 중 대리 바로 위인 사람을 부를 때 쓰는 말 (과장님)
❷ 회사의 책임자 또는 회사 대표를 부를 때 쓰는 말 ( )
❸ 보통 사람을 부를 때 이름 뒤에 붙여 쓰는 말 ( )
❹ 자기보다 나이가 어린 사람의 이름을 부를 때 쓰는 말 ( )
❺ 선생님의 부인 또는 다른 사람의 부인을 부를 때 쓰는 말 ( )
❻ 보통 남자 어른을 부를 때 쓰는 말 또는 학생들을 가르치는 사람 ( )

2. 다음 [보기]에서 알맞은 말을 골라 빈칸에 쓰십시오. (请从[보기]中选择合适的单词或词组填到括号中。)

[보기] 거래처 선약 통역 곤란하다 귀하다 마중을 나가다

❶ 가 : 내일 약속 말인데요. 혹시 오늘 오후로 바꿔도 될까요?
나 : 죄송합니다. 오늘 오후에는 (선약)이/~~가~~ 있어서 곤란할 것 같은데요.
❷ 가 : 한국어를 배워 가지고 무슨 일을 하고 싶으세요?
나 : 저는 한국어를 모르는 사람을 위해서 ( )을/를 하고 싶습니다.
❸ 가 : 어디 가세요?
나 : 친구가 온다고 해서 공항에 ( )는/은/ㄴ 길이에요.
❹ 가 : 그동안 감사했습니다. 이거 제가 만든 것인데 한번 써 보세요.
나 : 이렇게 ( )는/은/ㄴ 선물을 받아도 될지 모르겠네요. 감사합니다.
❺ 가 : 사장님, ( )에서 연락이 왔는데요. 오늘까지 물건을 보내 달래요.
나 : 어, 그래요? 오늘까지 보내려면 서둘러야겠네요.
❻ 가 : 이거 한 달 전에 여기서 산 옷인데 교환할 수 있어요?
나 : 그건 좀 ( )는데요/은데요/ㄴ데요. 구입하신 지 너무 오래 되어서요.

문법

-는다지요?

3. 다음을 읽고 대화를 완성하십시오. (**请阅读下面的文章完成对话。**)

설날 연휴가 시작되었습니다. 지금 고속도로는 고향으로 가는 차들로 매우 복잡합니다. 이미 비행기 표와 기차표는 두 달 전에 예약이 끝났습니다. 자동차로 고향에 가시는 분들은 좀 일찍 서두르시는 게 좋을 것 같습니다. 서울을 출발해 부산까지 가는 데는 평소보다 네 시간 정도 더 걸릴 것으로 보입니다.

한편 서울 동대문 시장과 남대문 시장에는 설날 준비를 하러 나온 사람들로 무척 복잡합니다. 대부분의 시장과 가게들은 오늘까지만 문을 열고 내일부터는 쉴 예정입니다. 또한 가정에서는 설날 아침에 먹을 떡국과 그 밖의 설날 음식을 준비하느라고 바쁘고, 은행은 아이들에게 줄 세뱃돈을 새 돈으로 바꾸려는 어른들로 만원입니다. 모두가 바쁘고 힘들지만 얼굴에는 웃음이 가득한 것 같습니다. 모두 모두 새해 복 많이 받으시길 바랍니다.

에릭 : 한국 사람들은 명절이 되면 ❶고향에 간다지요? ~~는다지요? /다지요? /이라지요~~?

올가 : 네, 그런가 봐요. 그래서 명절이 되면 서울 거리는 오히려 한산해요.

에릭 : 비행기나 기차를 타려면 ❷ ____________ 는다지요?/다지요?/이라지요?

올가 : 네, 그래서 비행기 표나 기차표를 사는 걸 하늘의 별따기라고 한대요.

에릭 : 그렇겠네요. 표를 구하지 못한 사람들은 자동차를 가지고 가기 때문에 ❸ ____________ 는다지요?/다지요?/이라지요?

올가 : 네, 너무 밀려서 고향으로 가다가 되돌아오는 사람도 있다고 들었어요.

에릭 : 가게와 시장들도 ❹ ____________ 는다지요?/다지요?/이라지요?

올가 : 네, 그래서 필요한 것은 미리 사 놓아야 한대요.

에릭 : 설날 아침에는 가족들이 모여 ❺ ____________ 는다지요?/다지요?/이라지요?

올가 : 네, 그렇대요. 한국 사람들은 떡국을 먹어야 나이를 먹는다고 생각한대요.

에릭 : 떡국을 먹고 세배를 하는데 세배를 하면 ❻ ____________ 는다지요?/다지요?/이라지요?

올가 : 네, 그래서 아이들은 설날을 제일 좋아한대요.

에릭 : 저도 세배하고 세뱃돈을 받았으면 좋겠네요.

4. 다음은 한국 사람들이 좋아하는 것들입니다. 표를 보고 '–는다지요?'를 사용해 대화를 완성하십시오. (下面是韩国人喜欢的东西。请看下表，然后使用“–는다지요?”完成对话。)

❶ 가장 좋아하는 음식	❷ 가장 인기 있는 공연	❸ 가장 많이 타는 자동차
1위 된장찌개 2위 김치 3위 불고기	1위 난타 2위 아이다 3위 비보이	1위 중형차 2위 소형차 3위 대형차
❹ 가장 자주 하는 운동	**❺ 가장 많이 먹는 술안주**	**❻ 가장 좋아하는 숫자**
1위 축구 2위 등산 3위 농구	1위 오징어 2위 마른 안주 3위 과일 안주	1위 7 2위 3 3위 5

❶ 가 : 한국 사람들이 제일 좋아하는 음식이 된장찌개라지요? ~~는다지요?/다지요?/이라지요~~?

나 : 네, 그렇대요. 저도 아주 좋아해요.

❷ 가 : ________________ 는다지요?/다지요?/이라지요?

나 : 그런가 봐요. 우리도 한번 보러 가요.

❸ 가 : 한국 사람들은 중형차를 ________________ 는다지요?/다지요?/이라지요?

나 : 네, 그렇대요.

❹ 가 : ________________ 는다지요?/다지요?/이라지요?

나 : 네, 그래서 그런지 주말에 공원에 가면 축구하는 사람이 참 많던데요.

❺ 가 : ________________?

나 : ________________.

❻ 가 : ________________?

나 : ________________.

–을 건가요?

5. 다음 대화를 완성하십시오. (请完成下面的对话。)

❶ 가 : 머리를 자르실 ~~을/ㄹ~~ 건가요?

나 : 아니요, 머리를 기르고 싶어요. 조금만 다듬어 주세요.

❷ 가 : ________________ 을/ㄹ 건가요?

나 : 이따가 시킬게요. 친구 한 명이 아직 안 왔거든요.

❸ 가 : ________________ 을/ㄹ 건가요? ________________ 을/ㄹ 건가요?

나 : 내일 가려고 합니다.

❹ 가 : ________________ 을/ㄹ 건가요? ________________ 을/ㄹ 건가요?

나 : 가지고 가서 먹을 거예요.

❺ 가 : ________________ 을/ㄹ 건가요? ________________ 을/ㄹ 건가요?

나 : 선물할 거니까 포장해 주세요.

❻ 가 : ________________ 을/ㄹ 건가요? ________________ 을/ㄹ 건가요?

나 : 친한 친구들 몇 명만 초대해서 집에서 간단히 하려고요.

6. '-을 건가요?'를 사용해 대화를 완성하십시오. (**请使用"-을 건가요?"完成对话。**)

가 : 비행기 표를 사려고 하는데요.

나 : ❶ 어디로 가실~~을/ㄹ~~ 건가요?

가 : 미국이요.

나 : ❷ ________________ 을/ㄹ 건가요?

가 : 다음 달 3일이요.

나 : 한국 항공과 아리랑 항공이 있는데 ❸ ________________ 을/ㄹ 건가요?

가 : 한국 항공이요.

나 : 오후 4시와 8시에 비행기가 있는데 어느 것을 타시겠어요?

가 : 오후 4시가 좋겠어요.

나 : 네, 알겠습니다. 그날은 아직 좌석이 많이 남아 있네요.

❹ ________________ ? ________________ ?

가 : 일반석이요.

나 : ❺ ________________ ?

가 : 두 명이요.

나 : 계산은 어떻게 하시겠어요?

❻ ________________ ?

가 : 네, 카드로 할게요.

9과 5항

어휘와 문법

1. 다음 [보기]에서 알맞은 말을 골라 빈칸에 쓰십시오. (**请从[보기]中选择合适的单词或词组填到括号中。**)

[보기]				
사모님	사장님	거절을 당하다	거절하다	부탁을 들어주다
부탁을 받다	부탁을 하다	불가능하다	안 되다	힘들다

❶ 친한 친구의 부탁은 (　　　　　　　)기가 어려워요.
❷ 선생님의 부인을 (　　　　　　　)이라고/라고 부른다.
❸ 부장님은 (　　　　　　　)와/과 함께 회의 중이신데요.
❹ 공사장에서 일하는 것은 아주 (　　　　　　　)는/은/ㄴ 일이다.
❺ 잘 모르는 사람한테 (　　　　　　　)기란 아주 어려운 일이었다.
❻ 친구의 (　　　　　　　)고 싶어도 내 힘으로 할 수 없는 일이었다.
❼ 어떤 이유가 있어도 그런 거짓말을 하는 것은 (　　　　　　　)는다/ㄴ다/다.
❽ 사람이나 동물이 공기가 없는 곳에서 사는 것은 (　　　　　　　)는다/ㄴ다/다.
❾ 너무 무리한 (　　　　　　　)었을/았을/였을 때는 어떻게 해야 할지 모르겠어요.
❿ 유카 씨한테 데이트 신청을 하고 싶은데 (　　　　　　　)을까/ㄹ까 봐 말이 안 나온다.

2. 다음 [보기]에서 알맞은 말을 골라 빈칸에 쓰십시오. (**请从[보기]中选择合适的单词填到括号中。**)

[보기]				
거래처	뭐	순서	지방	갑자기
곤란하다	내밀다	누르다	물러나다	지나가다

❶ 이걸 (　　　　　　　)으면/면 전원이 켜질 거예요.
❷ 시험도 끝났는데 (　　　　　　　) 재미있는 일이 없을까?
❸ 버스 안에서 창문 밖으로 손을 (　　　　　　　)으면/면 위험해요.
❹ 여기 이름이 적혀 있는 (　　　　　　　)대로 한 사람씩 들어오세요.
❺ 집에서 쉬고 있는데 (　　　　　　　) 회사에서 오라는 연락이 왔어요.
❻ 여기가 어디인지 잘 모르니까 (　　　　　　　)는/은/ㄴ 사람한테 물어봅시다.
❼ 아내의 회사가 (　　　　　　　)에 있어서 우리 부부는 주말에만 만난다.
❽ 너무 개인적인 것을 물어보면 대답하기가 참 (　　　　　　　)는다/ㄴ다/다.
❾ 오후에 (　　　　　　　) 사람들을 만나서 새 제품에 대해서 이야기해야 합니다.
❿ 여기에서 영화를 찍어야 하니까 구경하시는 분들은 좀 뒤로 (　　　　　　　)어/아/여 주세요.

3. 다음 대화를 완성하십시오. (**请完成下面的对话。**)

❶ 가 : 오만 원이면 너무 비싸요.
나 : ______________________ 기는요. 다른 곳에서는 십만 원이 넘어요.

❷ 가 : 한국말을 참 잘 하시네요.
나 : ______________________ 기는요. 아직도 모르는 것이 많은데요.

❸ 가 : 방학인데 고향에 안 가셨어요?
나 : ______________________ 느라고 ______________________ 었어요/았어요/였어요.

❹ 가 : 지난번에 우리가 같이 봤던 영화 제목이 뭐였죠?
나 : ______________________. 저도 생각이 안 나네요.

❺ 가 : ______________________, 혹시 에릭 씨 아니세요?
나 : 네, 맞는데요. 그런데 누구시죠?

❻ 가 : 눈이 와서 길이 미끄러운데요. ______________________ 게 조심하십시오.
나 : 네, 그럴게요.

❼ 가 : 어제 친구하고 약속을 했는데 아무 연락도 없이 친구가 안 왔어요.
나 : ______________________ 다니 ______________________?

❽ 가 : 이제 회의가 끝난 거예요?
나 : 네, ______________________ 게 해서 정말 죄송합니다.

❾ 가 : 두 사람이 다음 달에 ______________________ 는다지요?/다지요?/이라지요?
나 : 네, 서로 사랑하니까 잘 살 거예요.

❿ 가 : 이 옷은 누가 ______________________ 을/ㄹ 건가요?
나 : 제가 입을 거예요.

4. 다음 중 밑줄친 부분을 고치십시오. (**请修改下面画线部分。**)

❶ 감기에 걸리느라고 학교에 못 갔어요.

❷ 자, 어려운 부탁이네요.

❸ 다치지 말게 조심하세요.

❹ 별일도 아닌데 그렇게 화를 낸다니 그럴 수가 있어요?

❺ 누가 이 일을 하지 않게 했어요?

듣기 연습

MP3: 20~22

1. 음성 메시지를 듣고 질문에 대답하십시오. (**请听语音留言回答问题。**)

1) 여자가 주인 아저씨께 메시지를 남긴 이유는 무엇입니까? (　　　)

❶ 방을 옮기려고
❷ 수리를 부탁하려고
❸ 친구의 부탁을 하려고
❹ 다른 집으로 이사하려고

2) 들은 내용과 같으면 ○표, 다르면 ×표 하십시오.

❶ 여자는 이사한 지 얼마 안 된다. (　　)
❷ 욕실에 있는 수도에서 물이 계속 흐른다. (　　)
❸ 찬물도 하루 종일 나오지 않는다. (　　)
❹ 3층에 빈 방이 많이 있다. (　　)
❺ 주인 아저씨가 전화를 받지 않아서 메시지를 남겼다. (　　)

2. 대화를 듣고 질문에 대답하십시오. (**请听对话回答问题。**)

1) 남자는 여자에게 어떤 부탁을 했나요? 쓰십시오.

....

2) 남자가 보려는 영화는 어떤 영화인가요? (　　　)

❶ 코미디 영화이다.
❷ 영화 제목은 '비밀'이다.
❸ 밍밍 씨가 추천한 영화이다.
❹ 요즘 가장 인기 있는 영화이다.

3. 대화를 듣고 질문에 대답하십시오. (请听对话回答问题。)

1) 남자가 말하는 '부탁을 잘 하는 방법'이 <u>아닌</u> 것은 무엇입니까? (　　)

❶ 예의 바른 태도로 부탁한다.

❷ 부탁 내용은 알아듣기 쉽게 말한다.

❸ 부탁을 들어주면 직접적으로 고맙다는 표시를 하는 것이 좋다.

❹ 부탁을 할 때 부탁하는 이유는 대답을 들은 다음에 말하는 것이 좋다.

2) 남자는 어려운 부탁을 받았을 때 어떻게 합니까? (　　)

❶ 거절을 못해서 거의 다 들어준다.

❷ 부탁을 받기 전에 먼저 거절한다.

❸ 들어줄 수 없는 이유를 솔직하게 말한다.

❹ 생각할 시간을 달라고 한 후 나중에 거절한다.

읽기 연습

1. 다음 글을 읽고 질문에 대답하십시오. (**请阅读下面的文章回答问题。**)

나는 남에게 부탁하는 것을 별로 좋아하지 않는다. 남들이 도와주면 일이 쉬워지겠지만 힘들어도 혼자서 할 수 있는 일이라면 거의 스스로 하는 편이다. 부탁을 하면 상대방에게 부담을 주는 것 같은 기분이 들고 또 그 부탁으로 내가 빚을 진 것 같은 기분이 들기 때문이다. 그래서 나는 내가 들어준 부탁에 대해서도 별로 그 대가를 바라지 않는다. 그래서 그런지 친구들은 내가 손해 보고 산다고 말하기도 한다. 하지만 이 세상은 혼자서 살 수 없고 내 능력으로 하기 어려운 일이면 부탁을 해야 한다. 그것이 작은 것일 수도 있고 큰일일 수도 있다.

내 경우에는 부탁 한 번 하기가 아주 조심스럽다. 부탁을 들어주는 일은 개인의 선택이고 자유이다. 그런데 부탁을 받은 사람이 거절을 하는 경우 나는 어떻게 해야 할지 잘 모르겠다. 물론 아주 부드럽게 거절을 하면 나도 '아, 그러세요? 번거롭게 해 드려서 죄송합니다.'라고 말할 수 있다. 하지만 기분 나쁜 말투와 태도로 거절했을 때 그 기분은 말로 표현할 수 없다.

오늘 나는 그런 거절을 당했다. 부탁을 한 일이 그리 큰일도 아니었는데……. 앞으로 내가 그 사람을 어떻게 대해야 할지 걱정이 된다.

1) 이 사람이 부탁을 잘 하지 않는 이유는 무엇입니까? 두 가지를 쓰십시오.

❶ ....

❷ ....

2) 친구들이 이 사람한테 손해 보고 산다고 말하는 이유는 무엇입니까? 쓰십시오.

....

3) 글의 내용과 같은 것은 무엇입니까? (   )

❶ 이 세상은 부탁을 안 하고도 충분히 살 수 있는 곳이다.
❷ 나는 부탁을 거절한 사람을 보면 냉정하게 대하게 된다.
❸ 나는 다른 사람이 내 부탁을 안 들어주면 기분이 나빠진다.
❹ 다른 사람이 부드럽게 내 부탁을 거절하면 그리 기분이 나쁘지 않다.

말하기 · 쓰기 연습

1. 배운 문법을 사용해 친구에게 질문하고 대답하십시오. (**请使用学过的语法跟朋友一起做问答练习。**)

질문	친구 1	친구 2
❶ 친구한테 간단한 부탁을 해 보세요. (-기는요, -느라고)		
❷ 들어주기 곤란한 부탁을 받으면 어떻게 거절하겠어요? (-느라고)		
❸ 곤란한 질문은 어떤 거예요? 그런 질문을 받으면 어떻게 대답을 할 건가요? (음, 글쎄요)		
❹ 선생님께 부탁하고 싶은 것이 있나요? (-게, -게 하다)		

2. 다음 글을 읽고 여러분의 생각을 써 보십시오. 그리고 친구와 같이 이야기해 보십시오. (**请阅读下面的文章，写一下各位的想法。然后跟朋友一起说一下。**)

대화할 때 가장 어려운 것이 부탁과 거절이죠?

우리는 살아가면서 많은 부탁을 하고 받습니다. 물론 모든 일을 내 힘으로 하고 다른 사람의 부탁을 다 들어주면 좋겠지만 그럴 수는 없는 일입니다. 사람들과의 관계에서 가장 어려운 것이 부탁과 거절입니다. 한 설문 조사를 보면 가장 하기 어려운 것이 '돈을 빌려 달라고 할 때 거절하기'와 '빌린 돈을 안 갚을 때 돈을 달라고 하기'라고 합니다. 친구가 급하다며 돈을 빌려 달라고 하지만 빌려주고 싶지 않을 때 여러분은 어떻게 거절하겠습니까? 거절하기 위해 거짓말을 하는 것은 괜찮다고 생각하십니까?

또 친구가 빌린 돈을 갚지 않으면 어떻게 말하겠습니까? 친구 기분이 상하지 않게 말하는 방법이 있으면 가르쳐 주십시오.

제 10 과 어제와 오늘

10과 1항

어휘

1. 다음 [보기]에서 알맞은 말을 골라 빈칸에 쓰십시오. (**请从[보기]中选择合适的单词填到括号中。**)

[보기] 과거 미래 회상 준비 후회

12월 7일

이제 한국 생활이 얼마 남지 않았다. 한국에서 보낸 지난 1년을 ❶(회상)해 보니까 ❷( )이/가 되는 일이 많다. 처음 한국에 와서 공부는 하지 않고 집에서 컴퓨터 게임만 하던 일, 친구들과 놀러 다니느라고 수업에 빠진 일 등등 말이다. 처음부터 열심히 공부했다면 더 빨리 졸업할 수 있었을 텐데……. 이런 내가 좋은 성적으로 졸업을 할 수 있었던 것은 3급 때 사귄 친구들 덕분이다. 연극 대회 ❸( )을/를 하면서 친해진 친구들은 기쁠 때나 슬플 때나 나에게 힘이 되어 주었다.

❹( )의 게으르고 불성실하던 나를 자신감으로 가득 찬 모습으로 만들어 준 유학 생활. 이제 다가올 나의 ❺( )은/는 밝게 빛나지 않을까?

2. 다음 [보기]에서 알맞은 말을 골라 빈칸에 쓰십시오. (请从[보기]中选择合适的单词填到括号中。)

[보기]	관련	옛날	말이 나온 김에	유난히	추억하다

❶ 가 : '할머니' 하면 뭐가 생각나세요?
　나 : 저는 할머니가 들려주시던 (옛날)이야기가 생각나요.

❷ 가 : 올해는 꼭 에어컨을 사려고요. 작년 여름에 너무 고생을 했거든요.
　나 : 맞아요. 작년 여름은 (　　　　) 더웠어요.

❸ 가 : 우리 할머니는 요즘 옛날 사진들을 자주 꺼내 보세요.
　나 : 옛날에 좋았던 때를 (　　　　)으시는/시는 거겠지요.

❹ 가 : 새로 생긴 일식집에 가 보셨어요?
　나 : 네, 맛도 있고 분위기도 좋아요. (　　　　) 오늘 점심은 거기서 먹을까요?

❺ 가 : 발표 준비는 다 했니?
　나 : 아니, 이제 겨우 (　　　　) 기사들만 모았을 뿐이야. 오늘부터 해야지.

문법

-다가도

3. 다음 문장을 완성하십시오. (**请完成下面的句子。**)

❶ 그 남자는 술을 너무 좋아해서 자다가도 술이라고 하면 벌떡 일어나요.

❷ 그 아이는 ______________다가도 엄마만 보면 방긋 웃는다.

❸ 학생들은 시끄럽게 ______________다가도 그 선생님만 보면 조용해졌다.

❹ 돈은 ______________다가도 없고 ______________다가도 생기는 거래요.

❺ 안드레이 씨는 수업 시간에 ______________다가도 쉬는 시간만 되면 깨어난다.

❻ 엄마들은 아이한테 ______________다가도 아이의 웃는 모습만 보면 저절로 화가 풀린다고 한다.

4. 다음 대화를 완성하십시오. (**请完成下面的对话。**)

❶ 가 : 요즘 날씨가 좀 이상하지요? 이렇게 날씨가 좋다가도 갑자기 비가 내리니까 말이에요.
나 : 네, 날마다 우산 챙기는 것도 일이에요.

❷ 가 : 샤오밍 씨는 먹는 걸 정말 좋아하나 봐요.
나 : 네, ______________다가도 음식 냄새만 나면 일어나잖아요.

❸ 가 : 이 식당은 항상 이렇게 손님이 많아요?
나 : 아니요, 점심시간에는 이렇게 손님이 ______________다가도 점심시간이 지나면 손님이 별로 없어요.

❹ 가 : 남자 친구가 그 배우를 싫어한다면서요?
나 : 네, 텔레비전을 ______________다가도 그 배우만 나오면 채널을 돌려 버려요.

❺ 가 : 어른이 부르시면 뭘 ______________다가도 대답을 해야 하는 거야. 알았지?
나 : 네, 엄마. 다음부터는 그렇게 할게요.

❻ 가 : 기분이 나쁠 때는 뭘 하세요?
나 : 저는 음악을 들어요. 음악을 들으면 기분이 ______________ 다가도 ______________거든요.

–곤 하다

5. 다음 글을 읽고 문장을 완성하십시오. (请阅读下面的文章完成句子。)

저는 어렸을 때 장난감 자동차를 너무 좋아해서 장난감 자동차를 모았어요. 그래서 장난감 가게에 가면 꼭 장난감 자동차를 샀어요. 초등학교 때는 인라인 스케이트 타는 것이 너무 재미있어서 자주 밤 늦게까지 공원에서 인라인 스케이트를 타다가 어머니한테 야단을 맞은 일도 많았어요. 중학교 때는 기타를 치기 시작했고 시간만 나면 기타 연습을 했어요. 고등학교 때는 학교 친구들과 밴드를 만들어서 기타를 연주했어요. 그리고 학교에 행사가 있을 때마다 공연을 했어요. 대학생이 되어서는 수영을 배우기 시작했어요. 수영을 하면서 건강해지니까 수영이 더 좋아졌어요. 그래서 시간이 날 때마다 수영장에 갔어요. 요즘은 어떤 취미생활을 하냐고요? 직장생활이 너무 바빠서 취미를 즐길 시간이 별로 없어요. 너무 피곤해서 시간만 나면 자는 게 제가 제일 좋아하는 일이 되었답니다.

❶ 어렸을 때 저는 장난감 가게에 가면 장난감 자동차를 사곤 했어요.
❷ 초등학교 때는 .... 곤 했어요.
❸ 중학교 때는 .... 곤 했어요.
❹ 고등학교 때는 .... 곤 했어요.
❺ 대학교 때는 .... 곤 했어요.
❻ 지금은 시간이 나면 .... 곤 해요.

6. 다음 대화를 완성하십시오. (请完成下面的对话。)

❶ 가 : 가족이 보고 싶으면 어떻게 해요?
나 : 그럴 때에는 사진을 보곤 해요.
❷ 가 : 시간이 있으면 뭘 하세요?
나 : .... 곤 해요.
❸ 가 : 공부하다가 졸리면 어떻게 해요?
나 : .... 곤 해요.
❹ 가 : 스트레스가 쌓일 때는 어떻게 하세요?
나 : .... 곤 해요.
❺ 가 : 고등학교 때 시험이 끝나면 뭘 하셨어요?
나 : .... 곤 했어요.
❻ 가 : 어렸을 때는 친구들과 무엇을 하고 놀았어요?
나 : .... 곤 했어요.

10과 2항

어휘

1. 다음 빈칸에 공통으로 들어갈 말을 [보기]에서 골라 쓰십시오. (**请从[보기]中选择可以共同用于横线上的单词填到括号中。**)

[보기] 늘다 바뀌다 발전하다 변하다 좋아지다 향상되다

❶ 건강이 ＿＿＿＿
날씨가 ＿＿＿＿
사이가 ＿＿＿＿ (좋아지다)

❷ 기술이 ＿＿＿＿
성적이 ＿＿＿＿
실력이 ＿＿＿＿ (　　　)

❸ 성격이 ＿＿＿＿
안색이 ＿＿＿＿
입맛이 ＿＿＿＿ (　　　)

❹ 이름이 ＿＿＿＿
장면이 ＿＿＿＿
주소가 ＿＿＿＿ (　　　)

❺ 경제가 ＿＿＿＿
기술이 ＿＿＿＿
도시가 ＿＿＿＿ (　　　)

❻ 실력이 ＿＿＿＿
몸무게가 ＿＿＿＿
학생 수가 ＿＿＿＿ (　　　)

2. 다음 [보기]에서 알맞은 말을 골라 빈칸에 쓰십시오. (**请从[보기]中选择合适的单词或词组填到括号中。**)

[보기] 건물 단층 양쪽 시간이 흐르다 화려하다

❶ 한국어학당은 연세대학교 동문 왼쪽에 있는 빨간색 (　건물　)입니다.
❷ 아무리 힘든 일도 (　　　)으면/면 다 잊혀질 거야.
❸ 이 길은 길 (　　　)에 나무들이 아름답게 서 있어서 산책하기에 좋아요.
❹ 10년 전에는 (　　　) 건물만 있었지만 지금은 고층 건물이 대부분이에요.
❺ 평소의 수수한 모습과는 달리 (　　　)는/은/ㄴ 옷차림을 한 내 모습에 사람들이 모두 놀라는 것 같았다.

문법

전만 해도

3. 다음 대화를 완성하십시오. (**请完成下面的对话。**)

❶ 가 : 우리 강아지 어디 갔지?
나 : 조금 전만 해도 여기 있었는데……. 어디로 갔지?

❷ 가 : 1월에는 비행기 표가 없대요. 다음 방학에나 가야겠어요.
나 : 어? ______________ 전만 해도 있었는데…….

❸ 가 : ______________ 전만 해도 여기에 가게가 없었던 것 같은데…….
나 : 그러네요. 언제 가게가 생겼지?

❹ 가 : 이 아이스크림 값이 올랐네요. ______________ 전만 해도 500원이었는데…….
나 : 물가가 자꾸 올라서 걱정이에요.

❺ 가 : ______________ 전만 해도 여기에서 차 한 대 구경하기도 힘들었는데…….
나 : 맞아요. 지금은 너무 복잡해져서 다니기도 힘들어요.

❻ 가 : 어? 우리가 보려고 한 영화는 벌써 끝났나 봐.
나 : 그게 무슨 소리야? ______________ 전만 해도 여기에 포스터가 붙어 있었는데.

4. 다음 그림을 보고 '전만 해도'를 사용해 수지 씨를 본 사람들의 말을 완성하십시오. (**请看下图，然后使用"전만 해도"完成见过秀智的人所说的话。**)

❶ 아빠 친구 : 10년 전만 해도 어린 아이였는데 이제 숙녀가 됐네. 많이 컸다.

❷ 고등학교 친구 : 많이 예뻐졌다. .... 아주 뚱뚱했잖아. 어떻게 살을 뺀 거야?

❸ 고향 친구 : 통역사가 되었다고? .... '가나다'도 몰랐었잖아.

❹ 하숙집 친구 : .... 남자 친구 소개 시켜 달라고 했었잖아. 언제부터 사귄 거야?

❺ 선생님 : .... 병원에 있다고 들었는데 퇴원한 거예요?

❻ 반 친구 : .... 긴 머리였잖아. 짧은 머리도 잘 어울린다.

–는다고 할 수 있다

5. 다음 그림을 보고 문장을 완성하십시오. (**请看下图完成句子。**)

❶

올가 씨가 유카 씨보다 노래를 잘한다고 ~~는다고/다고/이라고~~ 할 수 있다.

❷ 우리 반 쓰기 시험 평균 87점

쓰기 시험 점수가 80점이면 다른 친구들에 비해 ________ 는다고/다고/이라고 할 수 있다.

❸

외국인이 좋아하는 한국 음식

김치
비빔밥
불고기
0 10 20 30 40

외국인에게 인기 있는 한국 음식은 ________ 는다고/다고/이라고 할 수 있다.

❹

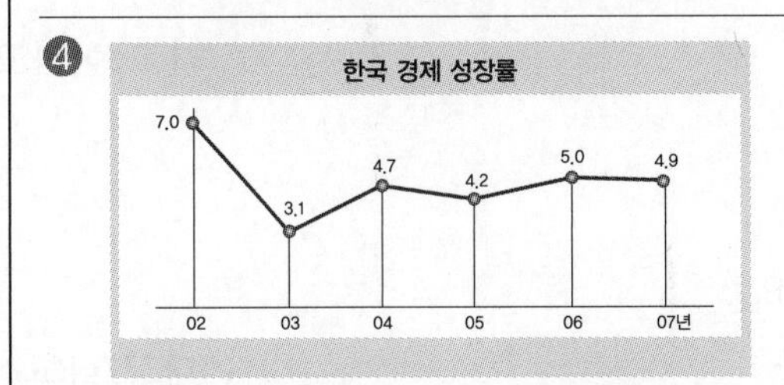

2007년 한국의 경제는 2005년도에 비해 ________ 는다고/다고/이라고 할 수 있다.

❺

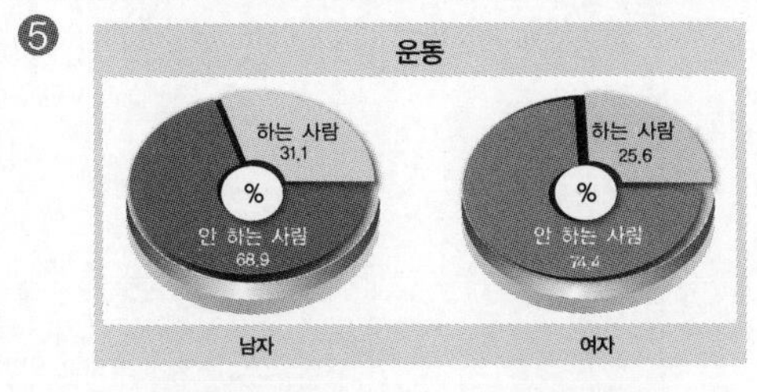

남자가 여자에 비해 ________ 는다고/다고/이라고 할 수 있다.

❻

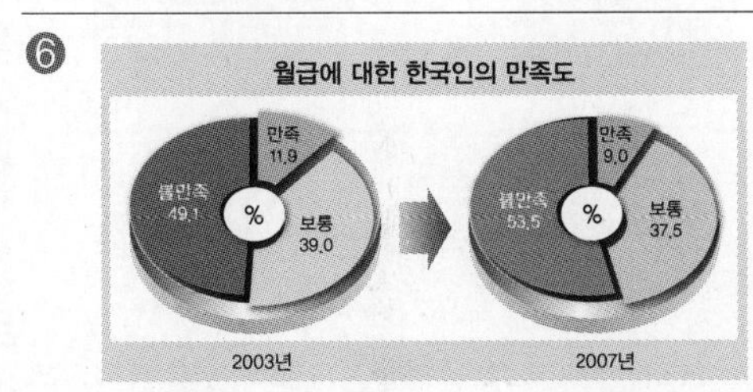

2007년에는 자신의 월급에 만족하는 사람이 2003년에 비해 ________ 는다고/다고/이라고 할 수 있다.

6. 다음 대화를 완성하십시오. (**请完成下面的对话。**)

❶ 가 : 그 회사 제품이 비싼가요?

나 : 다른 회사 제품보다는 비싸다고~~는다고/다고/이라고~~ 할 수 있지요.

❷ 가 : 이 병에 걸린 환자가 많아요?

나 : 10,000명 중에 1명 정도 이 병에 걸리니까 ______________ 는다고/다고/이라고 할 수 있어요.

❸ 가 : 점심은 날마다 그 식당에서 드세요?

나 : 약속이 없으면 그 식당에서 점심을 먹으니까 ______________ 는다고/다고/이라고 할 수 있겠네요.

❹ 가 : 영화를 자주 보세요?

나 : 일주일에 한 편은 꼭 보니까 ______________ 는다고/다고/이라고 할 수 있어요.

❺ 가 : 학생들이 시험을 잘 봤나요?

나 : 모두 다 4급에 올라가니까 ______________ 는다고/다고/이라고 할 수 있어요.

❻ 가 : 3년 전보다 물가가 많이 올랐나요?

나 : 버스 요금이 두 배로 올랐으니까 ______________ 는다고/다고/이라고 할 수 있지요.

10과 3항

어휘

1. 다음 [보기]에서 알맞은 말을 골라 빈칸에 쓰십시오. (请从[보기]中选择合适的单词填到括号中。)

[보기] 가정하다 상상하다 예상하다 추측하다

❶ 내년에는 경제가 좋아질 것으로 (예상하)는 사람들이 많다.
❷ 책을 읽으면서 그 장면을 ( )어/아/여 봤다.
❸ 동물도 언어를 배울 수 있다고 ( )고 이 실험을 해 봤다.
❹ 경찰은 이번 사건의 범인이 한 명이 아닐 거라고 ( )고 있다.

2. 다음 [보기]에서 알맞은 말을 골라 빈칸에 쓰십시오. (请从[보기]中选择合适的单词填到括号中。)

[보기] 사정 벌써 어느새 귀국하다 바라다

❶ 우리가 도착했을 땐 (벌써) 공연이 시작된 후였다.
❷ 승연 씨가 박사 학위를 따 가지고 다음 달에 ( )는대요/ㄴ대요.
❸ 김 과장님은 오늘 ( )이/가 있어서 회의에 참석하지 못하신대요.
❹ 올해도 건강하시고 모든 소원이 이루어지시기를 ( )습니다/ㅂ니다.
❺ 3급을 시작한 지 얼마 안 된 것 같은데 ( ) 3급이 끝날 때가 다 되었다.

문법

-었을 것이다

3. 다음은 친구들이 어제 받은 문자 메시지입니다. 친구들은 어제 무엇을 했을까요? 쓰십시오.
（下面是朋友们昨天收到的短信。朋友们昨天做什么了呢？请写一下。）

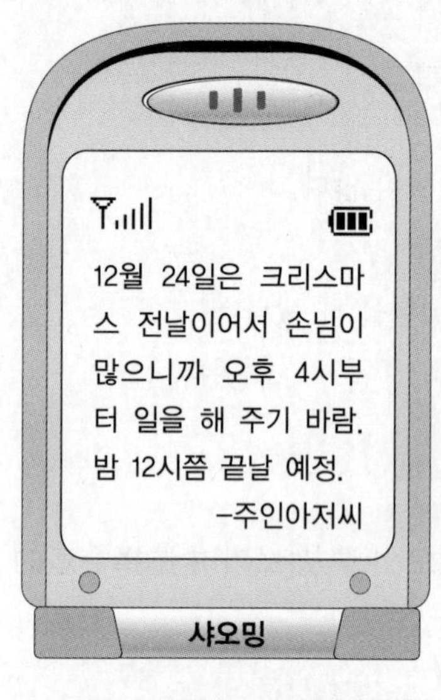

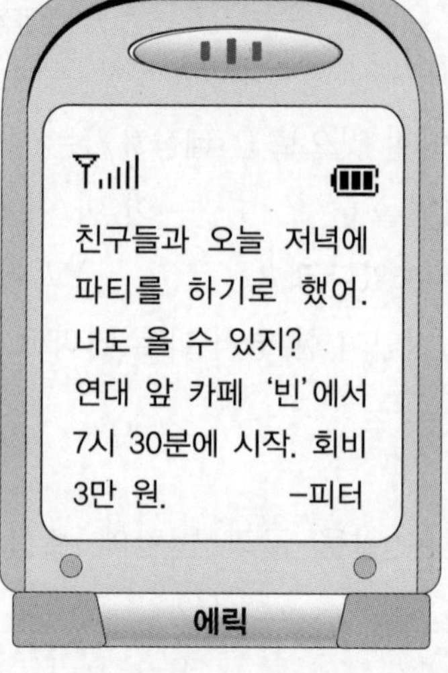

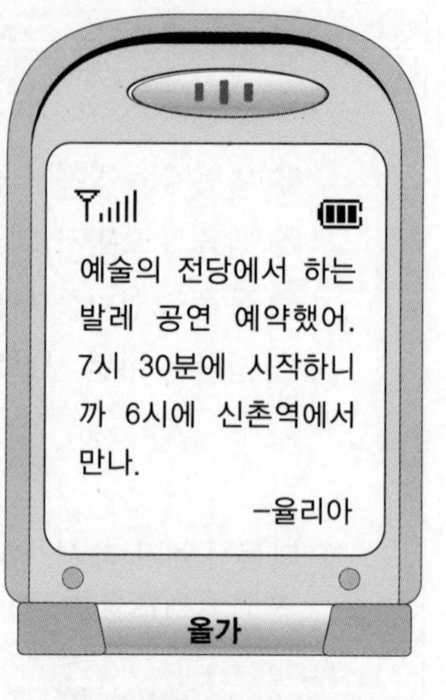

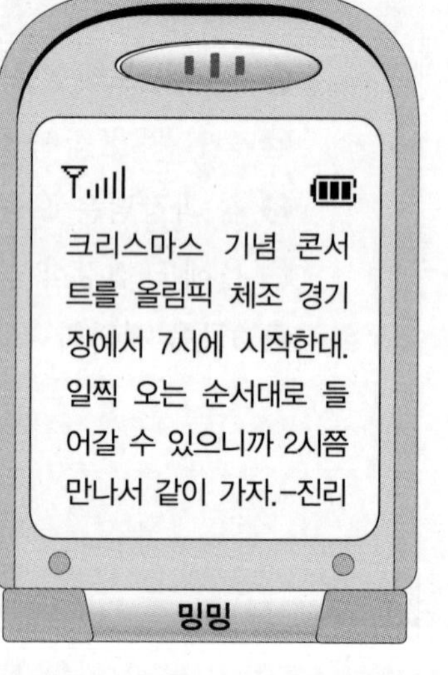

❶ 샤오밍 씨는 어제 늦게까지 아르바이트를 했을 거예요.

❷ 에릭 씨는 ______________________________.

❸ 올가 씨는 ______________________________.

❹ 태우 씨는 ______________________________.

❺ 안드레이 씨는 ______________________________.

❻ 밍밍 씨는 ______________________________.

4. 다음 사람들은 어떤 것을 선택했을까요? '-었을 것이다'를 사용해 문장을 만드십시오. (下面的人选择了什么呢? 请使用"-었을 것이다"造句。)

본인이 하고 싶은 것	친구/남편/가족들의 제안	내 생각
유카 : 시험이 끝나서 신나게 놀고 싶다.	• 영화 보기 • 놀이 공원에 가서 놀기 • 클럽에 가서 춤추기	유카는 ❶ 놀이 공원에 가서 신나게 놀았을 것이다. ❷ ....
유카의 언니 : 첫 번째 결혼기념일이니까 특별한 곳에서 식사하고 싶다.	• 옛날에 데이트하던 작은 카페에 가서 식사하기 • 야경이 멋있는 호텔에 가서 식사하기 • 맛있는 갈비집에 가서 고기 먹기	유카 언니는 ❸ .... ❹ ....
유카의 오빠 : 이번 휴가는 조용히 보내고 싶다.	• 가족 여행 • 혼자서 등산 가기 • 집에서 만화책 읽기	유카 오빠는 ❺ .... ❻ ....

-었다면

5. 다음 표를 보고 '-었다면'을 사용해 문장을 만드십시오. (请看下表，然后使用"-었다면"造句。)

사람	하고 싶었던 일	하지 못한 이유
❶ 샤오밍	대학생	입학시험을 못 봤음.
❷ 승연	미스 코리아	키가 작음.
❸ 히로시	아나운서	목소리가 좋지 않음.
❹ 에릭	운동선수	체력이 약함.
❺ 안드레이	정치가	사람들 앞에서 말을 잘 하지 못함.
❻ 올가	발레리나	다리를 다침.

❶ 샤오밍 씨가 입학시험을 잘 봤다면 지금쯤 대학생이 되었을 것이다.

❷ ....

❸ ....

❹ ....

❺ ....

❻ ....

6. 다음을 읽고 '-었다면'을 사용해 문장을 완성하십시오. (**请阅读下面给出的句子，然后使用“-었다면”完成句子。**)

❶ 산을 올라가다가 날씨가 안 좋아서 내려왔다.

날씨가 좋았다면 산 정상까지 갈 수 있었을 텐데.

❷ 평소에 공부를 열심히 하지 않았다. 오늘 시험을 봤는데 58점이었다.

.... 었다면/았다면/였다면 시험을 잘 봤을 텐데.

❸ 그 선수가 경기를 하다가 다쳐서 병원으로 실려 갔고 그 팀은 졌다.

.... 었다면/았다면/였다면 그 팀이 이겼을 것이다.

❹ 친구가 도와줘서 성공할 수 있었다.

....

❺ 회사를 다니다가 다른 회사로 옮겼는데 오히려 월급이 줄었다.

....

❻ 중국에 가려고 하다가 한국으로 왔다. 승연 씨를 만나서 결혼했다.

....

10과 4항

어휘

1. 다음 [보기]에서 알맞은 말을 골라 빈칸에 쓰십시오. (**请从[보기]中选择合适的单词填到括号中。**)

[보기] 신기록 신기술 신상품 신제품 신형

❶ 이번에 나온 (신제품)은/~~는~~ 디자인이 예쁘지만 가격이 비싸다.
❷ 이번 올림픽에서 수영 경기에서만 ( )이/가 10개나 나왔다.
❸ 그 휴대전화는 너무 구형이다. 이번에 새로 나온 ( )으로/로 바꿔 봐.
❹ 이번 여름 세일이 끝나면 가을 ( )이/가 나온다니까 가을옷은 그때 사야겠다.
❺ 이 자동차는 ( )을/를 이용해서 만든 것으로 시속 400km까지 달릴 수 있습니다.

2. 다음 빈칸에 공통으로 들어갈 말을 [보기]에서 골라 쓰십시오. (**请从[보기]中选择可以共同用于横线上的单词填到括号中。**)

[보기] 기능 가사 판매 드디어 새롭다 완벽하다

❶ 세탁 ______ 탈수 ______ 건조 ______ (기능)
❷ ______ 가격 할인 ______ ______ 사원 ( )
❸ ______ 노동 ______ 도우미 ______ 을/를 돌보다 ( )
❹ ______ 나오다 ______ 발견되다 ______ 밝혀지다 ( )
❺ ______ 은/ㄴ 생각 ______ 은/ㄴ 소식 ______ 은/ㄴ 생활 ( )
❻ ______ 은/ㄴ 솜씨 ______ 은/ㄴ 작품 ______ 은/ㄴ 연주 ( )

문법

-듯이

3. 관계있는 문장을 연결하고 '-듯이'를 사용해 문장을 만드십시오. (**请正确连线相关内容，然后使用"-듯이"完成句子。**)

비 오다 •	• 자주 하다
물 쓰다 •	• 걷다
눈 녹다 •	• 사라지다
밥 먹다 •	• 흐르다
불 보다 •	• 돈을 쓰다
춤을 추다 •	• 당연하다

❶ 운동을 하니까 땀이 비 오듯이 흐른다.

❷ 그 사람은 돈을 너무 .... 써서 큰일이에요.

❸ 친구의 말을 듣고 그동안 그 친구를 미워했던 마음이 .... 사라졌다.

❹ 그 무용수는 항상 .... 걸어 다녀서 지나가던 사람들이 다 쳐다본다.

❺ 그 아이는 거짓말을 .... 자주 해서 이제는 아무도 그 아이의 말을 믿지 않는다.

❻ 이번 일이 실패할 거라는 것은 .... 뻔한 일이니까 다시 생각해 보는 것이 좋겠다.

4. 다음 [보기]의 문장을 사용해 대화를 완성하십시오. (**请从[보기]中选择合适的短句完成对话。**)

[보기]			
	다람쥐 쳇바퀴 돌다	아이를 돌보다	부모가 그렇다
	바늘 가는 데 실 가다	가뭄에 콩 나다	사람마다 생긴 것이 다르다

❶ 가 : 회사 생활이 어때요?

나 : 늘 다람쥐 쳇바퀴 돌듯이 똑같은 생활이 계속되니까 재미없어요.

❷ 가 : 밍밍 씨는 강아지를 정말 좋아하나 봐요.

나 : 그럼요. 밍밍 씨는 .... 강아지를 돌봐요.

❸ 가 : 저는 다른 사람들도 저와 같은 생각인 줄 알았는데……. 제가 잘못 생각했나 봐요.

나 : .... 생각도 다 다르지요.

❹ 가 : 저 두 사람은 어떤 사이예요?

나 : ______________ 항상 붙어 다니는 걸 보면 모르겠어요? 연인 사이잖아요.

❺ 가 : 아들 잘못으로 부모가 고생하는군요.

나 : 이 세상의 모든 ______________ 그 부모도 자식을 위해서는 어쩔 수 없었겠지요.

❻ 가 : 남편이 집안일을 자주 도와주세요?

나 : 아니요, ______________ 해요.

은 물론

5. 다음 대화를 완성하십시오. (**请完成下面的对话。**)

❶ 가 : 그 노래가 요즘 제일 인기가 있다지요?

나 : 네, 어른들은 물론 아이들한테도 인기가 많대요.

❷ 가 : 집에 에어컨이 없다고요?

나 : 네, 에어컨은 물론 ______________.

❸ 가 : 이 죽을 아이들이 좋아할까요?

나 : 그럼요. 어른들은 물론 ______________.

❹ 가 : 모임을 하려고 하는데 언제 시간이 있어요?

나 : 미안해요. 요즘은 연말이라서 주말에는 물론 ______________ ______________.

❺ 가 : 여행을 좋아하신다고 하던데 여행을 많이 다니셨어요?

나 : ______________ 은/는 물론 외국도 많이 가 봤어요.

❻ 가 : 학교에 다니면서 아르바이트를 하는 건 좀 무리라고 봐요. 아르바이트를 그만두지 그래요.

나 : 그러고 싶지만 ______________ 은/는 물론 생활비도 부족해서 꼭 해야 해요.

6. 다음 표를 보고 '은 물론'을 사용해 대화를 완성하십시오. (请看下表，然后使用"은 물론"完成对话。)

광고	내용
❶ 한식집	한식 / 양식 (점심시간만)
❷ MP3	음악 듣기 / 텔레비전 시청 가능
❸ 여행 카드	전국 호텔 예약 시 5% 할인 / 비행기 표 예약 시 3% 할인
❹ 눈썰매장	아이 / 어른
❺ 휴대전화	국내 / 해외에서 이용 가능
❻ 가사 도우미	아이 돌보기 / 집안일

❶ 가 : 이 식당에서는 한식만 먹을 수 있어요?
나 : 네, 하지만 점심시간에는 한식 은/는 물론 양식 도 먹을 수 있어요.

❷ 가 : 이 MP3는 다른 것보다 더 비싼데 어떤 기능이 있어요?
나 : ________ 은/는 물론 ________ 도 볼 수 있는 신제품입니다.

❸ 가 : 이 카드로 호텔을 예약하면 할인을 받을 수 있어요?
나 : 그럼요, ________________.

❹ 가 : 이 썰매장은 다른 곳보다 아주 길고 재미있겠는데요.
나 : 네. 그래서 ________________.

❺ 가 : 이 휴대전화는 해외에서도 이용이 가능한가요?
나 : 물론이죠. ________________.

❻ 가 : 아이만 봐 주시나요?
나 : ________________.

10과 5항

어휘와 문법

1. 다음 [보기]에서 알맞은 말을 골라 빈칸에 쓰십시오. (**请从[보기]中选择合适的单词填到括号中。**)

[보기]	가정하다	기대하다	늘다	반성하다	변하다
	상상하다	예상하다	향상되다	회상하다	후회하다

❶ 한국에 와서 몸무게가 많이 (　　　　　　)었다/았다/였다.
❷ 우리가 노인이라고 (　　　　　　)고 이 문제를 생각해 보자.
❸ 그 사람은 회사를 그만둔 것을 (　　　　　　)고 있는 것 같다.
❹ 그 선수의 기록은 작년에 비해 많이 (　　　　　　)었다/았다/였다.
❺ 스웨터를 뜨거운 물로 빨아서 모양이 (　　　　　　)었다/았다/였다.
❻ 기상청에서는 곧 장마가 끝날 것으로 (　　　　　　)었다/았다/였다.
❼ (　　　　　　)고 있을 테니까 좋은 선물 사 가지고 와야 돼. 알았지?
❽ 성공하려면 하루를 (　　　　　　)고 내일을 계획하는 시간이 필요하다.
❾ 할머니께서는 힘들었던 지난날을 (　　　　　　)으니까/니까 눈물이 난다고 했다.
❿ 유학 생활이 힘들 때에는 졸업할 때의 내 모습을 (　　　　　　)으면서/면서 힘을 내요.

2. 다음 [보기]에서 알맞은 말을 골라 빈칸에 쓰십시오. (**请从[보기]中选择合适的单词填到括号中。**)

[보기]	기능	사정	양쪽	드디어	어느새
	바라다	새롭다	완벽하다	판매되다	흐르다

❶ 밍밍 씨가 (　　　　　　) 내일 결혼을 하는구나.
❷ 입학한 지가 엊그제 같은데 (　　　　　　) 졸업이다.
❸ 시험에 꼭 합격하시기를 (　　　　　　)습니다/ㅂ니다.
❹ 요즘 휴대전화는 다양한 (　　　　　　)을/를 갖고 있다.
❺ 이 세상에 단점 하나 없이 (　　　　　　)는/은/ㄴ 사람은 없다.
❻ 신제품이 나와서 옛날 제품은 더 이상 (　　　　　　)지 않는다.
❼ 김 선생님은 집안 (　　　　　　)으로/로 오늘 출근하지 않으셨다.
❽ (　　　　　　)는/은/ㄴ 곳에 가서 보고 듣고 느끼는 것은 좋은 경험이 된다.
❾ 시간이 많이 (　　　　　　)었지만/았지만/였지만 선생님 모습은 여전하셨다.
❿ 한쪽 이야기만 듣지 말고 (　　　　　　)의 이야기를 다 들어 보고 판단해야지요.

3. 다음 대화를 완성하십시오. (**请完成下面的对话。**)

❶ 가 : 이가 많이 썩었네요. 아이가 과자나 사탕을 많이 먹나요?
나 : 네, 사탕을 너무 좋아해서 .... 다가도 사탕이라고 하면 벌떡 일어나요.

❷ 가 : 영화를 자주 보세요?
나 : 전에는 주말마다 .... 곤 했는데 요즘은 바빠서 거의 못 봐요.

❸ 가 : 안녕하세요? 전에 옆집에 살던 승연이에요.
나 : 아니, ... 전만 해도 어린 아이였는데 벌써 어른이 다 되었구나.

❹ 가 : 우유는 완전식품인가요?
나 : 네, 우유에는 여러 가지 영양소가 많아서 .... 는다고/다고/이라고 할 수 있지요.

❺ 가 : 그 사람은 꼼꼼하지요?
나 : 네, 실수가 거의 없으니까 .... 는다고/다고/이라고 할 수 있어요.

❻ 가 : 샤오밍 씨가 소포를 받았겠지요?
나 : 중국까지 이틀 정도 걸린다고 했으니까 어제쯤 .... 었을/았을/였을 거예요.

❼ 가 : 한국말을 좀 더 .... 었다면/았다면/였다면 지금쯤 한국 회사에 취직했을 텐데…….
나 : 지금도 늦지 않았어요. 열심히 공부하세요.

❽ 가 : 그 아이는 거짓말을 .... 듯이 해서 엄마한테 자주 혼난대요.
나 : 세 살 버릇은 여든까지 간다고 야단칠 일은 야단쳐야지요.

❾ 가 : 곧 방학이네요. 방학을 싫어하는 사람은 없는 것 같아요.
나 : 네, ... 은/는 물론 선생님들도 방학을 좋아하신대요.

❿ 가 : 올가 씨가 한국어를 아주 잘 한다면서요?
나 : 네, ... 은/는 물론 ....

4. 다음 중 맞는 문장에 ○표 하십시오. (请在正确的句子后面标记○。)

❶ 태우 씨는 학교에 가다가도 친구를 만났다. (   )
태우 씨는 학교에 가다가 친구를 만났다. (   )

❷ 어렸을 때는 주말마다 할머니 댁에 가곤 했어요. (   )
어렸을 때는 주말마다 할머니 댁에 갔곤 했어요. (   )

❸ 키가 큰다면 농구 선수가 됐을 거예요. (   )
키가 컸다면 농구 선수가 됐을 거예요. (   )

❹ 9시가 넘었으니까 수업이 시작될 거예요. (   )
9시가 넘었으니까 수업이 시작됐을 거예요. (   )

❺ 사과 편지를 받고 그 친구를 미워하던 마음이 눈 녹듯이 보였어요. (   )
사과 편지를 받고 그 친구를 미워하던 마음이 눈 녹듯이 사라졌어요. (   )

❻ 그 서점에서는 책은 물론 학용품까지 살 수 있어요. (   )
그 서점에서는 학용품은 물론 책까지 살 수 있어요. (   )

듣기 연습

MP3: 23~24

1. 대화를 듣고 질문에 대답하십시오. (请听对话回答问题。)

1) 두 사람은 지금 무슨 이야기를 합니까? (　　　　)

❶ 어린 시절　❷ 자신의 성격　❸ 자신의 아이　❹ 취미

2) 들은 내용과 같으면 ○표, 다르면 ×표 하십시오.

❶ 남자는 부모님 말씀을 잘 듣는 좋은 아이였던 것 같다. (　　)
❷ 여자는 남자가 어렸을 때 야단을 많이 맞았을 거라고 생각하는 것 같다. (　　)
❸ 남자는 어렸을 때 친구들한테만 장난을 쳤다. (　　)
❹ 여자는 지금도 조용한 성격인 것 같다. (　　)
❺ 여자는 어렸을 때 독서하기를 좋아했던 것 같다. (　　)

2. 대화를 듣고 질문에 대답하십시오. (请听对话回答问题。)

1) 두 사람은 무엇을 걱정하고 있습니까? (　　　　)

❶ 취직이 어려워서
❷ 전공을 정하지 못해서
❸ 전공 공부가 어려워서
❹ 미래에 어떤 직업이 좋을지 몰라서

2) 들은 내용과 같은 것을 고르십시오. (　　　　)

❶ 남자는 20년 후에도 지금과 생활이 별로 달라질 것이 없다고 생각한다.
❷ 남자는 벌써 미래에 꼭 필요한 직업을 갖고 있다.
❸ 여자는 지금 공부하는 것이 필요 없게 될지도 모른다고 생각한다.
❹ 여자는 남자 이야기를 듣고 컴퓨터 공부를 시작할 것 같다.

읽기 연습

1. 다음 글을 읽고 질문에 대답하십시오.（请阅读下面的文章回答问题。）

며칠 전 '학교 종이 땡땡땡'이라는 전시회에 다녀왔다. 1970, 80년대의 학교 풍경을 보여 주는 전시회였는데, 책상에서 난로, 도시락까지 그때의 교실 모습 그대로였다. 교복을 입고 전시장을 왔다 갔다 하는 진행 요원의 모습이 학창 시절을 떠오르게 했다. 옛날 모습을 추억하는 행사라서 나이가 많은 관람객부터 방학을 맞은 어린이까지 다양한 연령층이 전시장을 찾았고, 곳곳에서 웃음소리가 터져 나왔다.

다른 한편에서는 ㉠할머니 몇 분께 졸업장을 드리는 행사가 진행되고 있었다. 처음에는 단체 관람을 오신 할머니들께 기념품으로 졸업장을 만들어 주는 것이라고 생각했다. 그런데 알고 보니까 어린 시절에 가난 때문에 학교를 졸업하지 못한 할머니들을 서울시에서 전시회에 초대한 것이었다. 비록 이벤트용 졸업장이지만 힘들게 살아온 그분들께는 의미있는 선물이 되었을 것이다.

방학을 맞은 아이들에게 좋은 시간을 갖게 해 주고 싶어서 전시장을 찾았지만 내가 더욱 많은 것을 깨달은 시간이었다. 전시된 것들은 오래된 물건에 불과했지만 그것들로 인해 나는 미래를 살아가는 힘을 얻은 것 같다.

1) 글의 내용과 같으면 ○표, 다르면 ×표 하십시오.

❶ 이 전시회장에는 학창 시절을 추억할 수 있는 것들이 많았다. (　　)

❷ 전시회장에는 할머니, 할아버지 관람객뿐이었다. (　　)

❸ 이 사람은 아이들과 함께 전시회를 보러 갔다. (　　)

❹ 이 전시회는 이 사람에게 과거를 추억하게 했을 뿐만 아니라 미래를 살아갈 힘까지 준 것 같다. (　　)

2) ㉠'할머니 몇 분'에 대한 설명으로 맞는 것을 고르십시오. (　　)

❶ 할머니들은 단체로 관람을 왔다.

❷ 할머니들은 외국에서 오신 분들이다.

❸ 할머니들은 돈이 없어서 학교를 졸업하지 못했다.

❹ 할머니들은 아이들에게 어린 시절 이야기를 해 주셨다.

3) 이 전시회에는 어떤 특별한 행사가 있었습니까? 쓰십시오.

2. 다음 글을 읽고 질문에 대답하십시오. (**请阅读下面的文章回答问题。**)

미래의 인간은 어떤 모습일까? 과학 기술의 발달은 우리 몸을 어떻게 변화시킬까? 과학자들은 인간 몸의 미래를 다음과 같이 예상했다.

㈎ 앞으로 10년 내 우주인 다이어트 기기가 등장해 비만 문제를 해결할 것으로 보인다. 2015년 정도에는 우주인 훈련 시설과 비슷하게 생겨서 10분만 누워 있으면 한 시간 이상 격렬한 운동을 한 것과 같은 효과를 거둘 수 있는 운동 기구가 등장할 것이라고 한다.

㈏ 앞으로 15년 후에는 생각만으로 사물을 움직일 수 있을 것으로 예상된다. 미국에서는 인간과 컴퓨터가 정보를 주고받아 생각만으로 전기 휠체어, 컴퓨터, 텔레비전 등을 마음대로 움직일 수 있게 하는 연구를 하고 있는데 15년 정도 후면 가능할 것으로 보인다고 한다.

㈐ 앞으로 20년 후 일어날 예측 가운데 가장 놀라운 것은 남성의 출산이다. 현재 과학자들은 이론적으로 남성도 아이를 가질 수 있다고 설명하는데 20년 후에는 가능할 것으로 예상하고 있다.

이와 함께 2028년 정도에는 모든 질병을 막을 수 있을 것이며 2060년에는 몸의 각 기관을 마음대로 바꿀 수 있는 시대가 열릴 것으로 예상했다.

1) 이 글은 어디에 실린 글일까요? (　　　)

❶ 건강 잡지　　❷ 과학 잡지　　❸ 경제 잡지　　❹ 문화 예술 잡지

2) 각 단락의 중심 내용을 쓰십시오.

(가) : ....

(나) : ....

(다) : ....

3) 글의 내용과 같으면 ○표, 다르면 ×표 하십시오.

❶ 미래에는 특별히 운동하지 않아도 살을 뺄 수 있을 것이다. (　　)

❷ 미래에도 생각만으로 사물을 움직이게 하는 것은 힘들 것이다. (　　)

❸ 남성이 아이를 갖는 것은 영원히 불가능하다. (　　)

❹ 미래에는 시력이 나쁜 눈을 시력이 좋은 눈으로 바꿀 수 있을 것이다. (　　)

말하기 · 쓰기 연습

1. 배운 문법을 사용해 친구에게 질문하고 대답하십시오.（**请使用学过的语法跟朋友一起做问答练习。**）

질문	친구 1	친구 2
❶ 여러분은 어렸을 때 어떤 아이였습니까? 친구들과 무엇을 했습니까? (–는다고 할 수 있다, –곤 하다)		
❷ 여러분의 집이나 가족은 예전과 어떻게 달라졌습니까? (전만 해도, –곤 하다)		
❸ 여러분이 한국말을 공부하러 한국에 오지 않았다면 어땠을까요? (–었다면, –었을 것이다)		
❹ 여러분이 생각하는 미래는 어떤 모습입니까? (은 물론)		

2. 다음 글을 읽고 여러분이라면 이 사람에게 어떻게 조언할지 써 보십시오. 그리고 친구와 같이 이야기해 보십시오.（**请阅读下面的文章，写一下各位会给这个人什么建议。然后跟朋友一起说一下。**）

8월 4일

오늘도 힘든 하루였다. 하루 종일 아프다고 소리치는 환자들만 보니까 나도 모르게 우울해진다. 이런 날은 의사가 된 게 후회가 되기도 한다. 나는 왜 이렇게 힘든 의사가 되었을까? 보람 때문이었을까? 처음에는 내가 치료해서 병이 나은 환자를 보면서 흐뭇해했는데 이제는 환자들이 내가 해야 할 일로만 보인다. 그럼, 돈 때문이었을까? 그것도 아닌 것 같다. 난 돈이 그렇게 중요하다고 생각하지 않으니까 말이다.

15년 전에 다른 선택을 했다면 어땠을까? 난 그때 음대에 가고 싶었지만 부모님의 반대로 의대에 진학할 수밖에 없었다. 음대에 갔다면 지금 더 행복했을까?

복습 문제 (6과 - 10과)

Ⅰ. 다음 [보기]에서 알맞은 말을 골라 빈칸에 쓰십시오. (请从[보기]中选择合适的单词填到括号中。)

[보기] 갑자기 그만 그밖에 마침 슬슬
아무리 어느새 오히려 유난히 잔뜩

1. ( ) 바빠도 아침은 꼭 드셔야지요.
2. 어두워지는데 이제 ( ) 출발해 볼까요?
3. 너무 놀라서 ( ) 소리를 지르고 말았다.
4. 잘못을 하고도 ( ) 화를 내는 사람들도 있다.
5. 구름이 ( ) 낀 걸 보니까 곧 비가 올 모양이다.
6. 잘 나오던 텔레비전이 고장이 났는지 ( ) 꺼졌어요.
7. 맛있는 만두가 먹고 싶었는데 ( ) 어머니께서 사 오셨다.
8. ( ) 궁금한 사항은 전화나 이메일로 문의하시기 바랍니다.
9. 입학한 지가 엊그제 같은데 ( ) 졸업이라니 시간은 정말 빠르다.
10. 작년에는 비가 많이 오지 않았는데, 올 여름은 ( ) 비가 많이 오는 것 같다.

Ⅱ. 빈칸에 들어갈 말을 고르십시오. (请选出可以填到括号中的一项。)

1. 경찰은 집 나온 아이들을 ( )어서/아서/여서 집으로 돌려 보냈다.
   ❶ 설득하다 ❷ 설명하다 ❸ 이해하다 ❹ 화해하다

2. 제가 잘못했습니다. 제 실수이니까 ( )지 않겠습니다.
   ❶ 사과하다 ❷ 변명하다 ❸ 양해를 구하다 ❹ 용서를 빌다

3. 생활 수준이 ( )으면서/면서 건강에 대한 관심이 높아졌다.
   ❶ 늘다 ❷ 변하다 ❸ 발전하다 ❹ 향상되다

4. 그 남자는 수요일을 화요일로 ( )어/아/여 약속을 어겼다.
   ❶ 실수하다 ❷ 잘못하다 ❸ 착각하다 ❹ 오해하다

5. 인간이 물 없이 사는 것은 ( )다.
   ❶ 곤란하다 ❷ 어렵다 ❸ 힘들다 ❹ 불가능하다

Ⅲ. 어울리지 않는 말을 찾으십시오. (请选出不对的一项。)

1. 고민 (　　) ❶ 고민을 하다 ❷ 고민이 생기다 ❸ 고민을 해결하다 ❹ 고민이 나타나다

2. 부담 (　　) ❶ 부담이 되다 ❷ 부담이 크다 ❸ 부담이 없다 ❹ 부담이 생기다

3. 부탁 (　　) ❶ 부탁을 하다 ❷ 부탁을 받다 ❸ 부탁을 당하다 ❹ 부탁을 들어주다

4. 안부 (　　) ❶ 안부가 궁금하다 ❷ 안부를 드리다 ❸ 안부를 묻다 ❹ 안부를 전하다

5. 오해 (　　) ❶ 오해를 입다 ❷ 오해가 풀리다 ❸ 오해를 사다 ❹ 오해가 생기다

Ⅳ. 다른 것과 관계가 다른 하나를 고르십시오. (请选出和其他选项不同的一项。)

1. (　　)
❶ 돌잔치 ❷ 야유회 ❸ 차례 ❹ 회갑 잔치

2. (　　)
❶ 신상품 ❷ 신제품 ❸ 신형 ❹ 신호

3. (　　)
❶ 결과 ❷ 사정 ❸ 상황 ❹ 형편

4. (　　)
❶ 발전하다 ❷ 변하다 ❸ 좋아지다 ❹ 향상되다

5. (　　)
❶ 상상하다 ❷ 예상하다 ❸ 추측하다 ❹ 회상하다

Ⅴ. 다음 [보기]의 문형을 한 번만 사용해 두 문장을 연결하십시오. (**请使用[보기]中的表达把两个句子连接成一个句子。每个表达只能使用一次。**)

[보기] -어다가	-고 나서	-을까 봐	-고 해서	-으면서도
-느라고	-게	-다니	-다가도	은 물론

1. 값도 쌉니다. / 옷을 세 벌 샀습니다.

→

2. 도서관에서 책을 빌렸습니다. / 읽었습니다.

→

3. 그 이야기를 들었습니다. / 생각이 달라졌습니다.

→

4. 그 아이는 웁니다. / 그 노래만 들으면 웃습니다.

→

5. 그 극장 좀 찾아갑니다. / 약도를 그려 주세요.

→

6. 5월에 눈이 왔습니다. / 믿을 수가 없었습니다.

→

7. 밤새도록 영화를 봤습니다. / 숙제를 하지 못했습니다.

→

8. 같은 반 친구를 봤습니다. / 인사를 하지 않았습니다.

→

9. 아침에 일어나지 못합니다. / 자명종을 두 개나 맞춰 놓았습니다.

→

10. 주말에 하는 역사 드라마는 여자들이 좋아합니다. / 남자들도 좋아합니다.

→

Ⅵ. 다음 중 맞는 문장에 ○표 하십시오. (请在正确的句子后面标记○。)

1. 친구 생일이라서 케이크를 만들다가 선물로 줬다. ( )
   친구 생일이라서 케이크를 만들어다가 선물로 줬다. ( )

2. 밤에 잠을 잘 못 잘까 봐 커피를 마시지 않았어요. ( )
   밤에 잠을 잘 못 잘까 봐 커피를 마시지 마세요. ( )

3. 운동이 건강에 좋은 줄 알면서도 안 해요. ( )
   운동이 건강에 좋은 줄 알면서도 해요. ( )

4. 화장을 하느라고 학교에 늦었어요. ( )
   늦게 일어나느라고 학교에 늦었어요. ( )

5. 10년 전만 해도 별로 달라진 것이 없다. ( )
   10년 전만 해도 여기는 사람이 살지 않는 곳이었다. ( )

Ⅶ. 다음 문장에서 틀린 부분을 찾아 맞게 고치십시오. (请找出下面句子中的错误并改正。)

1. 웨이 씨가 많이 아픈다니요? 아침에 만났을 때는 괜찮았는데요.
→

2. 오늘은 비가 오다니까 축구 시합을 내일로 미룹시다.
→

3. 어제 친구 생일 파티에서 어찌나 술을 많이 마신지 아직도 머리가 아프다.
→

4 요즘은 날씨가 너무 더워라서 하루 종일 에어컨을 켜고 산다.
→

5. 그 사람은 돈을 물 쓰는 듯이 쓴다.
→

Ⅷ. 다음 문장을 완성하십시오. (请完成下面的句子。)

1. 집으로 전화를 한다는 것이 ______________________.
2. 하루 종일 자고도 ______________________.
3. 책을 사고는 ______________________.
4. ______________________ 게 일찍 출발하세요.
5. 내가 키가 더 컸다면 ______________________.

Ⅸ. 다음 [보기]에서 알맞은 문형을 골라 대화를 완성하십시오. (请从[보기]中选择合适的表达完成对话。)

[보기] 담화 표지 -어다가 -어 버리다 이라도 -지

가 : 여기에 있던 내 샌드위치 못 봤니?

나 : ❶ ______________________? 그게 네 거였어? 너무 배가 고파서 내가 ❷ ______________________ 었는데/았는데/였는데 어떻게 하지? (먹다)

가 : 남의 건데 이야기를 ❸ ______________________. (하고 먹다)

나 : 미안해. 내가 지금 식당에 가서 ❹ ______________________ 사 가지고 올까? (김밥)

가 : 그렇게 해 주면 고맙고. 올 때 우유도 좀 ❺ ______________________ 줄래? (사다)

[보기] -고 나서 -고 말다 -다니 -더라 -었다면

가 : 어제 그 영화는 어땠어?

나 : 정말 ❻ ______________________ (재미있다). 너도 ❼ ______________________ (보다) 좋아했을 거야.

가 : 그렇게 재미있었어?

나 : 응, 그리고 감동적이기도 했어. 마지막 장면에서는 너무 슬퍼서 ❽ ______________________ (울다) 었어/았어/였어.

가 : 영화를 보고 네가 ❾ ______________________ (울다) 아무도 믿지 않을 거야.

나 : 너도 그 영화를 한번 봐 봐. 영화 ❿ ______________________ (보다) 우리 다시 얘기하자.

X. 다음 대화를 완성하십시오. (请完成下面的对话。)

1. 가 : 어제 새로 생긴 서점에 다녀왔다면서? 그 서점 어때?
   나 : ______________________________ 더라.
2. 가 : 나는 그 배우가 왜 인기가 있는지 모르겠어.
   나 : ______________________________ 잖아.
3. 가 : 어제 왜 약속을 취소하셨어요?
   나 : ______________ 고 해서 ______________.
4. 가 : 일주일 동안 약을 먹었는데도 감기가 낫지 않네요.
   나 : ______________________________ 지 그래요.
5. 가 : 이번 쓰기 시험에서 100점을 받지 못한 학생이 없대요.
   나 : ______________________ 었단/았단/였단 말이에요?
6. 가 : 이런 실수를 하시면 어떻게 해요? 다음부터는 조심하세요.
   나 : ______________________________ 도록 하겠습니다.
7. 가 : 상담 선생님께 상담을 받으려면 어떻게 해야 해요?
   나 : ______________________________ 으면/면 돼요.
8. 가 : 백화점에 왜 이렇게 사람이 많아요?
   나 : ______________ 이라서/라서 그래요.
9. 가 : 여행 가서 좋았어요?
   나 : ______________ 기는요. 비가 와서 고생만 했어요.
10. 가 : 우리 강아지가 살이 많이 쪄서 걱정이에요.
   나 : 그래요? 우선 ______________________ 게 하세요.
11. 가 : 한국 사람들은 ______________ 는다지요/ㄴ다지요/다지요?
   나 : 네, 한식에는 김치가 빠지지 않으니까 날마다 먹게 되지요.
12. 가 : 치즈버거 두 개요? ______________________ 으실/실 건가요?
   나 : 아니요, 가지고 갈 거예요.
13. 가 : 아이가 사탕을 좋아하나 봐요.
   나 : 네, ______________ 다가도 ______________________.
14. 가 : 태우 씨는 어렸을 때 어땠어요?
   나 : 저는 책 읽는 걸 좋아해서 틈만 나면 ______________ 곤 했어요.
15. 가 : 안드레이 씨 봤어요?
   나 : 교실에 없어요? ______________ 전만 해도 ______________.

YONSEI KOREAN3 WORKBOOK

쉼터 5 - 퀴즈

〈한국어에 대한 퀴즈〉

- 다음 질문에 대답하십시오. (3X5=15점) (**请回答下面的问题。**)

1) 다른 곳에 가서 구경하는 것을 무엇이라고 하나요? (　　　)

❶ 간광　　　❷ 관광

2) 어른을 만나는 것을 뭐라고 하나요? (　　　)

❶ 뵙다　　　❷ 벱다

3) 남에게 끼치는 괴로움을 의미하는 말은 무엇인가요? (　　　)

❶ 페　　　❷ 폐

4) 다음 중 맞는 것을 고르세요. (　　　)

❶ 웃어른　　　❷ 윗어른

5) 다음 중 맞는 것을 고르세요. (　　　)

❶ 우표를 부치다　❷ 우표를 붙이다

〈한국에 대한 퀴즈〉

- 다음 도시들은 무엇으로 유명합니까? [보기]에서 골라 빈칸에 쓰십시오. (3X5=15점) (**下面这些城市以什么闻名于世? 请从[보기]中选择合适的单词填到括号中。**)

[보기] 귤　　냉면　　녹차　　닭갈비　　호두

1) 보성 (　　　) - 여기에 가면 ○○밭이 많이 있습니다. 영화나 광고에도 많이 나옵니다.
2) 제주도 (　　　) - 이것은 여기에서만 나옵니다. 달콤, 새콤한 과일이에요.
3) 천안 (　　　) - 이것으로 ○○과자를 만듭니다. 고속도로 휴게소에 가면 많이 볼 수 있답니다.
4) 춘천 (　　　) - 유명한 음식입니다. 매운 양념을 넣고 닭고기와 채소를 볶아서 만듭니다. 값도 비싸지 않고 아주 맛있답니다.
5) 평양 (　　　) - 여름에 시원하게 먹을 수 있지만 사실은 겨울에 먹는 음식이었답니다.

- 다음 질문에 대답하십시오. (3X10=30점) (请回答下面的问题。)

1) 한글날은 언제입니까? (　　　　　)

❶ 5월 5일　　❷ 10월 9일　　❸ 12월 25일

2) 한국의 꽃은 무엇입니까? (　　　　　)

❶ 장미꽃　　❷ 무궁화　　❸ 카네이션 꽃

3) 생일날 꼭 먹는 것은 무엇입니까? (　　　　　)

❶ 삼계탕　　❷ 육개장　　❸ 미역국

4) 한국의 국기를 무엇이라고 부릅니까? (　　　　　)

❶ 대국기　　❷ 태국기　　❸ 태극기

5) 제주도에 있는 산 이름은 무엇입니까? (　　　　　)

❶ 설악산　　❷ 지리산　　❸ 한라산

6) 하회 마을로 유명한 곳은 어디입니까? (　　　　　)

❶ 안동　　❷ 안성　　❸ 하동

7) 설날에 먹어야 나이를 먹는다는 음식은 무엇입니까? (　　　　　)

❶ 송편　　❷ 떡국　　❸ 팥죽

8) 불국사, 석굴암, 첨성대가 있는 곳은 어디입니까? (　　　　　)

❶ 경주　　❷ 공주　　❸ 충주

9) 조선시대부터 한국의 수도인 서울을 흐르는 강 이름은 무엇입니까? (　　　　　)

❶ 한강　　❷ 대동강　　❸ 낙동강

10) 한국 사람들은 이 동물 꿈을 꾸면 큰 돈이 생긴다고 합니다. 이 동물은 무엇입니까? (　　　　　)

❶ 개　　❷ 돼지　　❸ 호랑이

〈수수께끼〉

• 다음 □안에 맞는 말을 쓰십시오. (4X10=40점) (请正确填写□完成单词。)

❶ 눈이 녹으면 무엇이 되나요?	□ 물
❷ 내 것인데 다른 사람이 더 많이 쓰는 것은?	이 □
❸ 말은 말인데 타지 못하는 말은?	□ □ 말
❹ 문제가 가장 많이 있는 것은?	시 □
❺ 이상한 사람들이 모이는 곳은?	□ 과
❻ 낮이 아니면 할 수 없는 일은?	낮 □
❼ 개 중에서 가장 예쁜 개는?	□ □ 개
❽ 집에서 매일 먹는 약은?	□ 약
❾ 먹으면 죽는데 안 먹을 수 없는 것은?	□ 이
❿ 물고기의 반대말은?	□ 고 기

90점 이상 : 아주 우수합니다.
70~89점 : 우수합니다.
50~69점 : 좋습니다.
31~49점 : 보통입니다.
30점 이하 : 좀 더 노력하십시오.

십자말풀이 II

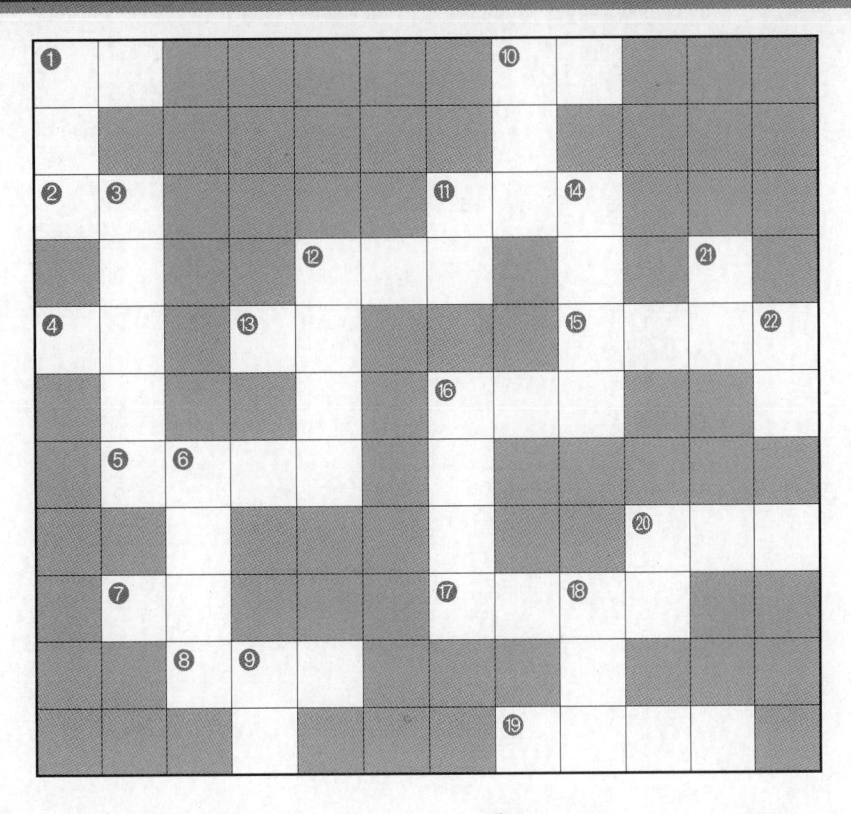

가로

1. 마침내, 끝에 가서 ○○ 그 사람이 이겼다.
2. 한 집에서 함께 생활하는 사람
4. 속해 있는 나라 그 사람은 일본에서 태어났지만 ○○은 한국이에요.
5. 가까이 가다
7. 위와 아래
8. 걱정했던 것과는 다르게 일이 잘 되어, 운이 좋게 ○○○ 잃어버린 지갑을 금방 찾았다.
10. 군인들의 집단 한국 남자들은 특별한 이유가 없으면 ○○에 가야 한다.
11. 눌러서 굳히지 않은 두부 김치찌개도 맛있지만 ○○○ 찌개도 맛이 좋다.
12. 어떤 일에 알맞은 사람이나 물건을 다른 사람에게 소개하고 권하는 글 회사에 취직하려고 교수님께 ○○○를 부탁드렸다.
13. 마음이나 생각 속에 잊혀지지 않고 남아 있는 것 ○○에 남는 선생님.
15. 이를 치료해 주는 병원의 의사
16. 상태나 모양이 바뀌다, 달라지다
17. 어디에 갔다가 오다 학교에 ○○○○.
19. 환하게 빛나고 아름답다 의상이 ○○○○.
20. 참깨로 만든 갈색의 기름

세로

1. 남녀가 정식으로 부부가 되는 의식 청첩장을 받으면 ○○○에 갑니다.
3. 잘 알 수 있을 만큼 자세하다 그 문제를 해결할 수 있는 ○○○○ 방법을 생각해 봅시다.
6. 어떤 일이 될 수 있다, 할 수 있다
9. 여러 사람이 같은 목적을 가지고 함께 하는 모임 문화 ○○, 기념○○
10. 기름을 발라 구운 만두
11. 정해져 있는 차례 발표 ○○
12. 지나간 일을 돌이켜 생각하다 즐거웠던 어린 시절을 ○○○○.
14. 세게 마주 닿다 달려오는 자동차가 가로수에 ○○○○.
16. 어떤 잘못이나 실수에 대해 이유를 말하거나 설명하다
18. 기대하는 것과는 반대로 잘못을 하고도 ○○○ 화를 내는 사람이 있다.
20. (아픔이나 어려운 일을) 잘 이겨 내다 슬픔을 ○○.
21. 물어서 의논함 ○○ 사항이 있으면 사무실로 전화하세요.
22. 일의 형편이나 까닭 회사 ○○으로 출장이 연기됐어요.

부록
-듣기 지문
-모범 답안

듣기 지문

1과 1번(p.28)

한국 청소년들을 대상으로 한 조사에 따르면 청소년들이 가장 즐겨 하는 취미는 '게임이나 채팅 같은 컴퓨터를 이용한 활동'이라고 합니다. 그 다음은 '음악 감상'이고 세 번째가 '텔레비전 시청'이었습니다. 일주일에 몇 시간이나 취미 활동을 하냐는 질문에는 31%가 '2시간 정도'라고 대답했습니다. 그리고 '1시간 이하'가 23%, '3시간 정도'라고 대답한 사람은 겨우 11% 정도로 다른 나라 학생들보다 취미 활동을 하는 시간이 아주 적은 것으로 조사되었습니다. 취미 활동을 하는 이유로는 '스트레스를 풀기 위해서'라는 대답이 가장 많았고, 그 다음이 '재미가 있어서', '시간이 있어서' 순이었습니다.

1과 2번(p.28)

안녕하십니까? 저는 봉사 동아리 '이사모'의 회장을 맡고 있는 이정수입니다. '이사모'는 이웃을 사랑하는 모임입니다. 우리 모임은 어려운 이웃들에게 웃음과 사랑을 주기 위해서 만들어졌습니다. 저희들은 한 달에 두 번씩 노인들과 아이들을 위해 봉사 활동을 하고 있습니다. 봉사의 즐거움을 함께 하실 분들이 계시면 연락해 주십시오.

1과 3번(p.29)

태우 수지야, 너희 동아리에는 신입생들이 많이 들어왔니?
수지 아니, 물어보러 온 학생들은 있었는데 가입한 사람은 얼마 되지 않아.
태우 우리도 그래. 그동안 우리 동아리를 신입생들에게 알리려고 점심시간마다 식당 근처에서 공연도 여러 번 했는데…….
수지 우리도 사진 전시회도 하고 지나가는 신입생들의 사진도 찍어 주면서 들어오라고 했는데 요즘 신입생들은 별로 관심이 없는 것 같아. 그 이유가 뭘까?
태우 요즘은 학교 동아리 활동을 하지 않아도 인터넷 동호회 같은 곳에서 활동을 할 수 있기 때문에 그런 것 같아.
수지 네 말을 들으니까 그런 것 같기도 하다.

2과 1번(p.51)

올해 새로 대학교에 입학한 신입생들 400명에게 아르바이트에 대해서 설문 조사를 한 결과, 97%가 아르바이트를 희망하는 것으로 나타났습니다. 왜 아르바이트를 하고 싶냐는 질문에 62%가 '용돈을 벌기 위해서'라고 대답했습니다. 이어서 '학비를 벌기 위해서'라는 대답이 24%, '경험을 쌓고 싶어서'가 10.9%순으로 아르바이트를 희망하는 신입생들의 80% 이상이 돈을 벌기 위해서 아르바이트를 하고 싶어하는 것으로 조사됐습니다.
또한 아르바이트를 해서 받은 돈으로 가장 하고 싶은 것은 '부모님 선물 구입'이라고 대답한 학생들이 많았으며, 2위는 '평소 갖고 싶었던 물건 구입'이었고, 3위는 '여행'이었습니다.

2과 2번 (p.51)

주말에 등산을 갔어요. 산에 올라갈 때는 날씨가 좋았는데 내려올 때는 비가 와서 비를 맞으면서 내려왔어요. 그런데 집에 와서 보니까 빗물이 들어가서 그런지 휴대전화가 걸리지 않았어요. 할 수 없이 오늘 서비스 센터에 가서 맡겼는데 사람이 많다고 하면서 1시간 후에 다시 오라고 했어요. 그래서 간단히 식사를 하고 오니까 직원이 수리를 하려면 돈이 좀 많이 드는데 수리를 하겠냐고 물었어요. 휴대전화기 안에 물이 들어가서 고치려면 몇십만 원이나 든대요. 휴대전화 값보다 수리비가 더 비쌌어요. 이럴 때 배보다 배꼽이 더 크다고 말하나 봐요. 그 돈이면 새로 사는 것이 더 나을 것 같아서 그냥 나왔어요.

2과 3번 (p.52)

어제 이사를 하고 이사 떡을 돌렸어요. 우리 옆집과 바로 밑의 집만 돌리려고 하다가 그동안 집수리 때문에 시끄럽게 한 게 미안하기도 하고 또 앞으로 계속 살 텐데 얼굴도 보고 인사하는 것이 좋을 것 같아서 1층부터 10층까지 모두 돌리기로 했어요. 처음에는 벨을 누르기도 어색하고 누구냐는 물음에 빨리 대답이 안 나왔지만 조금 지나니까 괜찮아졌어요. 대부분 떡을 받고 좋아하셨어요. 다 돌리고 나니까 힘도 들고 시간도 걸렸지만 기분이 좋았어요. 떡을 받고 앞으로 잘 지내자고 하면서 과일을 가지고 오신 아주머니도 있었고 내 나이와 비슷해 보이는 8층 여자는 내일 자기 집으로 차를 마시러 오라고 했어요. 처음에는 떡을 돌릴까 말까 고민했는데 떡을 돌리기를 잘한 것 같아요. 나도 나중에 다른 사람이 이사 떡을 가져오면 우리 집으로 초대해서 차 한 잔 마시면서 친해져야겠어요.

3과 1번 (p.77)

대중교통의 발달과 과학의 발달로 우리 생활은 점점 편리해지고 있지만 다른 한편으로는 새로운 문제점이 나타나고 있습니다. 이것이 부족해서 비만이 되거나 고혈압, 심장병 등 여러 가지 질병에 걸리기도 합니다. 이제 현대인들은 시간을 내서 특별히 이것을 하지 않으면 건강한 생활을 하기 어렵습니다. 현대인의 건강이 나빠지는 것이 바로 이것의 부족 때문입니다.

3과 2번 (p.77)

앵커 장수를 하려면 어떻게 해야 할까요? 이승연 기자가 자세히 알려 드리겠습니다.

기자 장수를 하려면 충분한 수면을 취하고 규칙적인 식사를 해야 한다고 합니다. 한국 대학교에서 국내 90세 이상 노인 168명의 식습관과 생활 습관을 조사한 결과 9시간 이상 자고, 식사는 하루 세 번 규칙적으로 하는 것으로 나타났습니다. 또 야채, 된장, 두부 같은 식물성 식품을 즐기는 것으로 조사됐는데, 동물성 식품도 자주 먹어 영양의 균형을 유지하는 것이 장수의 비결이라고 합니다. 또 이들의 80%는 가족과 같이 식사한다고 대답했으며 그래서 식사 시간이 즐겁다는 노인도 85.7%나 됐습니다. 또, 술을 마시거나 담배를 피우는 사람은 20% 밖에 되지 않았습니다. 보약이나 영양제 등 건강식품을 먹는 사람도 별로 많지 않아 건강식품이 장수에 큰 도움이 되지 않는 것으로 조사됐습니다.

듣기 지문

3과 3번 (p.77)

조깅은 달리기보다는 느리게, 그리고 평소의 걸음보다는 조금 빠르게, 옆 사람과의 대화가 가능할 정도로 달리는 운동입니다. 조깅도 다른 운동과 같이 항상 5~10 분 정도의 준비 운동을 해야 하고 운동 시간은 30 분 ~1 시간 정도가 적당합니다. 초보자의 경우 3~4 분은 걷고 1~2 분은 달리는 방법으로 시작해서 달리는 거리를 점차 늘려 가는 것이 좋습니다.

4과 1번 (p.103)

샤오밍 요즘 볼 만한 영화 뭐 있어요?

승연 '사랑'이라는 영화가 볼 만하다고는 하던데 샤오밍 씨는 어떨지 모르겠네요. 여자들이 좋아하는 영화라고 해서요.

샤오밍 잘 됐네요. 여자 친구하고 보러 가려고 했거든요.

승연 요즘 제 친구들도 만나면 다들 그 영화 얘기뿐이에요. 저도 시간이 나면 보러 가려고요.

샤오밍 그럼 이번 주말에 여자 친구하고 꼭 봐야겠는데요.

승연 이번 주말이요? 그럼 좀 서둘러야 할걸요. 주말엔 더 빨리 표가 매진된다고 하던데요.

샤오밍 그래요? 그럼 오늘 가서 예매해야겠네요. 고마워요.

4과 2번 (p.103)

지난주 금요일에 예술의 전당에서 일하는 친구가 좋은 공연을 보여 줄 테니까 오라고 해서 갔습니다. 친구를 만나서 표를 찾고 자리에 앉아서 무슨 공연인지도, 누가 나오는지도 모르면서 공연 시작을 기다렸답니다. 커튼이 올라가고 바이올린을 든 연주자를 보고 '좀 지루하겠구나.' 하는 생각을 했습니다. 그러나 몇 분 지나지 않아서 저는 그 음악에 빠져 들었습니다. 수면제 같다고만 생각했던 바이올린 소리가 그렇게 아름다운지 처음 알았습니다. 어렵고 지루하기만 할 거라고 생각한 한 시간 반 동안의 공연은 그 시간이 너무 짧게 느껴질 정도로 환상적이고 감동적이었습니다. 가끔 이런 공연을 찾아 감상하는 것도 좋겠다고 생각했습니다.

5과 1번 (p.128)

수지 너 여자 친구 생겼다면서?

에릭 응.

수지 우와, 정말 축하한다. 그런데 여자 친구랑 어떻게 만난 거야?

에릭 안드레이가 소개해 줬어. 안드레이하고 2급 때 친구였대.

수지 그렇구나. 여자 친구가 굉장히 미인이라면서?

에릭 응, 눈이 아주 크고 예뻐서 마치 배우 같아. 머리는 까맣고 피부도 우유처럼 하얘서 뭘 입어도 잘 어울리고.

수지 그래? 성격은 어떤데?

에릭	첫인상은 좀 냉정하고 고집이 세어 보여서 별로였는데 몇 번 만나 보니까 첫인상과는 정말 달랐어. 정이 많을 뿐만 아니라 다른 사람을 잘 배려해 줘. 그래서 친구들한테도 인기가 정말 많대.
수지	좋은 여자 친구를 만난 것 같네. 자랑 그만하고 언제 한번 소개시켜 줘.
에릭	그래. 그럼 이번 주말에 같이 저녁 먹을까? 여자 친구한테 물어보고서 전화할게.

5과 2번 (p.128)

제 친구 데이비드를 소개합니다.

제가 데이비드를 알게 된 것은 한 3 년쯤 전입니다. 우리는 만난 지 얼마 지나지 않아서 아주 좋은 친구가 되었답니다. 회사원인 부인과 두 아들을 키우고 있는 데이비드는 요리사인데, 경제적으로 넉넉해 보이지는 않았지만 마음만은 큰 부자인 것 같았습니다.

어느 날 같이 커피를 마시면서 이야기를 하다가 이 친구가 일류 대학교에서 공학을 전공했다는 것을 알게 되었습니다. 제가 왜 요리사가 되었냐고 하니까 이 친구는 음식을 만드는 일이 너무 좋고 자기가 만든 음식을 다른 사람이 행복한 마음으로 먹어 줄 때 제일 기쁘다고 했습니다.

그리고 얼마 뒤에 그 친구가 일하는 식당에 놀러 간 일이 있었습니다. 행복한 미소를 지으며 일하는 모습을 보고 저는 무슨 일을 하든지 자기가 하는 일에 만족을 하면서 기쁜 마음으로 일을 하는 사람이 이 세상에서 가장 행복한 사람이 아닐까 하는 생각을 하게 되었습니다.

6과 1번 (p.161)

할머니께

할머니 그동안 안녕하셨어요? 저 밍밍이에요.

이곳 서울에서 이런저런 일로 바빠서 마음은 그렇지 않은데 할머니께 자주 연락을 못 드렸어요. 죄송합니다.

저는 잘 지내고 있어요. 한국말이 생각보다 좀 어렵기는 하지만 이제 생활하는 데에는 어려움이 없답니다. 한국 음식에도 익숙해졌고 친구들도 많이 사귀었고요.

얼마 전 제 생일에는 같은 반 친구들이 파티도 해 줬어요. 중국에서 온 친구들은 생일 선물로 고향 음식을 많이 만들어다가 줬어요. 할머니가 좋아하시는 만두를 먹을 때는 할머니 생각이 많이 났어요.

할머니 건강하시지요? 할아버지께서는 아직도 허리가 많이 아프세요? 병원에는 계속 다니시지요?

2 주 후면 겨울 방학이에요. 방학이 되면 집에 가서 할머니랑 같이 지낼 거예요. 할아버지를 모시고 병원도 같이 가고요. 할머니 너무너무 보고 싶어요.

날씨가 추워지는데 건강 조심하세요. 19 일에 뵐게요.

참, 어머니, 아버지께도 안부 전해 주세요.

안녕히 계세요.

12 월 3 일

서울에서 밍밍 올림

듣기 지문

6과 2번 (p.161)

올가 태우 씨랑 같이 오기를 잘 했어요. 저는 한국 사람 결혼식에 와 본 적이 없거든요.
태우 그래요? 그럼 오늘 승연 씨 언니 결혼식 잘 보세요. 좋은 경험이 될 거예요.
올가 그런데 저기 사람들이 들고 있는 하얀 봉투는 뭐예요?
태우 아, 저거요. 한국에서는 결혼식에 초대 받으면 보통 축의금을 내요.
올가 축의금이요?
태우 축하하는 뜻으로 내는 돈이에요. 그 돈을 하얀 봉투에 넣어서 결혼식장 앞에서 주는 거예요.
올가 그럼 우리도 축의금을 내야 하는 거 아니에요?
태우 우리는 선물을 했으니까 괜찮아요.
올가 그렇군요. 그런데 축의금을 준비하려면 결혼식이 많은 달에는 좀 부담이 되겠네요.
태우 네, 그래서 사람들이 결혼을 많이 하는 5월에는 직장인들이 좀 힘들어해요. 저기 승연 씨가 언니랑 나오네요. 축하 인사부터 합시다.

7과 1번 (p.184)

저는 한국에 와서 크고 작은 실수들을 많이 했는데, 특히 말실수가 많았아요. 제가 한 실수가 너무 많아 다 기억나지는 않지만 몇 가지만 소개할게요. 한 번은 피시(PC)방에서 채팅을 하다가 목이 말랐어요. 저는 음료수가 있는 곳으로 가서 주인 아저씨께 콜라를 하나 달라고 했어요. 주인 아저씨가 선불이라고 하셨는데 저는 그걸 선물이라고 듣고 고맙다고 했어요. 그런데 그 주인 아저씨가 또 선불이라고 해서 저는 또 고맙다고 했어요. 그런데 알고 보니까 선불은 돈을 먼저 내라는 말이었어요. 또, 친구 생일 파티에 가서 술잔을 들고 '건배' 라고 해야 하는데 '깡패' 라고 한 적도 있어요. 제 말을 듣자마자 친구들이 큰 소리로 웃었어요. 저도 나중에 그 단어의 뜻을 알고 나서 얼마나 창피했는지 몰라요. 하지만 이렇게 실수를 하면서 배운 단어는 절대로 잊어버리지 않게 되는 좋은 점도 있어요. 그러니까 여러분도 실수를 할까 봐 걱정하지 마시고 사람들과 이야기를 많이 하세요.

7과 2번 (p.184)

오늘 소개해 드릴 책은 '진실한 사과는 우리를 춤추게 한다' 입니다.
이 책은 '칭찬은 고래도 춤추게 한다' 의 작가로 유명한 캔 블렌차드의 작품으로 사과하기 어려워하는 사람들에게 꼭 필요한 책입니다. 이 책은 잘못을 했을 때 왜 사과해야 하는지 그리고 어떻게 사과해야 하는지를 구체적으로 잘 설명하고 있습니다. 이 책의 작가는 사과는 잘못을 깨닫는 순간 바로 해야 하며, 진실한 마음으로 해야 한다고 합니다. 그리고 자신이 잘못한 것을 알고 있다는 걸 행동으로 보이는 것이 좋다고 합니다. 그렇게 하면 실수로 안 좋았던 상황이 오히려 더 좋은 상황으로 바뀔 수 있다고 이야기하고 있습니다.

8과 1번 (p.207)

샤오밍	여보세요? 김미선 씨세요?
미선	네, 그런데요. 실례지만 누구세요?
샤오밍	안녕하세요? 저는 왕 샤오밍이라고 합니다. 태우 씨 소개로 전화 드리는 건데요.
미선	네, 안녕하세요? 저도 태우 씨한테 얘기 들었어요.
샤오밍	중국어를 배우고 싶다고 하셨다면서요? 저는 한국어를 연습하고 싶어서요. 미선 씨가 괜찮으면 미선 씨하고 언어 교환을 하고 싶은데요.
미선	아, 좋아요. 샤오밍 씨는 언제 시간이 있는데요?
샤오밍	저는 수업이 1시에 끝나니까 1시 이후면 아무 때나 좋아요.
미선	저는 수업이 좀 늦게 끝나서요. 전 주말이 좋은데 주말에는 어떠세요?
샤오밍	토요일 오후만 빼고는 좋아요. 토요일 오후에는 아르바이트를 하거든요.
미선	그럼 매주 토요일 오전에 만나는 것으로 할까요?
샤오밍	네. 그럼 이번 토요일은 몇 시에 어디에서 만날까요?
미선	11시에 학교 앞 커피숍 어때요?
샤오밍	좋아요, 그럼 이번 토요일에 만나요. 혹시 다른 일이 생기면 연락 주세요.

8과 2번(p.207)

히로시	선생님, 안녕하세요?
선생님	네, 안녕하세요? 성함이 어떻게 되세요?
히로시	히로시라고 합니다.
선생님	히로시 씨, 반가워요. 그런데 무슨 일로 찾아오셨어요?
히로시	비자 문제 좀 여쭤 보려고요. 제가 요즘 아르바이트를 하고 있는데요. 사장님께서 다음 학기에는 아침부터 일해 줬으면 좋겠다고 해서요. 그럼 저녁에 수업을 들어야 하는데 그 수업은 학생 비자를 받을 수 없다고 들었어요. 맞아요?
선생님	네, 그래요. 오전 수업을 듣는 학생만 받을 수 있어요. 오전에 수업을 들을 수 없으면 회사에 이야기해서 취업 비자를 받으시지 그래요.
히로시	사장님께 부탁 드려 봤는데 취업 비자를 받으려면 좀 복잡하다고 해서요.
선생님	그래도 일을 하시려면 그렇게 해야 해요. 그냥 지금처럼 오후에만 일하면 안 될까요?
히로시	그럼 사장님께서는 아마 오전부터 일할 수 있는 다른 사람을 구하실 거예요. 저는 돈이 필요해서 아르바이트를 꼭 해야 하거든요.
선생님	그럼 다른 아르바이트 자리를 찾는 건 어때요? 마침 학교 도서관에서 일할 아르바이트 학생을 찾고 있는데 한번 해 볼래요? 오후에만 일하는 거니까 괜찮을 것 같은데요.
히로시	정말요? 좋아요. 그 아르바이트를 하려면 어떻게 해야 하지요?
선생님	여기에 이름하고 전화번호를 쓰세요. 제가 도서관에 연락해 놓을게요.
히로시	감사합니다. 선생님.

듣기 지문

9과 1번 (p.230)

주인 아저씨, 안녕하세요? 저는 그저께 502호에 이사 온 올가예요. 전화를 안 받으셔서 메시지를 남겨요. 사실은 욕실에 문제가 좀 있어요. 욕실에 있는 수도에서 물이 계속 흘러요. 수도를 꼭 잠갔는데도 계속 물이 흘러서 그 소리 때문에 잠도 잘 수 없어요. 그리고 온수도 잘 나오지 않고요. 어제 3층에 살던 사람이 나가서 빈 방이 하나 있다고 들었는데 아직 그 방이 비어 있다면 제가 그 방으로 옮겨도 될까요? 그 방으로 꼭 옮기고 싶어요. 부탁 드릴게요.

9과 2번 (p.230)

태우 유카 씨, 극장에 간다면서요?
유카 네, 그런데 그걸 어떻게 알았어요?
태우 밍밍 씨한테 들었어요. 그런데 저, 부탁 하나 해도 될까요?
유카 무슨 부탁인데요?
태우 저도 내일 영화를 보려고 하는데 유카 씨가 가는 길에 예매 좀 해 줄 수 있어요?
유카 그럼요. 무슨 영화를 볼 건데요?
태우 '비밀의 방'이요. 오후 2시쯤 시작하는 걸로 두 장만 부탁할게요.
유카 저도 그 영화가 요즘 가장 인기 있다고 해서 그걸 볼까 했는데 친구가 코미디 영화를 좋아해서 다른 걸 예매했어요. 나중에 태우 씨가 보고 어떤지 얘기해 주세요. 그런데 누구하고 갈 거예요?
태우 그건 비밀이에요.

9과 3번 (p.231)

면접관 질문에 대답을 짧게 해 주시기 바랍니다. 먼저 김승우 씨께 질문하겠습니다. 부탁을 잘 하려면 어떻게 해야 할까요?
김승우 먼저 공손하고 예의 바른 말을 사용해서 부탁하는 내용과 이유를 알기 쉽게 설명하는 것이 중요하다고 봅니다. 그래서 부탁을 들어주면 진심으로 고맙다는 표시를 하고 혹시 부탁을 들어주지 않아도 예의에 어긋나는 행동을 하면 안 된다고 생각합니다. 특히 부탁을 할 땐 상대방이 이해할 수 있는 이유를 미리 말하는 것이 더 효과적이라고 봅니다.
면접관 그럼 부탁을 거절하는 자신만의 방법이 있습니까?
김승우 저는 부탁을 잘 거절하지 못하는 성격입니다. 하지만 제가 할 수 없는 일을 부탁 받았을 때는 솔직하게 할 수 없는 이유를 말하고 이해를 구하는 편입니다. 그것이 상대방을 가장 쉽게 이해시킬 수 있고 가장 빨리 거절할 수 있는 방법이라고 생각합니다.

10과 1번 (p.254)

올가 태우 씨는 어렸을 때 어떤 아이였어요?
태우 저요? 전 정말 착한 아이였지요. 부모님 말씀도 잘 듣고 공부도 열심히 하고요.
올가 정말요?
태우 하하, 농담이에요. 장난을 많이 쳤던 것 같아요. 친구들한테는 물론이고 부모님이나 선생님께도요.
올가 그럼 야단을 많이 맞았겠네요.
태우 꼭 그렇지는 않아요. 아주 심한 장난은 치지 않았거든요. 그리고 장난을 치다가도 좀 심하다는 생각이 들면 그만두곤 했어요. 올가 씨는 어렸을 때 어땠는데요?
올가 전 조용한 아이였어요.
태우 올가 씨가요? 거짓말 아니에요?
올가 정말이에요. 책 읽기를 좋아해서 밖에 나가지도 않고 집에서 책만 읽곤 했어요.

10과 2번 (p.254)

수지 어제 뉴스를 봤는데 20년 후에는 지금 직업과는 다른 직업들이 많이 생길 거래. 없어지는 직업도 많고.
에릭 기술도 발전하고 우리 생활도 많이 변할 테니까 당연히 그렇게 되겠지.
수지 그런데 우리가 열심히 공부해서 가진 직업이 20년 후에는 필요 없게 되면 어떻게 하지?
에릭 그럼 미래에 꼭 필요한 직업을 가지면 되잖아.
수지 그래. 그런데, 그 기사에 따르면 컴퓨터 소프트웨어 엔지니어나 노인 도우미 같이 첨단 기술이나 노인에 관련된 직업이 전망이 좋을 거래. 다 내 전공하고는 관계가 없는 것들이라서 좀 걱정이야.
에릭 그렇게 걱정이 되면 지금이라도 컴퓨터 관련 공부를 더 해 보지 그래. 너 컴퓨터 잘 하잖아.
수지 그럴 생각도 해 봤는데, 다른 공부를 시작하기에 너무 늦지 않았나 하는 생각이 들어.

모범 답안

제 1 과 취미

1 과 1 항

1. ❷ 악기 ❸ 우표 ❹ 낚시 ❺ 자전거 ❻ 음악
2. ❷ 거의 ❸ 모으 ❹ 가능하면
   ❺ 마음을 먹었어요. ❻ 시간을 내서
3. ❷ 구경 온 사람들이 많 ❸ 오래된 건물과 연못이 있어서 아주 멋있 ❹ 사진을 찍던데요. ❺ 민속 박물관이 있던데요. ❻ 옛날 사람들의 생활 모습을 알 수 있어서 좋던데요.
4. ❷ 식당에서 김밥을 먹던데요. ❸ 수지 씨는 복도에서 전화하던데요. ❹ 에릭 씨는 친구와 아야기하던데요. ❺ 히로시 씨는 식당에서 숙제를 하던데요. ❻ 엘리베이터가 고장났던데요.
5. ❷ 비싸 ❸ 노래를 잘 하 ❹ 크 ❺ 예쁘
   ❻ 시험을 잘 봤
6. ❷ 닮았 ❸ 젊으시 ❹ 많이 먹었 ❺ 가
   ❻ 뚱뚱하시

1 과 2 항

1. ❷ 연주회를 ❸ 전시회를 ❹ 상영이
2. ❷ 완성하는 ❸ 주로 ❹ 등록했어요.
   ❺ 인물화, 풍경화가
3. ❷ 먼 ❸ 지키는 ❹ 먹는 ❺ 본 ❻ 한
4. ❷ 공부하는 시간이 적은 편입니다. ❸ 술을 자주 마시는 편입니다. ❹ 한국 대학생들에 비해서 아르바이트를 많이 하는 편입니다. ❺ 한국 대학생들에 비해서 용돈을 많이 쓰는 편입니다. ❻ 한국 대학생들에 비해서 휴대전화를 적게 사용하는 편입니다.
5. ❷ 커피도 맛없고요. ❸ 깨끗해요. 시설도 좋고요. ❹ 비싸요. 사람도 많고요. ❺ 책이 많아요. 값도 싸고요. ❻ 복잡해요. 친절하지도 않고요.
6. ❷ 외국인만 가능해요. 해외 교포도 가능하 ❸ 10% 할인이 돼요. 10 만 원 이상 사면 상품권도 주 ❹ 한국 무용을 본다고 해요. 탈춤도 배우고요. ❺ 3,000 원짜리 주스를 2,000 원에 팔아서요. 두 개 사면 하나를 더 주고요. ❻ 2 급 학생들만 참가해요. 오후반 2 급 학생들도 참가할 수 있고요.

1 과 3 항

1. ❷ 국악 동아리 ❸ 여행 동아리 ❹ 등산 동아리 ❺ 합창 동아리 ❻ 봉사 동아리
2. ❷ 고민이에요. ❸ 관심이 ❹ 들려면 ❺ 괜히 ❻ 동영상을
3.

오늘은 평일입니다.	친구가 오지 않아요.
그 물건이 비쌉니다.	대답을 못 했어요.
그것에 대해서 잘 압니다.	백화점에 사람이 많아요.
뉴스를 날마다 듣습니다.	듣기 성적이 좋아지지 않아요.
밥을 안 먹었습니다.	사는 사람이 많아요.
약속 시간이 지났습니다.	배가 고프지 않아요.

❷ 그 물건이 비싼데도 사는 사람이 많아요.
❸ 그것에 대해서 잘 아는데도 대답을 못 했어요.
❹ 뉴스를 날마다 듣는데도 듣기 성적이 좋아지지 않아요.
❺ 밥을 안 먹었는데도 배가 고프지 않아요.
❻ 약속 시간이 지났는데도 친구가 오지 않아요.

4. 남자 2: 옷이 많은데도 남자 3: 이미 끝난 일인데도 여자 1: 잘못을 했는데도 여자 2: 할 일이 없는데도 항상 바쁘다고 해요. 여자 3: 여자 친구가 있는데도 다른 여자들한테 관심이 많아요.
5. ❷ 사 ❸ 놀 ❹ 웃 ❺ 쓰 ❻ 떠들
6. ❷ 게임 ❸ 전화 ❹ 먹 ❺ 집안일
   ❻ 잔소리만

1 과 4 항

1. ❷ 봉사 활동 ❸ 비디오 촬영 ❹ 음악 감상
   ❺ 스포츠 관람
2. ❷ 조사는 ❸ 험해서 ❹ 결과가 ❺ 따르면

❻ 별로

3. ❷ 교실에서 나갔어요. ❸ 버스가 고장이 났어요. ❹ 아이스크림을 사 ❺ 집에 돌아오 ❻ 아침에 일어나자마자 물을 마셨어요.
4. ❷ 끊어졌어요. ❸ 시험이 끝나, 아르바이트를 하러 가야 해요. ❹ 도착하, 연락 드릴게요. ❺ 수업이 끝나자마자 친구를 만나러 갔어. ❻ 용돈을 받자마자 다 썼어요.
5. ❷ 모임 장소는 동아리 방이래요. ❸ 중요한 문제에 대해서 이야기해야 하니까 모두 다 꼭 오래요. ❹ 다른 사람들을 생각해서 늦지 말래요. ❺ 모임이 끝난 후에 식사를 같이 하재요. ❻ 그날 못 오는 사람들은 미리 동아리 회장한테 연락해 달래요.
6. ❷ 한국 사람들이 가장 즐겨 찾는 산이 설악산이래요. ❸ 겨울에 더 아름답대요. ❹ 겨울에도 사람들이 많이 찾는대요. ❺ 3시간 정도면 갈 수 있대요. ❻ 전화하래요.

1과 5항

1. 1) 감상 2) 관람 3) 촬영 4) 상영 5) 연주 6) 봉사 7) 여행 8) 오락 9) 전시 10) 수집
2. ❶ 고민을 ❷ 마음먹었다. ❸ 학원 ❹ 등록했다. ❺ 동아리 ❻ 관심이 ❼ 동영상 ❽ 촬영해서 ❾ 홈페이지 ❿ 괜히
3. ❶ 아주 좋 ❷ 잘 그렸 ❸ 일주일에 두세 번 가니까 자주 가는 ❹ 만두도 먹 ❺ 배웠는데도 잘 모르겠어요. ❻ 누워 있 ❼ 전화가 오, 연락해 드릴게요. ❽ 아직 안 왔대요. ❾ 열심히 공부하래요. ❿ 만나재요.
4. ❶ 어제 본 영화가 재미있던데요. (○)
   ❷ 아까 태우 씨가 도서관에 가던데요. (○)
   ❸ 요리하는 것을 좋아하는 편이지만 시간이 없어서 자주 못 해요. (○)
   ❹ 안드레이 씨는 똑똑하지만 성격이 좋지 않아요. (○)
   ❺ 퇴근하자마자 친구를 만나러 갔어요. (○)
5. ❶ 큰오빠가 다음 달에 결혼한대요. ❷ 빨리 하게 되었대요. ❸ 그때는 방학이니까 올 수 있내요. ❹ 비행기 표부터 예약하래요. ❺ 결혼 선물을 사러 가재요. ❻ 가수 김빈의 새로 나온 시디(CD)를 사 가지고 오래요.

듣기 연습

1. 1)

	가장 즐겨 하는 취미	취미 활동을 하는 시간	취미 활동을 하는 이유
1위	컴퓨터를 이용한 활동	2시간 정도 /1주일	스트레스를 풀기 위해서
2위	음악 감상	1시간 이하 /1주일	재미가 있어서
3위	텔레비전 시청	3시간 정도 /1주일	시간이 있어서

2. 1) 이웃을 사랑하는 모임 2) 한 달에 두 번씩 노인들과 아이들을 위해 봉사 활동을 한다. 3) ❷
3. 1) ❸ 2) ❷ 3) 학교 동아리 활동을 하지 않아도 인터넷 동호회 같은 곳에서 활동을 할 수 있기 때문이다.

읽기 연습

1) ❶ ○ ❷ ○ ❸ × ❹ × ❺ ×
2) 인라인 스케이트를 좀 더 타기 위해서
3) ❶ 나이가 많아서
   ❷ 아무나 할 수 없다고 생각해서

말하기 · 쓰기 연습

(생략)

제 2 과 일상생활

2과 1항

1. ❷ 인사를 드렸어요. ❸ 인사를 받으신 ❹ 인사를 시키셨어요. ❺ 인사를 나눈
2. ❷ 맛을 보세요. ❸ 궁금한 ❹ 부탁하면 ❺ 그렇지 않아도
3. ❷ 지금 끄려던 참이었어요. ❸ 지금 막 주문하려던 참이었어. ❹ 전화하려던 참이었어. ❺ 나가려던 참이었어요. ❻ 커피를

모범 답안

마시려던 참이었어요.

4. ❷ 지금 하려던 참이었어요. ❸ 끄려던 참이었어요. ❹ 퇴근하려던 ❺ 전화하려던 참이었어. ❻ 막 나가려던 참이었어.

5.

거기는 춥습니다.	미리 준비하세요.
백화점은 비쌉니다.	안으로 들어갑시다.
가족들이 걱정합니다.	오늘 밤에 출발합시다.
곧 영화가 시작됩니다.	시장에 가는 게 어때요?
내일 아침은 교통이 복잡합니다.	두꺼운 옷을 가져 가세요.
취직할 때 성적 증명서가 필요합니다.	빨리 집에 전화하세요.

❷ 백화점은 비쌀 텐데 시장에 가는 게 어때요?
❸ 가족들이 걱정할 텐데 빨리 집에 전화하세요.
❹ 곧 영화가 시작될 텐데 안으로 들어갑시다.
❺ 내일 아침은 교통이 복잡할 텐데 오늘 밤에 출발합시다.
❻ 취직할 때 성적 증명서가 필요할 텐데 미리 준비하세요.

6. ❷ 무거우실 ❸ 시장하실 ❹ 바쁘실, 부탁을 드려서 죄송합니다. ❺ 피곤하실

2과 2항

1. ❷ 다림질을 할 ❸ 다듬 ❹ 염색했어요. ❺ 드라이클리닝해야 ❻ 굽을 갈아야
2. ❷ 앞머리가 ❸ 찔러서 ❹ 유행이에요. ❺ 자르려고 ❻ 짙은
3. ❷ 작 ❸ 매운 걸 못 먹 ❹ 모레 입어야 하거든요. ❺ 머리가 아프거든요. ❻ 학생증을 잃어버렸거든요.
4. ❷ 글을 재미있게 쓸 수 있거든요. ❸ 화장하는 것을 좋아하거든요. ❹ 음악을 좋아해서 음악에 대해서 좀 알거든요. ❺ 연극에 필요한 물건들을 가지고 있거든요. ❻ 전에 무대를 꾸며 본 적이 있거든요.
5. ❷ 되고말고. ❸ 알고말고요. ❹ 잘 해 주고말고요. ❺ 주고말고. ❻ 있고말고.
6. ❷ 가능하 ❸ 설치해 드리 ❹ 박아 드리고말고요. ❺ 그럼요, 해 드리고말고요. ❻ 받을 수 있고말고요.

2과 3항

1. ❷ 경력자가 ❸ 시간제예요. ❹ 보수는 ❺ 자기소개서와 ❻ 이력서를
2. ❷ 경험을 ❸ 다들 ❹ 힘들어해요. ❺ 근무 시간이 ❻ 구하
3. ❷ 김포 공항에 내렸었다. ❸ 눈이 왔었다. ❹ 아주 조용한 동네였었다. ❺ 작고 예쁜 집들이 많았었는데……. ❻ 공기도 아주 좋았었다.
4. ❷ 날마다 친구들하고 늦게까지 놀아서 자주 야단을 맞았었어. ❸ 숙제를 안 해서 수업이 끝난 후에 벌로 청소를 한 적이 많았었어. ❹ 어렸을 때 아주 말랐었어. 별명이 갈비였었어. ❺ 친구들한테 맛있는 것을 잘 사 줘서 인기가 좋았었어. ❻ 어렸을 때는 동생인 나를 잘 때렸었어.
5. ❷ N 서울타워가 전망이 좋던데 거기에 가 보세요.
❸ 강화도가 가깝고 볼 것도 많던데 거기에 가 보세요.
❹ 외국인들이 불고기를 좋아하던데 불고기를 준비하세요.
❺ 여자들은 꽃을 좋아하던데 꽃을 선물하세요.
❻ 동대문 시장에 물건이 많던데 동대문 시장에 가 보세요.
6. ❷ 재미있는 놀이 기구가 많 ❸ 비싸 ❹ 자장면이 맛있 ❺ 맛있고 깨끗하 ❻ 멋있

2과 4항

1. ❷ 사용 설명서를 읽어 ❸ 전화로 문의해 ❹ 서비스 센터에 맡겨야 ❺ 수리를 받을 ❻ 서비스 센터에서 찾을
2. ❷ 수리하 ❸ 비용을 ❹ 무료로 ❺ 구입하려고 ❻ 맡기는
3. ❷ 쫓기고 ❸ 물렸을 ❹ 팔려요. ❺ 닫혀 ❻ 풀렸어요.
4. ❷ 들렸다. ❸ 열렸다. ❹ 안겨 ❺ 걸려 ❻ 쌓여 ❼ 잡혔다. ❽ 쓰여

5. ❷ 나는 청소기를 돌려 놓을게. ❸ 나는 다림질을 해 놓을게. ❹ 파티에 입고 갈 드레스를 만들어 ❺ 나는 유리 구두를 사 놓았어. ❻ 나는 타고 갈 자동차를 빌려 놓았어.
6. ❷ 케이크를 사 놓았습니다. ❸ 꽃을 꽂아 놓았습니다. ❹ 선물을 사 놓았습니다. ❺ 풍선을 달아 놓았습니다. ❻ 촛불을 켜 놓았습니다.

2과 5항

1. ❶ 다림질하다, 드라이클리닝하다 ❷ 짐을 싸다, 짐을 옮기다 ❸ 머리를 다듬다, 염색하다 ❹ 구두를 닦다, 굽을 갈다 ❺ 고장 나다, 수리하다
2. ❶ 궁금하다 ❷ 짙다 ❸ 구입하다 ❹ 경험 ❺ 구하다 ❻ 맡기다 ❼ 수리하다 ❽ 인사
3. ❶ 가려던 ❷ 힘드실, 바쁘실 ❸ 다음 주에 시험이 있 ❹ 갈 수 있 ❺ 사무실에 계시 ❻ 학교였었어요. ❼ 보여서요. ❽ 팔렸어요. ❾ 창문을 열어 ❿ 메모해
4. ❶ 아기가 엄마한테 자꾸 안기려고 해요. (○) ❷ 경찰이 도둑을 잡으려고 쫓아갑니다. (○) ❸ 잠을 많이 잤는데도 피로가 풀리지 않아요. (○) ❹ 모기한테 물리면 가려워서 잘 수가 없어요. (○) ❺ 창문을 열고 밖을 보니까 놀고 있는 아이들이 보입니다. (○) ❻ 손님이 오시면 바쁘니까 미리 음식을 그릇에 담아 놓으세요. (○)

듣기 연습

1.

	아르바이트를 하려는 이유	아르바이트를 해서 받은 돈으로 하고 싶은 것
1위	용돈을 벌기 위해서	부모님 선물 구입
2위	학비를 벌기 위해서	갖고 싶었던 물건 구입
3위	경험을 쌓고 싶어서	여행

2. 1) ❹ 2) 휴대전화를 산 가격보다 수리비가 더 많이 들기 때문입니다.
3. 1) ❶ 그동안 집수리 때문에 시끄럽게 한 게 미안해서 ❷ 앞으로 계속 살 거니까 이웃 사람들에게 인사하는 것이 좋을 것 같아서 2) ❸

읽기 연습

1. 1) ❷ 2) ❷ 3) ❶ 재활용을 하기 위해서 ❷ 환경 오염도 막기 위해서

말하기 · 쓰기 연습

(생략)

쉼터 1

★단어 게임

❶ 가재, 거위, 고래, 독수리, 오리……
❷ 공책, 구두, 라디오, 만화, 바지, 부츠, 상자, 셔츠, 운동화, 치약……
❸ 간장, 갈비, 과자, 마늘, 복숭아, 소금, 참외, 치즈……
❹ 경주, 마산, 부산……
❺ 가계, 간단, 고교, 구두쇠, 기분, 다시, 먹보, 소년, 아파트, 안부, 우주, 운동, 운반, 울보, 지하, 치과, 화원……

제 3 과 건강

3과 1항

1. ❷ 불면증 ❸ 비만 ❹ 고혈압이니까 ❺ 흡연 ❻ 운동 부족
2. ❷ 안색이 ❸ 뭐니 뭐니 해도 ❹ 잃으면 ❺ 무리하 ❻ 몸살이 났다.
3. ❷ 여권이 있어야 비행기를 탈 수 있어요. ❸ 일찍 가야 좋은 자리에 앉을 수 있어요. ❹ 사장님이 오셔야 회의를 시작할 수 있어요. ❺ 오늘까지 등록해야 수업을 들을 수 있어요. ❻ 18세 이상이 되어야 운전면허 시험을 볼 수 있어요.
4. ❷ 좋은 재료를 써야 맛있는 음식을 만들 수 있어요. ❸ 하루도 빠지지 않고 운동을 해야 금메달을 딸 수 있어요. ❹ 음식을 골고루 잘 먹고 규칙적인 생활을 해야 슈퍼 모델이 될 수 있어요. ❺ 항상 손님들께 최선을

모범 답안

다 해야 자동차를 많이 팔 수 있어요. ❻ 다양한 경험을 많이 해야 좋은 영화를 만들 수 있어요.

5. ❷ 고등학교 때로 다시 돌아간다면 공부를 열심히 하고 싶어요. ❸ 앞으로 1 년밖에 살 수 없다면 남은 시간을 가족과 같이 보내고 싶어요. ❹ 내가 부모라면 공부하라고 하지 않겠어요. ❺ 아무도 없는 섬에 혼자 간다면 강아지를 데리고 가고 싶어요. ❻ 옛날 사람을 만날 수 있다면 돌아가신 할아버지를 만나고 싶어요.
6. ❷ 복권에 당첨된다면 큰 집을 사고 싶어요. ❸ 이 세상에서 전쟁이 없어진다면 평화로운 세상이 될 거예요. ❹ 한국말을 한국 사람처럼 잘 한다면 한국 회사에서 일하고 싶어요. ❺ 옛날로 돌아갈 수 있다면 초등학교 때로 돌아가고 싶어요. ❻ 남자로 다시 태어난다면 군대에 한번 가 보고 싶어요./ 여자로 다시 태어난다면 치마를 입어 보고 싶어요.

3과 2항

1. ❷ 줄 ❸ 생길 ❹ 소모할 ❺ 풀릴
2. ❷ 식욕이 ❸ 노력을 ❹ 유지하려면 ❺ 상쾌해요 ❻ 깨웠지만
3. ❷ 자야지요. ❸ 적어 놓아야지요. ❹ 자주 전화를 드려야지요. ❺ 돈을 아껴 써야지요. ❻ 빨리 반납을 해야지요.
4. ❷ 그럼 운동을 해야지요. ❸ 그럼 열심히 일을 해야지요. ❹ 그럼 외국어 공부를 열심히 해야지요. ❺ 그럼 먼저 담배를 끊어야지요. ❻ 그럼 먼저 운전을 배워야지요.
5. ❷ 죽였어요. ❸ 울렸어요. ❹ 세웠어요. ❺ 태웠어요. ❻ 맡겼어요.
6. ❷ 벗겨 ❸ 먹여 ❹ 알리지 ❺ 끓이세요. ❻ 재우세요.

3과 3항

1. ❷ 발효 식품 ❸ 생선류 ❹ 인스턴트 식품 ❺ 육류
2. ❷ 번거롭 ❸ 대표적인 ❹ 건강식을 ❺ 김장을 ❻ 손이 많이 가는
3. ❷ 공이라든가 자동차, 장난감을 사 주세요. ❸ 잡지라든가 만화책, 책이 좋을 것 같아요. ❹ 목걸이라든가 귀걸이, 액세서리를 받으면 기뻐할 거예요. ❺ 커피 메이커라든가 커피 잔 같은 생활용품이 좋을 것 같아요. ❻ 인삼이라든가 꿀 같은 건강식품이 좋을 것 같아요.
4. ❷ 드라마라든가 영화 같은 것을 봐요. ❸ 배구라든가 농구 같은 공을 가지고 하는 운동을 좋아해요. ❹ 콜라라든가 주스 같은 시원한 걸 준비하세요. ❺ 제주도라든가 하와이 같은 휴양지에 많이 가요. ❻ 떡이라든가 엿 같은 것을 선물해요.
5. ❷ 결혼을 한다고 ❸ 승연 씨가 시험 보는 날이 언제냐고 ❹ 4 월 12 일에 물이 안 나온다고, 아세요? ❺ 도쿄행 비행기를 탈 사람은 45 번 문으로 오라고, 어느 쪽으로 가야 해요? ❻ 올가가 내일 미영이 생일 파티에 같이 가자고, 갈 수 있어?
6. ❷ 우도가 아름답다고 하던데 거기에 가자. ❸ 돼지고기가 유명하다고 하던데 돼지고기를 먹자. ❹ 롯데 호텔이 전망이 좋다고 하던데 롯데 호텔에서 잘까? ❺ 민박이 좀 싸다고 하던데 민박에서 자자. ❻ 귤이 맛있다고 하던데 귤을 사 오자.

3과 4항

1. ❷ 소식 ❸ 채식 ❹ 식습관 ❺ 편식 ❻ 육식
2. ❷ 비결 ❸ 정하시면 ❹ 장수 ❺ 중요하다고 ❻ 식사량을
3. ❷ 사형 제도는 필요하지 않다고 봐요. ❸ 저는 수술 후 자신감을 얻을 수 있으면 해도 된다고 봐요. ❹ 저는 그렇게 생각하지 않아요. 수술 후 부작용이 많으니까 안 하는 것이 낫다고 봐요. ❺ 저는 곧 좋아질 거라고 봐요. ❻ 저는 그렇게 생각하지 않아요. 몇 년 동안은 어려울 거라고 봐요.
4. ❷ 주택이 부족한 것이 문제라고 봐요. ❸ 환경 오염이 문제라고 봐요. ❹ 사람들이 버스라든가 전철 같은 대중교통을 좀 더 많이 이용해야 한다고 봐요. ❺ 집을 더 많이 지어야 한다고 봐요. ❻ 환경 오염을 해결하려면

일회용품의 사용을 줄여야 한다고 봐요.

5. ❷ 고등학교 때 축구 선수였답니다. ❸ 아주 귀엽답니다. ❹ 사람들 말도 잘 알아듣는답니다. ❺ 중학교 때 샀답니다. ❻ 소리가 맑고 깨끗하답니다.
6. ❷ 인천에는 인천국제공항이 있답니다. ❸ 이천은 도자기로 유명하답니다. ❹ 불국사는 경주에 있답니다. ❺ 전주는 비빔밥이 유명하답니다. ❻ 부산에 가면 꼭 가 봐야 할 곳이 해운대랍니다.

3과 5항

1. ❶ 육식 ❷ 흡연 ❸ 채식 ❹ 불면증 ❺ 피로 ❻ 편식 ❼ 비만 ❽ 운동 부족 ❾ 과식 ❿ 고혈압
2. ❶ 안색이 ❷ 과로를 ❸ 식욕 ❹ 무리하면 ❺ 뭐니 뭐니 해도 ❻ 건강식을 ❼ 유지하는데 ❽ 비결이 ❾ 규칙적인 ❿ 식사량을
3. ❶ 늦어도 12월 초에 보내야 크리스마스 전에 도착할 거예요. ❷ 원하는 곳에 갈 수 있다면 달나라에 가고 싶어요. ❸ 가야지요. ❹ 알려 ❺ 깨워 ❻ 김이라든가 김치 ❼ 아플 때는 죽이 좋다고, 죽을 끓여 주세요. ❽ 10년 후쯤 통일이 될 거라고 ❾ 외국어는 어릴 때 배우는 것이 좋다고 ❿ 영화배우랍니다.
4. ❶ 자 ❷ 깨웠다. ❸ 앉히 ❹ 씻겨 ❺ 입혀 ❻ 먹 ❼ 먹여 ❽ 웃겼다. ❾ 읽 ❿ 재우

듣기 연습

1. 1) 운동
2. 1) ❶ 2) 아니요, 별로 도움이 되지 않는 것으로 나타났습니다.
3. 1) ○ 2) × 3) × 4) ○

읽기 연습

1. 1) ❷ 2) 운동도 하고 재미도 느끼는 것입니다. 3) ❹
2. 1) ❸ 2) ❷ 3) ❶ ○ ❷ ○ ❸ × ❹ ○

말하기 · 쓰기 연습

(생략)

제4과 공연과 감상

4과 1항

1. ❷ 공연 일시 ❸ 공연 장소 ❹ 관람 연령 ❺ 작품 해설
2. ❷ 말할 것도 없 ❸ 무대 ❹ 의상 ❺ 자막이 ❻ 뮤지컬은
3. ❷ 형 ❸ 말하기 성적 ❹ 전자 사전이 이 사전 ❺ 비싼 식당 음식이 어머니가 만든 음식만 못해요. ❻ 고급 커피숍 커피가 자판기 커피만 못해요.
4. ❷ 안드레이만 못하 ❸ 태우 씨만 못하 ❹ 히로시 씨가 태우 씨만 못하니까 ❺ 연세 노트북이 한국 노트북만 못해. ❻ 한국 노트북이 연세 노트북만 못해.
5. ❷ 차를 빌려 주 ❸ 그 친구를 소개하 ❹ 제가 설거지를 하 ❺ 내가 설거지를 해 주 ❻ 내가 설거지를 도와주, 공부 열심히 하기다.
6. ❷ 고속버스를 타 ❸ 계란을 먹 ❹ 생선회를 먹 ❺ 우리는 밍밍 씨 친구 집에서 자는 대신에 호텔 ❻ 숙박비를 내는 대신에 우리는 밍밍 씨에게 맛있는 저녁을 사 줬다.

4과 2항

1. ❷ 예약했다. ❸ 취소해야겠다. ❹ 변경하려면 ❺ 예매해야 ❻ 환불 받았다.
2. ❷ 간단하 ❸ 좌석이 ❹ 알려 줄래? ❺ 선택하는 ❻ 가입했어요.
3. ❷ 재미있다고 ❸ 혼자서 술 마시고 있다고 ❹ 고향에서 돌아왔다고 ❺ 깨워 달라고 ❻ 수영장에 가자고
4. ❷ 엄마라고 해서 ❸ 손에 참기름을 바르고 나무 위로 올라왔다고 해서 ❹ 도끼를 쓰면 쉽게 올라올 수 있다고 해서 ❺ 아이들이 (아이들을 불쌍하게 생각하면) 줄을 내려 달라고 해서 ❻ 동생이 밤은 어두워서 무섭다고 해서
5. ❷ 대학을 졸업하 ❸ 회사를 그만두 ❹ 약을 먹 ❺ 화를 내 ❻ 점심만 먹
6. ❷ 넣 ❸ 넣 ❹ 담 ❺ 다 만들

4과 3항

1. ❷ 우울해졌다. ❸ 감동적이었다. ❹ 신나

모범 답안

는 ❺ 심각해서
2. ❷ 마지막으로 ❸ 목소리로 ❹ 대사가 ❺ 훌륭한 ❻ 인상적이어서
3. ❷ 예문이 많을, 설명도 쉽다. ❸ 조금 먹을, 잘 안 먹는다. ❹ 많이 먹을, 자주 먹는다. ❺ 캠퍼스가 넓을, 아름답다. ❻ 숙제가 많을, 시험도 자주 본다.
4. ❷ 편리할 뿐만 아니라 깨끗하고 조용합니다. ❸ 수영뿐만 아니라 등산도 할 수 있습니다. ❹ 어른들뿐만 아니라 아이들도 즐길 수 있습니다. ❺ 리조트 안의 식당에서 할 수 있을 뿐만 아니라 주방에서 직접 만들어 드실 수도 있습니다. ❻ 자세한 정보를 얻을 수 있을 뿐만 아니라 할인권도 받으실 수 있습니다.
5. ❷ 우산을 가져가야지. ❸ 따뜻한 옷을 입어야지. ❹ 내일부터는 일찍 일어나야지. ❺ 고향에 계신 부모님께 전화를 해야지. ❻ 병원에 가야지.
6. ❷ 예쁜 옷을 사야지. ❸ 노트북을 사야지. ❹ 친구들하고 파티를 해야지. ❺ 해외여행을 가야지. ❻ 은행에 저금해야지.

4과 4항

1.

권하다	계획이나 의견을 내놓다.
소개하다	어떤 일을 하거나 무엇을 해 보라고 말하다.
안내하다	인사를 시키거나 설명을 해서 알게 해 주다.
제안하다	어떤 행사나 장소를 알려 주거나 데려다 주다.
추천하다	알맞은 사람이나 물건을 다른사람에게 소개하고 권하다.

❷ 소개하 ❸ 추천해 ❹ 안내했다. ❺ 제안했다.
2. ❷ 분위기가 ❸ 흥겨운 ❹ 지루했다. ❺ 사물놀이❻ 확
3. ❷ 설악산이 가 볼 만하던데 한번 가 보세요. ❸ 불고기가 먹을 만해요. ❹ 친구하고 영화를 보려고 하는데 요즘 볼 만한 영화가 있어요? ❺ 걸을 만해. ❻ 믿을 만해요?
4. ❷ 신을 만한데요. ❸ 쓸 만한데요. ❹ 볼 만한 ❺ 먹을 만한 ❻ 쓸 만한
5. ❷ 많을걸요. ❸ 받을걸요. ❹ 일찍 나올걸요. ❺ 드시고 오실걸요. ❻ 탔을걸요.
6. ❷ 바쁠걸요. ❸ 고향에 돌아갔을걸요. ❹ 여행을 못 갈걸요. ❺ 병원에 가야 할걸요. ❻ 바쁠걸요.

4과 5항

1. ❶ 작품명 ❷ 공연 일시 ❸ 공연 장소 ❹ 관람 연령 ❺ 예매하신 ❻ 확인한 ❼ 환불 받으실 ❽ 감동적인 ❾ 인상적이었습니다. ❿ 추천하는
2. ❶ 말할 것도 없 ❷ 대사를 ❸ 좌석 ❹ 지루할 ❺ 훌륭한 ❻ 흥겨운 ❼ 자막 ❽ 알려 주 ❾ 의상을 ❿ 가입했다.
3. ❶ (기말시험이) 중간시험 ❷ 발표 순서를 바꿔 주, 맛있는 점심을 사 주세요. ❸ 떡볶이를 좋아하신다고 ❹ 친구가 보자고 ❺ 수업이 끝나, 친구하고 같이 점심을 먹었어요. ❻ 맛있을, 값도 싸서 저는 늘 거기서 점심을 먹어요. ❼ 아침에 운동해야지. ❽ 경복궁이 가 볼 ❾ 할 ❿ 오늘 약속이 있을걸요.
4. ❶ 맞아요. 하숙집이 기숙사만 못해요.(○)
❷ 그래, 그러면 숙제를 도와주는 대신에 너는 저녁 준비 좀 해 줘.(○)
❸ 네, 이 전화기는 디자인이 예쁠 뿐만 아니라 가벼워요. (○)
❹ 조금 맵기는 했지만 먹을 만했어요. (○)
❺ 오늘 할 이야기가 많아서 아직 안 끝났을걸요. (○)

듣기 연습

1. 1) ❶ ○ ❷ × ❸ × ❹ ×
2. 1) ❷ 2) ❹ 3) 어렵고 지루하다고 생각했다.

읽기 연습

1. 1) ❶ × ❷ ○ ❸ × ❹ × 2) ❸
2. 1) ❹ 2) ❶ ○ ❷ × ❸ ○ ❹ ○ ❺ × 3) 거리의 음악가와 체코에서 이민 온 가난한 소녀의 사랑 이야기입니다.

말하기 · 쓰기 연습
(생략)

쉼터 2
★ 단어를 만들어 봅시다.

ㄱㅅ : 간식, 감상, 갈색, 검사, 검색, 고속, 관심, 기사……

ㅅㄱ : 사고, 사과, 상관, 생각, 생강, 성격, 성공, 시간, 세계, 소개, 송금, 시골, 신기……

ㅅㅈ : 사자, 사전, 소주……

ㅇㅇ : 애인, 억양, 언어, 얼음, 예약, 예의, 와인, 웬일, 이유, 인원……

ㅊㅊ : 추천, 추측, 춘천……

ㄱㄱㄹ : 개구리, 고구려, 골고루……

ㅊㅂㅈ : 처방전, 초보자, 출발점……

제 5 과 사람

5과 1항
1. ❷ 인기가 좋은 ❸ 인정을 받 ❹ 유명해서 ❺ 능력이 뛰어나서
2. ❷ 겨우 ❸ 평이 ❹ 패션쇼 ❺ 실력을
3. ❷ 없는 ❸ 다친 ❹ 도서관에 가는 모양이에요. ❺ 맛있는 모양이에요. ❻ 기분이 좋은, 시험을 잘 본 모양이에요.
4. ❷ 목욕탕에 들어오, 샤워를 할 ❸ 졸고 계시, 피곤하신 ❹ 즐거워하, 텔레비전이 재미있는 ❺ 공부하, 시험 기간인 ❻ 웃으시는, 기분이 좋으신
5. ❷ 취미로 그릴 ❸ 아플 ❹ 했을 ❺ 친구일 뿐이에요. ❻ 들었을 뿐인데요.
6. ❷ 자고 싶을 ❸ 인사만 했을 ❹ 대답을 했을 ❺ 도와줬을 ❻ 인사를 드렸을

5과 2항
1. ❷ 꼼꼼하다 ❸ 고집이 세다 ❹ 성격이 급하다 ❺ 게으르다 ❻ 무뚝뚝하다
2. ❷ 챙겨. ❸ 마치 ❹ 충분할 ❺ 죽을 ❻ 무척
3. ❷ 좋아한다면서요? ❸ 봤다면서요? ❹ 더 재미있었다면서요? ❺ 남산도 산책했다면서요? ❻ 야경도 아름다웠다면서요?
4. ❷ 한국말을 잘 한다면서요? ❸ 생일이라면서요? ❹ 사람이 많다면서요? ❺ 싸웠다면서요? ❻ 우리 팀이 이겼다면서요?
5. ❷ 저 집 ❸ 이 가방 ❹ 시디(CD) ❺ 이 공책 ❻ 교실 반
6. ❷ 방이 손바닥 ❸ 배가 남산 ❹ 눈이 단춧구멍 ❺ 월급이 쥐꼬리 ❻ 얼굴이 주먹

5과 3항
1. ❷ 저축하다 ❸ 투자하다 ❹ 기부하다 ❺ 낭비하다 ❻ 절약하다
2. ❷ 혹시 ❸ 놀라운 ❹ 자신과 ❺ 말입니다. ❻ 대단한
3. ❷ 직업을 바꾸기란 보통 일이 아니에요. ❸ 좋은 부모가 되기란 참 어려운 일이지요. ❹ 까다로운 사람과 일하기란 쉬운 일은 아니지요. ❺ 날마다 아침 운동을 하기란 그리 쉬운 일이 아니에요. ❻ 아르바이트를 하면서 공부를 하기란 어려운 일이에요.
4. ❷ 일찍 일어나기란 쉬운 일이 아니지요. ❸ 숙제를 하기란 보통 일이 아니지요. ❹ 수업이 끝나고 아르바이트를 하기란 보통 일이 아니지요. ❺ 항상 손님에게 친절하게 대하기란 쉬운 일이 아니지요. ❻ 아르바이트를 하고 와서 집안일을 하기란 쉬운 일이 아니지요.
5. ❷ 여름을 시원하게 보냈던 ❸ 다림질을 했던 ❹ 실을 만들었던 ❺ 곡식을 갈았던 ❻ 화장실로 사용했던
6. ❷ 들었던 ❸ 있었던 ❹ 만났던 ❺ 있었던 ❻ 봤던

5과 4항
1. ❷ 사업가 ❸ 정치인 ❹ 교육자 ❺ 연예인
2. ❷ 존경해요. ❸ 배려하는 ❹ 흐뭇해하셨다. ❺ 마음이 넓으셔서
3. ❷ 비행기가 도착했을 텐데 왜 연락이 없지? ❸ 번거로우셨을 텐데 도와주셔서 감사합니다. ❹ 백화점에 사람이 많았을 텐데 힘들지 않았어요? ❺ 날씨가 많이 추웠을 텐데 고생하지 않으

모범 답안

셨어요?
❻ 친구들은 다 돌아갔을 텐데 혼자서 할 수 있겠어요?

4. ❷ 힘들었을 ❸ 도착했을 ❹ 봤을 ❺ 화가 많이 났을 ❻ 벌써 끝났을
5. ❷ 고향에 가 ❸ 선생님께서 찾으시 ❹ 다음에 재미있는 연극을 하거든 같이 봅시다.
❺ 안드레이 씨를 만나시거든 제 안부 좀 전해 주세요. ❻ 아프시거든 먼저 퇴근하세요.
6. ❷ 가신다고 하시 ❸ 돌아오신다고 하시
❹ 돌아오시지 않으신다고 하시 ❺ 일찍 오신다고 하시 ❻ 오신다고 하시, 저녁을 잡수시고 오실 거냐고 여쭤 봐.

5과 5항

1. ❶ 무뚝뚝한 ❷ 꼼꼼하십니다. ❸ 정이 많은 ❹ 인기가 좋습니다. ❺ 능력이 뛰어나서 ❻ 인정을 받았습니다. ❼ 성격이 급합니다. ❽ 고집이 센 ❾ 성공하 ❿ 기부하
2. ❶ 패션쇼 ❷ 흐뭇해집니다. ❸ 마치 ❹ 인정을 받는 ❺ 무척 ❻ 겨우 ❼ 자신이 ❽ 챙겨 ❾ 평이 ❿ 존경 받을
3. ❶ 차가 밀리는 ❷ 할 일을 했을 ❸ 휴가라면서요? ❹ 어려웠다면서요? ❺ 밍밍 씨
❻ 주먹 ❼ 취직하, 하늘의 별 따기라고 ❽ 지혜로웠던 ❾ 매웠을, 먹을 만했어요?
❿ 오, 가
4. ❶ 기분이 좋은 걸 보니까 시험을 잘 본 모양입니다. (○)
❷ 그 사람과 저는 같은 반 친구일 뿐입니다. (○)
❸ 그 회사는 일은 많은데 월급은 쥐꼬리만 해요. (○)
❹ 뛰어가는 걸 보니까 약속 시간에 늦은 모양입니다. (○)
❺ 그 사람을 벌써 만났을 텐데 왜 아무 소식이 없지? (○)

듣기 연습

1. 1) 좀 냉정하고 고집이 세어 보였다. 2) 정이 많을 뿐만 아니라 다른 사람을 잘 배려해 준다. 3) ❶ ○ ❷ ○ ❸ × ❹ ×
2. 1) ❶ × ❷ × ❸ × ❹ ○ ❺ ○ 2) 자기가 하는 일에 만족을 하면서 기쁜 마음으로 일을 하는 사람

읽기 연습

1. 1) ❶ ○ ❷ ○ ❸ ○ ❹ × 2) ❶ 좋은 점: 빠르고 정확한 서비스 문화 ❷ 나쁜 점: 너무 빨리 변하는 환경에 추억이 사라지는 것
2. 1) ❷ 2) ❷

말하기 · 쓰기 연습

(생략)

복습 문제 (1과 –5과)

Ⅰ 1. 실력이 2. 심각해요. 3. 뭐니 뭐니 해도 4. 구입하려면 5. 겨우 6. 거의 7. 존경하는 8. 비결이 9. 인상적인 10. 챙겨 11. 충분하니까 12. 관심이 13. 마음먹었다 14. 경험이 15. 배려할

Ⅱ 1. ❹ 2. ❷ 3. ❷ 4. ❶ 5. ❹

Ⅲ 1. ❹ 2. ❶ 3. ❹ 4. ❸ 5. ❷

Ⅳ 1. 걸려 2. 세워 3. 들리 4. 낮춰 5. 보여 6. 깨워 7. 잡혔나요? 8. 안겨서 9. 맡겼어요? 10. 놓여

Ⅴ ❶ 2급 때 같은 반 친구였던 율리아 씨가 오늘 한국에 온대요. ❷ 7시에 학교 앞 카페 '빈'에서 만나기로 했대요. ❸ (저도) 시간이 되면 오래요. ❹ 같이 저녁을 먹으면서 이야기하재요. ❺ 혹시 못 오면 연락해 달래요.

Ⅵ 1. 등산을 갔어요. 2. 투표를 할 수 있어요.
3. 국민들을 위해서 열심히 일할 거예요.
4. 전화해 보세요. 5. 아파서 먼저 갔다고 전해 주세요.

Ⅶ 1. 수지 씨가 감기에 걸렸던데요. (○)
2. 지난번에 산 구두가 참 예쁘던데요. (○)
3. 점심을 먹었는데도 벌써 배가 고파요. (○)
4. 수업이 끝나자마자 식당으로 달려갔어요. (○)
5. 옷은 옷걸이에 걸어 놓아라. (○)
6. 10명 이상이 신청해야 그 수업을 들을 수 있어요. (○)
7. 쓰기 실력이 말하기 실력만 못해요. (○)
8. 전화를 받고서 나갔어요. (○)

9. 그 곳은 날씨도 좋을 뿐만 아니라 볼 것도 많아서 항상 관광객이 많아요. (○)
10. 에릭 씨와 저는 그냥 오빠, 동생 하면서 지내는 사이일 뿐이에요. (○)

Ⅷ 1. 카드를 넣고서 비밀 번호를 누르세요. 2. 자식을 잘 키우기란 쉬운 일이 아닙니다. 3. 얼굴이 잘 생겼을 뿐만 아니라 연기도 잘 합니다. 4. 영수증이 있어야 환불 받을 수 있어요. 5. 학교에서 아르바이트를 할 사람을 찾는다고 하던데 빨리 가 보십시오.

Ⅸ ❶기침도 많이 하고요. ❷토하기만 해요. ❸좀 심각하네요. ❹연세병원에 어린이 병원이 있던데 ❺가고말고. ❻부산이라든가 제주도 같은 곳이 어때? ❼경주에 볼 것이 많다고 하던데 경주에 가 보자. ❽방학하자마자 고향에 가야 해. ❾친구 결혼식이 있거든.

Ⅹ 1. 하루에 서너 잔쯤 마시니까 많이 마시 2. 퇴근하려던 3. 히로시 씨가 알, 히로시 씨한테 물어보세요. 4. 어렸을 때는 키가 아주 작았었어요. 5. 준비해 6. 그 나라 말부터 배워야지요. 7. 관심과 사랑이라고 8. 전에 나온 물건 9. 요즘 볼 만한 영화가 많다고, 친구와 같이 극장에 갔어요. 10. 아마 없을 걸요. 11. 기분 나쁜 일이 있는 12. 한두 번 만났을 13. 고향으로 돌아간다면서요? 14. 월급은 쥐꼬리 15. 아주 추웠던

십자말풀이 I

❶감	❷상				❾수	집	하	❿다		
	❸영	화	❹동	아	리			⓫이	삿	짐
			영					어		
⓭관	⓮심		❺상	쾌	하	❻다		⓬트	림	
	⓯사	⓰이				리				
		력				❼미	❽장	원		
		⓱서	⓲비	스			수			
⓳우	⓴표		결						㉖채	㉗식
	㉑현	㉒관		㉓심	각	하	㉔다			사
		람					㉕들	다		량

제 6 과 모임 문화

6 과 1 항

1. ❷ 돌잔치 ❸ 차례를 ❹ 집들이 ❺ 결혼식
2. ❷ 큰어머니는 ❸ 안 그래도 ❹ 고생하신 ❺ 우선
3. ❷ 도서관에서 책을 빌려다가 ❸ 정원에서 꽃을 꺾어다가 ❹ 우편함에서 편지를 꺼내다가 ❺ 고기를 사다가 불고기를 만들었어요. ❻ 샌드위치를 만들어다가 공원에서 친구들하고 먹었어요.
4. ❷ 빌려다가 읽자. ❸ 가져다가 드릴게요. ❹ 찾아다가 놓을게. ❺ 뽑아다가 줄래요? ❻ 사다가 걸면 좋겠어요.
5. ❷ 선풍기라도 ❸ 저라도 ❹ 지금이라도 ❺ 내일이라도 ❻ 걸어서라도
6. ❷ 우유라도 ❸ 이메일이라도, 보내세요. ❹ 춘천에라도 가야지. ❺ 버스라도 타고 갈게요. ❻ 동생하고라도 같이 오세요.

6 과 2 항

1. ❷ 안부 인사를 드리러 ❸ 안부를 물었다. ❹ 안부를 전해 ❺ 안부가 궁금해졌다. ❻ 안부 전화를 한다.
2. ❷ 야 ❸ 준비 중이 ❹ 보이 ❺ 아까
3. ❷ 귀엽 ❸ 집에 가 ❹ 식당에서 아르바이트를 하 ❺ 왔 ❻ 화가 많이 났
4. ❷ 높아졌 ❸ 없 ❹ 그대로시 ❺ 물으시 ❻ 참 예쁘
5. ❷ 졸업이라니요? ❸ 많이 아프다니요? ❹ 숙제라니요? ❺ 열심히 공부하다니요? ❻ 화가 많이 나시다니요?
6. ❷ 외국에 있다니요? ❸ 성형 수술을 하다니요? ❹ 남자 친구와 헤어지다니요? ❺ 사이가 나쁘다니요? ❻ 가수로 데뷔하다니요?

6 과 3 항

1. ❷ 신입생 환영회가 ❸ 회비는 ❹ 선배와 ❺ 후배와 ❻ 뒤풀이
2. ❷ 오랜만이 ❸ 신입생 ❹ 곡 ❺ 오리엔테이션이

모범 답안

3. ❷ 수업이 끝나 ❸ 밥을 먹 ❹ (친구한테) 전화하 ❺ 운동하 ❻ 공부하
4. ❷ 책을 읽 ❸ 이사를 하 ❹ 식사를 하 ❺ 물을 끓이 ❻ 승진하
5. ❷ 좀 서두르 ❸ 남겨 놓 ❹ 좀 일찍 말해 주 ❺ 나도 데려가 ❻ 넣
6. ❷ 먹 ❸가 ❹ 마시지 말 ❺ 다시 맞춰 놓 ❻ 전화를 드리

6과 4항

1. ❷ 야유회 ❸ 동호회 ❹ 회식이 ❺ 회의가
2. ❷ 기대하 ❸ 슬슬 ❹ 목이 쉴 ❺ 잔뜩 ❻ 참석하려고
3. ❷ 지금 회의 중이라니까 ❸ 아기 옷은 많다니까 ❹ 다음 월요일에 시험을 본다니까 ❺ 에릭 씨가 감기에 걸렸다니까 ❻ 태우 씨가 어제 월급을 받았다니까
4. ❷ 승연 씨가 설악산 단풍이 아름답다니까 ❸ 밍밍 씨 어머니께서 도자기를 수집하신다니까 ❹ 에릭 씨가 미국에서 영어 선생님이었다니까 ❺ 태우 씨가 남산에 다녀왔다니까 ❻ 샤오밍 씨가 연극을 좋아한다니까
5. ❷ 지하철로 가시 ❸ 우산을 가지고 가시 ❹ 쌀국수를 드시 ❺ 전자 상가에 가 보시 ❻ 운동을 하시
6. ❷ 오시 ❸ 나가서 먹 ❹ 커피나 마시 ❺ 제가 하 ❻ 빌려 드리

6과 5항

1. 가족 모임 : 돌잔치, 차례, 회갑 잔치
   학교 모임 : 동창회, 신입생 오리엔테이션, 신입생 환영회
   회사 모임 : 연수, 직원 단합 대회, 회식
2. ❶ 슬슬 ❷ 곧은 ❸ 기대해도 ❹ 아까 ❺ 안 그래도 ❻ 참석하 ❼ 잔뜩 ❽ 잔치를 ❾ 준비 중이셔. ❿ 고생해서
3. ❶ 꺼내다가 ❷ 찬물이라도 ❸ 잘 생겼 ❹ 올가 씨가 장학금을 받다니요? ❺ 떠나 ❻ 우리 집에 들르 ❼ 아주 추워진다니까 ❽ 바쁘다니까 ❾ 약을 드시 ❿ 내
4. ❶ 에다가 ❷ 그려다가 ❸ 에다가 ❹ 사 가지고 ❺ 찾아다가 ❻ 싸 가지고 ❼ 사다가 ❽ 살다가 ❾ 배우다가 ❿ 빌려다가

듣기 연습

1. 1) 밍밍이 할머니께 썼다. 2) ❸ 3) ❷
2. 1) ❶ × ❷ × ❸ ○ ❹ ○ ❺ × 2) 축하하는 뜻으로 내는 돈을 말합니다.

읽기 연습

1. 1) ❶ ○ ❷ × ❸ × ❹ × 2) 12 년마다 돌아오는 자기 띠가 5 번 돌아서 60 세가 되면 사람이 다시 태어나는 것과 같다고 믿었기 때문입니다.
2. 1) ❹ 2) ❶ 3) ❶ ○ ❷ × ❸ × ❹ ○

말하기 · 쓰기 연습

(생략)

쉼터 3

삼행시 (생략)

제 7 과 실수와 사과

7과 1항

1. ❷ 조심하세요. ❸ 잘못했어요. ❹ 잊어버렸어요. ❺ 착각했나 ❻ 오해했군요.
2. ❷ 그만 ❸ 어떡하 ❹ 내용 ❺ 일기장을 ❻ 비밀이야.
3. ❷ 달러를 냈군요. ❸ 3급 책을 가져온다는 ❹ 보낸다는 ❺ 도와준다는 ❻ 유카 씨한테 전화한다는, 그만 밍밍 씨한테 잘못 걸었어요.
4. ❷ 자기 집 초인종을 누른다는 것이 다른 집 초인종을 눌렀다. ❸ 자기 옷을 입는다는 것이 다른 사람의 옷을 입고 왔다. ❹ 어제 자기의 가방을 들고 온다는 것이 다른 사람의 노트북 가방을 들고 왔다. ❺ 오백 원짜리를 낸다는 것이 백 원짜리를 냈다. ❻ 731 번 버스를 탄다는 것이 713 번 버스를 탔다.

5.

늦습니다.	냉장고에 넣었어요.
길이 막힙니다.	열심히 공부했어요.
음식이 상합니다.	택시를 타고 왔어요.
친구가 실망합니다.	말을 하지 않았어요.
시험에 떨어집니다.	높은 곳에 올려놓았어요.
아이들이 깨뜨립니다.	다른 길로 돌아서 왔어요.

❷ 길이 막힐까 봐 다른 길로 돌아서 왔어요. ❸ 음식이 상할까 봐 냉장고에 넣었어요. ❹ 친구가 실망할까 봐 말을 하지 않았어요. ❺ 시험에 떨어질까 봐 열심히 공부했어요. ❻ 아이들이 깨뜨릴까 봐 높은 곳에 올려놓았어요.

6. ❷ 스케이트를 타다가 넘어질까 ❸ 물에 빠질까 ❹ 멀미를 할까 ❺ 산에서 길을 잃을까 ❻ 시험을 못 볼까

7과 2항

1. ❷ 전화 예절 ❸ 식사 예절 ❹ 언어 예절 ❺ 방문 예절
2. ❷ 사이예요? ❸ 친하 ❹ 비위생적이에요. ❺ 끼리 ❻ 불평하
3. ❷ 식어 버렸다. ❸ 끝내 버렸다. ❹ 치워 버렸다. ❺ 써 버렸다. ❻ 마셔 버렸다.
4. ❷ 찢어 버렸다. ❸ 지워 버렸다. ❹ 잘라 버렸다. ❺ 먹어 버렸다. ❻ 끊어 버렸다.
5. ❷ 사서 먹는 게 편하잖아요. ❸ 물건도 많고 싸잖아요. ❹ 질도 좋고 디자인도 예쁘잖아요. ❺ 돈이 없으면 필요 없는 것은 안 사게 되잖아요. ❻ 불편하잖아요.
6. ❷ 멋있 ❸ 비가 오잖아. ❹ 공휴일이잖아요. ❺ 편하잖아요. ❻ 불편하잖아요.

7과 3항

1. ❷ 변명하 ❸ 용서를 비세요. ❹ 양해를 구하세요.
2. ❷ 그럴 리가요. ❸ 볼일이 ❹ 오히려 ❺ 직접적으로 ❻ 들러서
3. ❷ 커피도 맛있고 해서 자주 가요. ❸ 날씨도 덥고 해서 집에만 있었어요. ❹ 할 일도 없고 해서 청소를 해요. ❺ 머리도 아프고 해서 모임에 안 갔어요. ❻ 물어볼 것도 있고 해서 전화를 했어요.
4. ❷ 할 일도 없고 해서 일찍 퇴근했어요. ❸ 조용하고 해서 그 동네로 이사했어요. ❹ 살도 찌고 해서 운동을 시작했어요. ❺ 잠도 안 오고 해서 어젯밤에 다 읽었어. ❻ 분위기도 좋고 해서 거기에 자주 가요.
5. ❷ 바꾸 ❸ 사전을 찾 ❹ 고치 ❺ 아르바이트를 하 ❻ 사무실에 가서 물어보
6. ❷ 식당에서 하지 그래요. ❸ 드라마를 보지 그래요. ❹ 스쿼시를 치지 그래요. ❺ 그럼 배를 타고 가지 그래요. 훨씬 싸요. ❻ 그럼 상품권을 드리지 그래. 어머니가 직접 고르실 수가 있잖아.

7과 4항

1.

이해하다	어떤 사람을 보고 누구인지 알다.
알아보다	다른 사람의 말이나 뉴스 등을 알게 되다.
알아듣다	싸운 다음에 사과하고 다시 사이 좋게 지내다.
화해하다	다른 사람의 생각을 바꾸어서 내 생각과 같이 만들다.
설득하다	말이나 글의 뜻을 알거나 다른 사람 의 상황을 알아 주다.

❷ 알아볼 ❸ 설득하 ❹ 알아듣 ❺ 화해하니까

2. ❷ 표현할 ❸ 계속 ❹ 부딪쳐서 ❺ 오해를 살
3. ❷ 잘못을 하 ❸거짓말을 하 ❹ 시디 (CD) 를 사 ❺ 읽 ❻ 합격하, 등록을 하지 못했대요.
4. ❷ 고맙다는 인사를 한 번도 한 적이 없어요. ❸ 나를 보고도 인사도 안 하고 그냥 갔잖아. ❹ 부르는 소리를 듣고도 대답도 안 하고 가 버렸잖아. ❺ 받고도 답장도 안 했어. ❻ 받고도 대답도 안 하고 그냥 끊어 버렸잖아.

모범 답안

5. ❷ 수리비가 그렇게 비싸단 ❸ 자동차가 그렇게 많단 ❹ 여자 친구가 그렇게 예쁘단 ❺ 그렇게 조금 받는단 ❻ 그렇게 오래 걸렸단
6. ❷ 삼겹살이 그렇게 싸단 말이에요?
   ❸ 고등학생이 가짜 물건을 팔았단 말이에요?
   ❹ 개와 고양이가 그렇게 사이가 좋단 말이에요?
   ❺ 교도소에 가고 싶어서 은행 강도를 했단 말이에요?
   ❻ 어른 몸무게가 겨우 35kg 밖에 안 된단 말이에요?

7과 5항

1. ❶ 사과하다 ❷ 착각하다 ❸ 알아듣다 ❹ 실수하다 ❺ 변명하다 ❻ 화해하다 ❼ 설득하다 ❽ 알아보다 ❾ 오해하다 ❿ 양해를 구하다
2. ❶ 일기장이 ❷ 내용을 ❸ 비위생적이라고 ❹ 표현하는 ❺ 그만 ❻ 부딪쳤다. ❼ 친했던 ❽ 오히려 ❾ 볼일이 ❿ 불평하니까
3. ❶ 소금을 넣는다는, 설탕을 넣어서 그래요. ❷ 집을 못 찾을까 ❸ 먹어 ❹ 줘 ❺ 기분도 우울하 ❻ 간편하 ❼ 인터넷 뱅킹으로 내 ❽ 든 ❾ 그렇게 비싸단 ❿ 빌려 가서 아직까지 갚지 않았단
4. ❶ 책을 사 놓고도 안 읽었어요. (○)
   ❷ 취직을 못 할까 봐 걱정이에요. (○)
   ❸ 휴대전화가 고장 나서 수리를 맡겼어요. (○)
   ❹ 지난번 시험을 그렇게 못 봤단 말이에요? (○)
   ❺ 다 쓴 공책을 버린다는 것이 새 공책을 버렸어요. (○)
   ❻ 그 친구는 자기를 부르는 말을 듣고도 그냥 가 버렸어요. (○)

듣기 연습

1. 1) 선불이라는 말을 선물이라고 잘못 들어서 2) ❶ × ❷ × ❸ × ❹ ○ 3) 실수한 단어는 절대로 잊어버리지 않게 되는 좋은 점이 있다.
2. 1) 사과하기 어려워하는 사람들 2) ❶ × ❷ ○ ❸ × ❹ ○ ❺ ×

읽기 연습

1. 실수 (잘못)
2. 1) ❷ 2) ❶ 3) ❷ 4) ❶ × ❷ ○ ❸ ○ ❹ ○

말하기 · 쓰기 연습

(생략)

제 8 과 학교생활

8과 1항

1. ❷ 준비물 ❸ 행사 ❹ 회원 ❺ 회비는
2. ❷ 전체가 ❸ 의논해요? ❹ 일정 ❺ 야유회를
3. ❷ ②, 돈이 있으면서도 친구에게 빌려 주지 않았어요. ❸ ①, 돈이 별로 없으면서도 쓰기만 해요. ❹ ①, 단어의 뜻을 모르면서도 안다고 말했어요. ❺ ②, 두 사람은 서로 사랑하면서도 결혼하지 않았어요. ❻ ②, 그 사람이 잘못했으면서도 나한테 사과하지 않았어요.
4. ❷ 부자이면서도 ❸ 알면서도 ❹ 모르면서도 ❺ 시험을 못 봤으면서도 ❻ 숙제를 안 했으면서도
5. ❷ 찾아뵙 ❸ 꼭 오늘까지 끝내 ❹ 늦지 않 ❺ 주차장에 세우 ❻ 따뜻한 차를 마시
6. ❷ 바꿔 놓 ❸ 확인해 보 ❹ 연락하 ❺ 준비해 놓 ❻ 참석하

8과 2항

1. ❷ 국적 ❸ 성별 ❹ 모국어 ❺ 기타 ❻ 연락처
2. ❷ 발음이 ❸ 억양이 ❹ 포기하 ❺ 마침 ❻ 시간이 나서
3. ❷ 어찌나 추운지 ❸ 어찌나 재미있는지 ❹ 어찌나 많이 부는지 ❺ 어찌나 어려운지 ❻ 어찌나 많이 먹었는지
4. ❷ 어찌나 보고 싶은지 ❸ 어찌나 매운지 ❹ 어찌나 슬픈지 ❺ 어찌나 많이 싸 주셨는지 ❻ 어찌나 아픈지
5. ❷ 헤어지 ❸ 죽 ❹ 사 ❺ 다 먹 ❻ 자

6. ❷ 보시 ❸ 옷 ❹ 쫓겨나 ❺ 보이 ❻ 화를 내

8과 3항

1. ❷ 고민이십니까? ❸ 의견이 ❹ 충고가 ❺ 문제
2. ❷ 말 못할 ❸ 표정이 ❹ 아무 ❺ 아무리 ❻ 어두워
3.

일기를 쓰다	건강해졌어요.
운전면허를 따다	공연장에 가지 않았어요.
거짓말을 하다	배탈이 나서 병원에 갔어요.
연극 표를 사다	곧 잠이 들었습니다.
팥빙수를 먹다	운전할 생각도 안 해요.
담배를 끊다	얼굴이 빨개졌습니다.

❷ 운전면허를 따, 운전할 생각도 안 해요.
❸ 거짓말을 하, 얼굴이 빨개졌습니다.
❹ 연극 표를 사, 공연장에 가지 않았어요.
❺ 팥빙수를 먹, 배탈이 나서 병원에 갔어요.
❻ 담배를 끊, 건강해졌어요.

4. ❷ 듣 ❸ 놓 ❹ 보 ❺ 화해하지 않 ❻ 사과하
5. ❷ 추울지도 ❸ 길을 잃을지도 ❹ 어두워질지도 ❺ 심심할지도 ❻ 배가 고플지도
6. ❷ 필요할지도 ❸ 음식이 부족할지도 ❹ 우리 이야기를 들을지도 ❺ 모자랄지도 ❻ 남편한테서 전화가 올지도

8과 4항

1. ❷ 상담 받 ❸ 신청서를 ❹ 상담 교사 ❺ 조언을
2. ❷ 접수시키다 ❸ 입학하다 ❹ 면접시험 ❺ 원서
3. ❷ 수선하면 ❸ 진심으로 사과하면 ❹ 전자상가에 가서 사면 ❺ 요리책을 보면 ❻ 세탁소에 맡기면
4. ❷ 외국인이면 ❸ 시험을 잘 보면 ❹ 물을 더 넣으면 ❺ 수업 시간에 선생님 설명을 잘 들으면 ❻ 떠나기만 하면
5. ❷ 연휴라서 ❸ 어머니 생신이라서 ❹ 시험 기간이라서 ❺ 결혼기념일이라서 ❻ 세일 기간이라서
6. ❷ 명절이라서 ❸ 공사 중이라서 ❹ 설날이라서 ❺ 통화 중이라서 ❻ 설날이라서

8과 5항

1. ❶ 기타 ❷ 모국어 ❸ 성별 ❹ 회원 ❺ 일정 ❻ 신청 ❼ 준비물 ❽ 고민 ❾ 상담 ❿ 충고
2. ❶ 아무리 ❷ 마침 ❸ 의논하는 ❹ 어찌나 ❺ 일정은 ❻ 어둡다. ❼ 아무 ❽ 포기하 ❾ 시간이 나면 ❿ 원서를
3. ❶ 돈이 있으면서도 ❷ 일찍 오 ❸ 어려운지 ❹ 좋아하는지 ❺ 잃어버리고 ❻ 반 ❼ 잊어버릴지도 ❽ 짐을 옮기기만 하면 ❾ 누르면 ❿ 휴가철이라서
4.

❶ 그 물건이 비싼데도 샀어요. (○)
❷ 내일까지 꼭 써 오도록 하겠습니다. (○)
❸ 어찌나 많이 웃었는지 배가 다 아팠어요. (○)
❹ 조심했지만 감기에 걸리고 말았어요. (○)
❺ 그 사람은 옷을 입고는 밖으로 나갔다. (○)
❻ 시험 기간이라서 도서관에 자리가 없어요. (○)

듣기 연습

1. 1) ❷ 2) ❶ × ❷ × ❸ × ❹ ○ ❺ ○
2. 1) ❷ 2) ❷

읽기 연습

1. 1) ❷ 2) ❶ × ❷ × ❸ × ❹ ○
2. 1) 유카 씨에게 좋아한다는 말을 해야 할지 말아야 할지 고민하고 있다. 2) ❶ × ❷ ○ ❸ × ❹ ×

말하기 · 쓰기 연습

(생략)

모범 답안

쉼터 4

퍼즐 게임

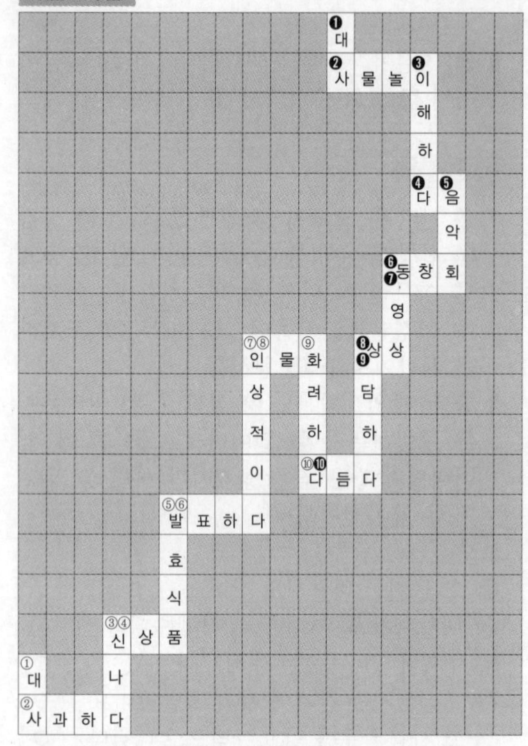

제 9 과 부탁과 거절

9 과 1 항

1. ❷ 부탁을 받았다. ❸ 부탁을 들어준다. ❹ 부탁을 했다. ❺ 거절했다. ❻ 거절을 당했다.
2. ❷ 갑자기 ❸ 남아서 ❹ 밤을 새워서 ❺ 뭐 ❻ 어쩐지
3. ❷ 좋 ❸ 안 좋아하 ❹ 다 하 ❺ 미안하 ❻ 잘 치
4. ❷ 잘 추 ❸ 잘 하 ❹ 인기가 많기는요. ❺ 무뚝뚝하기는요. ❻ 말이 없기는요.
5. ❷ 시험공부를 하 ❸ 하숙집을 찾 ❹ 공연 준비를 하느라고 그래요. ❺ 공항에 나가느라고 못 갔어요. ❻ 청소를 하느라고 식사를 못 했어요.

6.

❷ 친구와 술을 마시, 시험공부를 못 했어요.

❸ 친구 대신에 아르바이트를 하, 시험공부를 못 했어요.

❹ 이모 댁에 갔다가 오느라고 시험공부를 못 했어요.

❺ 동생이 아파서 밤새도록 동생을 간호하느라고 시험공부를 못 했어요.

❻ 회사에서 밀린 일을 하느라고 시험공부를 못 했어요.

9 과 2 항

1. ❷ 약속 시간을 좀 미룰 수 있을까요? ❸ 제가 오늘 찾아뵈어도 될까요? ❹ 사진 좀 찍어주시겠어요? ❺ 여기 앉아도 될까요?
2. ❷ 지나가는 ❸ 누르면 ❹ 발짝 ❺ 내밀면서 ❻ 물러나
3. ❷ 아 ❸ 저기요 ❹ 있잖아 ❺ 글쎄요 ❻ 자
4. ❷ 자 ❸ 여기요 ❹ 글쎄 ❺ 있잖아 ❻ 저
5. ❷ 걸리지 않 ❸ 다치지 않 ❹ 가 ❺ 먹 ❻ 떨어지지 않
6. ❷ 뒷사람이 볼 수 있 ❸ 아이들이 먹지 않 ❹ 사고가 나지 않, 속도를 줄이십시오. ❺ 다른 사람에게 방해가 되지 않, 떠들지 마십시오. ❻ 깨지지 않, 포장을 잘 하십시오.

9 과 3 항

1. 2) ❷ 3) ❶ 4) ❶ 5) ❸
2. ❷ 출장 ❸ 발표 ❹ 순서 ❺ 부탁
3. ❷ 책이 그렇게 작다니 믿을 수가 없어요. ❸ 딸꾹질을 그렇게 오래 하다니 정말이에요? ❹ 키가 그렇게 크다니 정말이에요? ❺ 이름이 그렇게 길다니 믿어지지 않아요. ❻ 커피가 그렇게 비싸다니 정말이에요?
4. ❷ 기온이 영하 15 도로 내려가다니 정말이에요? ❸ 홍수가 일어나다니 정말이에요? ❹ 갑자기 기온이 떨어지고 눈이 내리다니 정말 이상하네요. ❺ 갑자기 날씨가 따뜻해져서 겨울에 여름옷을 입고 다니다니 믿을 수가 없어요. / 갑자기 날씨가 따뜻해져서 겨울에 수영을 하다니 믿을 수가 없어요. ❻ 우박이 내리다니 정말이에요?
5. ❷ 기다리게 하 ❸ 하지 못하게 하세요. ❹ 쉬게 하세요. ❺ 긁지 못하게 하세요. ❻ 일어나지 않게 하세요.

6. ❷ 아버지께서 담배를 끊으시게 하세요. ❸ 아버지께서 약을 매일 드시게 하세요. ❹ 아버지께서 스트레스를 받으시지 않게 하세요. ❺ 아버지께서 매일 30분 이상 운동을 하시게 하세요. ❻ 아버지께서 규칙적으로 의사에게 진찰을 받으시게 하세요.

9과 4항

1. ❷ 사장님 ❸ _____ 씨 ❹ _____ 아/야 ❺ 사모님 ❻ 선생님
2. ❷ 통역을 ❸ 마중을 나가는 ❹ 귀한 ❺ 거래처 ❻ 곤란한데요.
3. ❷ 보통 두 달 전에 예약해야 한다지요? ❸ 시간이 더 걸린다지요? ❹ 문을 닫는다지요? ❺ 떡국을 먹는다지요? ❻ 세뱃돈을 받는다지요?
4. ❷ 가장 인기 있는 공연이 난타라지요? ❸ 가장 많이 탄다지요? ❹ 한국 사람들은 축구를 자주 한다지요? ❺ 가 : 한국 사람들은 술안주로 오징어를 많이 먹는다지요? 나 : 네, 그렇대요. ❻ 가 : 한국 사람들은 숫자 중에서 '7'을 제일 좋아한다지요? 나 : 네, 그렇대요.
5. ❷ 지금 주문하실 ❸ 오늘 가실, 내일 가실 ❹ 여기서 드실, 가지고 가서 드실 ❺ 손님이 쓰실, 선물하실 ❻ 파티를 집에서 하실, 음식점에서 하실
6. ❷ 언제 가실 ❸ 어느 항공사를 이용하실 ❹ 일반석으로 하실 건가요? 비즈니스 석으로 하실 건가요? ❺ 몇 분이 가실 건가요? ❻ 카드로 하실 건가요?

9과 5항

1. ❶ 거절하 ❷ 사모님이라고 ❸ 사장님과 ❹ 힘든 ❺ 부탁을 하 ❻ 부탁을 들어주 ❼ 안 된다. ❽ 불가능하 ❾ 부탁을 받았을 ❿ 거절을 당할까
2. ❶ 누르면 ❷ 뭐 ❸ 내밀면 ❹ 순서 ❺ 갑자기 ❻ 지나가는 ❼ 지방 ❽ 곤란하다. ❾ 거래처 ❿ 물러나
3. ❶ 비싸 ❷ 잘 하 ❸ 입학시험 준비를 하, 못 갔어요. ❹ 글쎄, 뭐더라. ❺ 저 ❻ 넘어지지 않 ❼ 연락도 없이 안 오, 그럴 수가 있어요? ❽ 기다리 ❾ 결혼한다지요? ❿ 입으실
4. ❶ 걸려서 ❷ 음 ❸ 다치지 않게 ❹ 화를 내다니 ❺ 못하게

듣기 연습

1. 1) ❶ 2) ❶ ○ ❷ ○ ❸ × ❹ × ❺ ○
2. 1) 영화 표를 예매해 달라고 했다. 2) ❹
3. 1) ❹ 2) ❸

읽기 연습

1. 1) ❶ 상대방에게 부담을 주는 것 같은 기분이 들기 때문이다. ❷ 내가 빚을 진 것 같은 기분이 들기 때문이다. 2) 자기가 들어준 부탁에 대해서 별로 그 대가를 바라지 않기 때문이다. 3) ❹

말하기 · 쓰기 연습

(생략)

제 10 과 어제와 오늘

10과 1항

1. ❷ 후회가 ❸ 준비를 ❹ 과거 ❺ 미래는
2. ❷ 유난히 ❸ 추억하시는 ❹ 말이 나온 김에 ❺ 관련
3. ❷ 울 ❸ 떠들 ❹ 있, 없 ❺ 졸 ❻ 화를 내
4. ❷ 자 ❸ 많 ❹ 보 ❺ 하 ❻ 나쁘, 좋아지
5. ❷ 밤 늦게까지 공원에서 인라인 스케이트를 타 ❸ 시간만 나면 기타 연습을 하 ❹ 학교에 행사가 있을 때마다 공연을 하 ❺ 시간이 날 때마다 수영장에 가 ❻ 자
6. ❷ 음악을 듣 ❸ 커피를 마시 ❹ 밖에 나가서 운동을 하 ❺ 영화를 보러 가 ❻ 숨바꼭질을 하

10과 2항

1. ❷ 향상되다 ❸ 변하다 ❹ 바뀌다 ❺ 발전하다 ❻ 늘다

모범 답안

2. ❷ 시간이 흐르면 ❸ 양쪽 ❹ 단층 ❺ 화려한
3. ❷ 몇 시간 ❸ 일주일 ❹ 며칠 ❺ 얼마 ❻ 이틀
4. ❷ 5 년 전만 해도 ❸ 3 년 전만 해도 ❹ 한 달 전만 해도 ❺ 일주일 전만 해도 ❻ 몇 시간 전만 해도
5. ❷ 쓰기 시험을 못 봤다고 ❸ 김치라고 ❹ 성장했다고 ❺ 운동을 많이 한다고 ❻ 줄었다고
6. ❷ 많지 않다고 ❸ 날마다 먹는다고 ❹ 자주 본다고 ❺ 시험을 잘 봤다고 ❻ 많이 올랐다고

10 과 3 항

1. ❷ 상상해 ❸ 가정하 ❹ 추측하
2. ❷ 귀국한대요. ❸ 사정이 ❹ 바랍니다. ❺ 어느새
3. ❷ 어제 파티에 갔을 거예요. ❸ 율리아 씨하고 예술의 전당에서 발레를 봤을 거예요. ❹ 하숙집 사람들하고 술을 마셨을 거예요. ❺ 리사 씨하고 시청 앞에 가서 트리도 보고 스케이트도 탔을 거예요. ❻ 진리 씨하고 크리스마스 기념 콘서트를 봤을 거예요.
4. ❷ 클럽에 가서 춤을 췄을 것이다. ❸ 옛날에 데이트하던 작은 카페에 가서 식사를 했을 것이다. ❹ 야경이 멋있는 호텔에 가서 식사를 했을 것이다. ❺ 혼자서 등산을 갔을 것이다. ❻ 집에서 만화책을 읽었을 것이다.
5. ❷ 승연 씨가 키가 컸다면 미스 코리아가 되었을 것이다. ❸ 히로시 씨 목소리가 좋았다면 지금쯤 아나운서가 되었을 것이다. ❹ 에릭 씨가 체력이 약하지 않았다면 운동선수가 되었을 것이다. ❺ 안드레이 씨가 사람들 앞에서 말을 잘 했다면 정치가가 되었을 것이다. ❻ 올가 씨가 다리를 다치지 않았다면 발레리나가 되었을 것이다.
6. ❷ 평소에 공부를 열심히 했다면 ❸ 그 선수가 다치지 않았다면 ❹ 친구가 도와주지 않았다면 성공하지 못했을 것이다. ❺ 회사를 옮기지 않았다면 월급이 줄지 않았을 것이다. ❻ 한국에 오지 않았다면 승연 씨와 결혼을 하지 못했을 것이다.

10 과 4 항

1. ❷ 신기록이 ❸ 신형으로 ❹ 신상품이 ❺ 신기술을
2. ❷ 판매 ❸ 가사 ❹ 드디어 ❺ 새롭다 ❻ 완벽하다
3.

비 오다	자주 하다
물 쓰다	걷다
눈 녹다	사라지다
밥 먹다	흐르다
불 보다	돈을 쓰다
춤을 추다	당연하다

❷ 물 쓰듯이 ❸ 눈 녹듯이 ❹ 춤을 추듯이 ❺ 밥 먹듯이 ❻ 불 보듯이

4. ❷ 아이를 돌보듯이 ❸ 사람마다 생긴 것이 다르듯이 ❹ 바늘 가는 데 실 가듯이 ❺ 부모가 그렇듯이 ❻ 가뭄에 콩 나듯이
5. ❷ 선풍기도 없어요. ❸ 아이들도 이 죽을 아주 좋아해요. ❹ 평일에도 시간을 내기가 힘들어요. ❺ 우리 나라는 ❻ 학비는
6. ❷ 음악을 듣는 것은, 텔레비전 ❸ 호텔 예약은 물론 비행기 표를 예약할 때에도 할인을 받을 수 있어요. ❹ 아이들은 물론 어른들도 여기서 눈썰매 타는 것을 좋아해요. ❺ 국내는 물론 해외에서도 이용이 가능합니다. ❻ 아니요, 아이 돌보기는 물론 집안일까지 해 드립니다.

10 과 5 항

1. ❶ 늘었다. ❷ 가정하 ❸ 후회하 ❹ 향상되었다. ❺ 변했다. ❻ 예상했다. ❼ 기대하 ❽ 반성하 ❾ 회상하니까 ❿ 상상하면서
2. ❶ 드디어 ❷ 어느새 ❸ 바랍니다. ❹ 기능을 ❺ 완벽한 ❻ 판매되 ❼ 사정으로 ❽ 새로운 ❾ 흘렀지만 ❿ 양쪽
3. ❶ 자 ❷ 보 ❸ 몇 년 ❹ 완전식품이라고 ❺ 꼼꼼하다고 ❻ 받았을 ❼ 열심히 공부했다면 ❽ 밥 먹 ❾ 학생들은 ❿ 한국어는, 일본어도 아주 잘 해요.
4. ❶ 태우 씨는 학교에 가다가 친구를 만났다. (○) ❷ 어렸을 때는 주말마다 할머니 댁에 가곤 했어요. (○)

❸ 키가 컸다면 농구 선수가 됐을 거예요. (○)
❹ 9 시가 넘었으니까 수업이 시작됐을 거예요. (○)
❺ 사과 편지를 받고 그 친구를 미워하던 마음이 눈 녹듯이 사라졌어요. (○)
❻ 그 서점에서는 책은 물론 학용품까지 살 수 있어요. (○)

듣기 연습

1. 1) ❶ 2) ❶ × ❷ ○ ❸ × ❹ × ❺ ○
2. 1) ❹ 2) ❸

읽기 연습

1. 1) ❶ ○ ❷ × ❸○ ❹ ○ 2) ❸ 3) 어린 시절에 가난 때문에 학교를 졸업하지 못한 할머니들을 초대해 기념품으로 졸업장을 만들어 줬다.
2. 1) ❷ 2) ㈎ : 우주인 운동 기구로 비만을 해결한다. ㈏ : 생각만으로 사물을 움직일 수 있게 된다. ㈐ : 남성도 출산한다.
3) ❶ ○ ❷ × ❸ × ❹ ○

말하기 · 쓰기 연습

(생략)

복습 문제 (6 과 –10 과)

Ⅰ. 1. 아무리 2. 슬슬 3. 그만 4. 오히려 5. 잔뜩 6. 갑자기 7. 마침 8. 그밖에 9. 어느새 10. 유난히
Ⅱ. 1. ❶ 2. ❷ 3. ❹ 4. ❸ 5. ❹
Ⅲ. 1. ❹ 2. ❹ 3. ❸ 4. ❷ 5. ❶
Ⅳ. 1. ❷ 2. ❹ 3. ❶ 4. ❷ 5. ❹
Ⅴ. 1. 값도 싸고 해서 옷을 세 벌 샀습니다. 2. 도서관에서 책을 빌려다가 읽었습니다. 3. 그 이야기를 듣고 나서 생각이 달라졌습니다. 4. 그 아이는 울다가도 그 노래만 들으면 웃습니다. 5. 그 극장 좀 찾아가게 약도를 그려 주세요. 6. 5 월에 눈이 오다니 믿을 수가 없었습니다. 7. 밤새도록 영화를 보느라고 숙제를 하지 못했습니다. 8. 같은 반 친구를 봤으면서도 인사를 하지 않았습니다. 9. 아침에 일어나지 못할까 봐 자명종을 두 개나 맞춰 놓았습니다. 10. 주말에 하는 역사 드라마는 여자들은 물론 남자들도 좋아합니다.
Ⅵ. 1. 친구 생일이라서 케이크를 만들어다가 선물로 줬다. (○)
2. 밤에 잠을 잘 못 잘까 봐 커피를 마시지 않았어요. (○)
3. 운동이 건강에 좋은 줄 알면서도 안 해요. (○)
4. 화장을 하느라고 학교에 늦었어요. (○)
5. 10 년 전만 해도 여기는 사람이 살지 않는 곳이었다. (○)
Ⅶ. 1. 아픈다니요 ? → 아프다니요 ? 2. 오다니 → 온다니 3. 마신지 → 마셨는지 4. 더워라서 → 더워서 5. 쓰는 듯이 → 쓰듯이
Ⅷ. 1. 사무실로 전화를 했다. 2. 피곤하다고 한다. 3. 읽지 않는다. 4. 늦지 않 5. 모델이 되었을 것이다.
Ⅸ. ❶ 어 ❷ 먹어 버렸는데 ❸ 하고 먹지. ❹ 김밥이라도 ❺ 사다가 ❻ 재미있더라. ❼ 봤다면 ❽ 울고 말았어. ❾ 울다니 ❿ 보고 나서
Ⅹ. 1. 굉장히 크 2. 연기를 잘 하 3. 머리도 아프, 취소했어요. 4. 병원에 가 보시 5. 모두 다 100 점을 받았단 6. 네, 앞으로는 조심하 7. 상담 신청서를 써서 상담 선생님께 내면 8. 일요일이라서 9. 좋 10. 많이 움직이 11. 김치를 날마다 먹는다지요 ? 12. 여기서 드실 13. 자, 사탕이라고 하면 벌떡 일어나요. 14. 책을 읽 15. 조금, 교실에 있었는데요.

쉼터 5 – 퀴즈

〈 한국어에 대한 퀴즈 〉

1) ❷ 2) ❶ 3) ❷ 4) ❶ 5) ❷

〈 한국에 대한 퀴즈 〉

1) 녹차 2) 귤 3) 호두 4) 닭갈비 5) 냉면
1) ❷ 2) ❷ 3) ❸ 4) ❸ 5) ❸ 6) ❶ 7) ❷ 8) ❶ 9) ❶ 10) ❷

모범 답안

〈수수께끼〉

❶ 눈물 ❷ 이름 ❸ 거짓말 ❹ 시험 ❺ 치과
❻ 낮잠 ❼ 무지개 ❽ 치약 ❾ 나이 ❿ 불고기

십자말풀이 II

1 결	국						10 군	대			
혼							만				
2 식	3 구					11 순	두	14 부			
	체			12 추	천	서		딪		21 문	
4 국	적		13 기	억				15 치	과	의	22 사
	이			하		16 변	하	다			정
	5 다	10 가	가	다		명					
		능				하			20 참	기	름
	7 상	하				17 다	녀	18 오	다		
		8 다	9 행	히				히			
			사				19 화	려	하	다	